suhrkamp taschenbuch 885

Walter Hinck, geb. 1922, Professor für Neuere deutsche Literatur an der Universität Köln. Publikationen: *Die Dramaturgie des späten Brecht* (⁶1977); *Das deutsche Lustspiel des 17. und 18. Jahrhunderts und die italienische Komödie* (1965); *Die deutsche Ballade von Bürger bis Brecht* (³1978); *Das moderne Drama in Deutschland. Vom expressionistischen zum dokumentarischen Theater* (1973); *Von Heine zu Brecht. Lyrik im Geschichtsprozeß* (1978); *Zwischen Satire und Utopie. Zur Komiktheorie und zur Geschichte der europäischen Komödie* (mit Reinhold Grimm, 1982); *Goethe – Mann des Theaters* (1982). – Herausgeber zahlreicher Sammelbände. Literaturkritiken.

In den literaturwissenschaftlichen Fächern der Universitäten wächst das Bedürfnis nach einer Einführung in die praktische Literaturkritik. Walter Hinck, Professor für Neuere deutsche Literatur und seit Jahren ständiger Mitarbeiter im Literaturteil einer großen Zeitung, entwickelt im Band *Germanistik als Literaturkritik* Möglichkeiten einer angewandten Wissenschaft: ihre Vermittlung an eine größere literarisch interessierte Öffentlichkeit durch die Form der Rezension. Der Band soll als Beispiel-Sammlung zugleich eine Art Lehrbuch für praktische Literaturkritik sein.

Drei einführende theoretische Essays orientieren über die Aufgaben des Literaturkritikers, über die Unterschiede zwischen der Literaturkritik und der Literaturinterpretation sowie über Aufgaben der Theaterkritik. Es folgen ausgewählte Rezensionen und kritische Essays (u. a. zu Ilse Aichinger, Andersch, Böll, Broch, Canetti, Hilde Domin, Dürrenmatt, Frisch, Fried, Hacks, Jens, Joyce, E. Jünger, Kipphardt, A. Muschg, H. W. Richter, Rühmkorf, Peter Schneider, Schnurre, Martin Walser), Rezensionen zur Kulturkritik und zu den wichtigsten neuen Literaturgeschichten. Den Schluß bildet ein Plädoyer zur Streitfrage »Haben wir heute vier deutsche Literaturen oder *eine*?«

Walter Hinck
Germanistik als Literaturkritik

Zur Gegenwartsliteratur

Suhrkamp

suhrkamp taschenbuch 885
Erste Auflage 1983
© Suhrkamp Verlag Frankfurt am Main 1983
Drucknachweise am Schluß des Bandes
Suhrkamp Taschenbuch Verlag
Alle Rechte vorbehalten, insbesondere das
des öffentlichen Vortrags, der Übertragung
durch Rundfunk und Fernsehen
sowie der Übersetzung, auch einzelner Teile.
Satz: Wagner, Nördlingen
Druck: Nomos Verlagsgesellschaft, Baden-Baden
Printed in Germany
Umschlag nach Entwürfen von
Willy Fleckhaus und Rolf Staudt

1 2 3 4 5 6 – 88 87 86 85 84 83

Inhalt

I Zu einer Theorie der literaturkritischen Praxis

Der Literaturkritiker ein Sansculotte?

Der Literaturkritiker ist der Mann der ersten Stunde; für ihn ist ein neues Buch wie eine neuentdeckte Insel. Ein Literaturkritiker, dem keine Entdeckungen mehr gelingen, ist wirklich das, wozu ihn gekränkte Schriftsteller allzu gerne stempeln: ein Mäkler. Entdecken meint freilich nicht nur: einem noch unbekannten Autor zum Durchbruch verhelfen oder das publik machen, was als ›Geheimtip‹ kursiert. Entdecken bedeutet ebensowenig nur: einen verschollenen Schriftsteller wieder ans Licht ziehen – wie der Herausgeber der »Fackel« den Wiener Sprachkomiker und -kritiker Nestroy. Nicht jeder kann das Finderglück von Karl Kraus haben. (Daß umgekehrt »Die Fackel« das Bild Heinrich Heines verdunkelt hat, zeigt, wie sehr Entdeckung und Kritik zusammengehören.) Entdecken überhaupt muß nicht heißen: jemanden zu (neuen) Ehren bringen. Es kann – ohne daß der Kritiker zum Ehrabschneider wird – besagen: jene Möglichkeiten ausfindig machen, die der Autor vertan hat. Dies wird sogar der Normalfall sein – erst die Entdeckung der Potentialität eines literarischen Werks befähigt zur Kritik.

Daraus folgt nicht, daß der Kritiker genau zu beschreiben hat, wie es hätte sein sollen (und schon gar nicht, daß er – wie Törichte wollen – es selbst besser machen müßte). Hierin gleicht der Kritiker dem Satiriker. Der Satiriker, so sagt Schiller (»Über naive und sentimentalische Dichtung«), mache »den Widerspruch der Wirklichkeit mit dem Ideale« zu seinem Gegenstand, und es sei durchaus nicht nötig, daß »das letztere ausgesprochen werde«. Wohl aber müsse die »Abneigung« gegen das Mangelhafte (also die Kritik am Wirklichen) »aus dem entgegenstehenden Ideale entspringen«. Aus der Schillerschen idealistischen Terminologie für Satire in unsere übersetzt: Kritik hat nur dann Qualität, wenn eine Vorstellung von der Gelungenheit des literarischen Werks sie leitet.

Die Momente künstlerischen Gelungenseins zu bestimmen, bieten sich ästhetische Theorien an, die als Autoritäten auftreten. Wo sie in einer Literatur Ausschließlichkeitsanspruch erheben, wie mancherorts die Theorie des sozialistischen Realismus, drängen sie sich als Dogma auf. Und so wenig der Kritiker ohne einen Grundbestand ästhetischer Leitvorstellungen auskommt – läßt er sich ein Dogma aufzwingen, wird er zum Galeerensklaven.

Die im literarischen Werk angelegten und entweder realisierten oder verfehlten Möglichkeiten zu entdecken, hilft ihm keine ästhetische Doktrin. Denn die Doktrin erörtert die Wirklichkeitserfahrungen und die Formen des künstlerischen Ausdrucks auf einer Ebene der Allgemeinheit, ja der Abstraktion, aus deren Vogelschau die Konturen der jeweils individuellen Werke unkenntlich werden. Und kein Regelsystem erfaßt jene ganz bestimmte Kombination unzähliger Elemente, die das Einzelwerk unverwechselbar macht. Die Literaturtheorie gibt dem, der sich aufmacht, einen literarischen Text kritisch zu erschließen, eine gewisse Ration, einen Mundvorrat mit auf den Weg; dann muß er sich selber versorgen.

Mit anderen Worten, der Kritiker muß – lesend – dem Schriftsteller auf die Spur kommen, der Entstehung des Werks und dessen Werden, er muß etwaige Differenzen entdecken, die zwischen dem bestmöglichen Plan und der Ausführung bestehen, muß aus vielerlei Ansätzen jene gelungene Architektur imaginieren, mit der das literarische Bauwerk entweder übereinstimmt oder von der es abweicht. Beides, die Entsprechungen wie die Brüche, zu benennen, obliegt ihm. Freilich ist es das Paradoxe seines Amtes, daß erst die Entdeckung der Brüche ihn als eigentlichen Kritiker ausweist, zuviel Gelegenheit zum Lob ihm also Unbehagen bereitet, daß er zwar immer das Gelingen einklagt, aber das Nichtgelingen braucht. Der Kritiker gleicht dem Anwalt, der von den Schwierigkeiten seiner Mandanten lebt.

Mit linker Hand ist nichts zu erledigen; seine Kritik muß ihrem Gegenstand angemessen, er selbst muß dem Anspruch des Schriftstellers an seine Leser gewachsen sein. Vor allem muß er ein Organ für Individualität haben, für die Individualität des Werks wie des Autors. So ist es ganz selbstverständlich, daß ihm manche Schriftsteller »liegen«, manche nicht. Nicht der ist der beste Kritiker, der sich am meisten zutraut. Manche brillanten Verrisse sind grobe Mißverständnisse. Und manchmal drängt sich Lichtenbergs berühmte Frage auf: »Wenn ein Buch und ein Kopf zusammenstoßen und es klingt hohl, ist das allemal im Buch?«

Aber der Aphorismus läßt sich auch umdrehen. Nicht alle Bücher verdienen den Kritiker, den sie finden. Im Idealfall ist der Kritiker dem Buchautor kongenial, treffen zwei Meister ihres Fachs zusammen. Ebenbürtig aber können sie einander nur sein, wenn sich der Kritiker gegenüber der Individualität des Schriftstellers seine eigene Individualität bewahrt. Die – zu Recht geforderte – Objektivität des Kritikers ist keine auf Kosten des Subjekts. Je deutlicher nämlich das kritische Subjekt in seiner Auseinandersetzung mit dem Objekt sich manifestiert, desto unverhüllter tritt das allgemeine Gesetz der Rezeption von Literatur hervor: daß ein Leser den Text »realisieren«, seine Signale dechiffrieren, deuten, übersetzen muß, daß aber Zeichenempfang kein Befehlsempfang, daß also das Verhältnis des Lesers zum Autor kein bloß affirmatives ist. Der Leser sollte immer auch Gegenspieler des Autors sein. Protagonist der Gegenspieler sei der Kritiker.

Das nun freilich nicht in dem Sinne, daß er zum grundsätzlichen Neinsager wird und damit jenes Klischee von der Erbfeindschaft zwischen Autor und Kritiker bestätigt, das ein ganz natürliches Spannungsverhältnis vergiftet und oft genug Diktaturen den Vorwand liefert, unter dem Schlagwort »zersetzende Kritik« jegliche Kritik überhaupt mundtot zu machen. Mit einem gewissen Maß von Animosität der Autoren jedoch muß sich der Kritiker offenbar immer und überall abfinden; auch der Beschimpfung entgeht er kaum. Wie nannte Goethe in einer Zeit, da er und andere deutsche Schriftsteller sich unmißverständlich von der Französischen Revolution distanzierten, einen mißliebigen Kritiker aus dem »Berlinischen Archiv der Zeit und ihres Geschmacks«? Nicht nur einen »mißlaunischen Krittler«, sondern auch einen »Sansculotten«. Und zu welcher Behandlung dieses Sansculotten riet er? »Man entferne ihn aus der Gesellschaft, aus der man jeden ausschließen sollte, dessen vernichtende Bemühungen nur die Handelnden mißmutig, die Teilnehmenden lässig und die Zuschauer mißtrauisch und gleichgültig machen könnten.« (Literarischer Sansculottismus, 1795) Wohlgemerkt, es ist die »gute Gesellschaft«, aus der Goethe den Sansculotten, den Proletarier/Kritiker, verstoßen möchte. Aber woran in dieser Gegenkritik von 1795 selbstverständlich noch nicht gedacht ist, wir hören es mit: das Wort Verbannung, das Wort Exil. Wir sind empfindlicher geworden für den Tonfall von Drohungen; wir wissen inzwischen, daß man auch die Aufforderung, ihn totzuschlagen, den Rezensenten, nicht nur metaphorisch verstanden hat.

Hier ergeht es der Kritik nicht anders als der Literatur, zumindest der beargwöhnten Literatur; der Kritiker teilt das Risiko des oppositionellen Schriftstellers. Er selbst schließlich ist Schriftsteller. Zwar darf grundsätzlich der Unterschied zwischen fiktionaler und kritischer Literatur, etwa zwischen dem Roman und seiner Rezension, nicht verwischt werden. Doch ist ›literarische Qualität‹ ein Kriterium, mit dem sowohl das fiktionale Werk wie die kritische Schrift gemessen werden können. Schon in der Goethezeit, und das nicht nur bei Karl Philipp Moritz oder Friedrich Schlegel, ist der Gedanke lebendig, daß Interpretation von Kunst und Literaturkritik, sollen sie ihrem Gegenstand vollauf gerecht werden, selbst zur Kunst werden müssen.

Das ist das Ideal. Wie aber sehen die Alpträume aus, von denen Geängstigte, durch schlechte Rezensionen Getroffene, heimgesucht werden? Vielleicht so: der Kritiker als die Spinne im Netz, die gierig auf ihr nächstes Opfer lauert, oder als Scharfschütze im Versteck.

Niemand wird Böswilligkeit verteidigen wollen. Autoren sind kein Wild, das zur Jagd freigegeben ist. Einen Anwalt aber braucht die Aggressivität. Eine Kritik, die den Autor auf Daunen bettet, schläfert ein: den Leser, das Qualitätsgefühl, den Autor selbst. Gefälligkeitsrezensionen sind etwas für laue Gaumen; es schmeckt nach Saccharin, wo Salz und Pfeffer nötig wären. Eine Kritik ohne Temperament, ohne Angriffslust ist ein Satz ohne Prädikat, ein Doppelpunkt, hinter dem nichts mehr kommt.

Literaturkritik – Werkinterpretation

Eine literarische Kritik sei ein Brief an das Publikum, den der Autor, als nicht an ihn gerichtet, weder zu öffnen noch zu lesen habe. So sagt und so hält es ein Lyriker, der bis zum Jahre 1905 selbst noch Buchbesprechungen geschrieben hat: Rainer Maria Rilke. Nicht alle Autoren teilen Rilkes Empfindlichkeit, nicht alle seine Berührungsangst. Es gibt Schriftsteller, die geradezu süchtig sind nach Rezensionen. Rilke liest überhaupt keine Literatur über seine Dichtungen, er befürchtet davon ein gestörtes Verhältnis zu seinem Werk.

Sein Vergleich der Kritik mit einem Brief ist sowohl treffend wie irreführend. Er bezeichnet genau die Lesergerichtetheit der Rezension. Aber er verfehlt ganz den öffentlichen Charakter der Kritik. Eine Rezension unterliegt eben nicht dem ›Briefgeheimnis‹, sie ist allenfalls ein ›offener Brief‹. Die Literaturkritik schafft dem Buch Öffentlichkeit.

Man wird freilich sogleich zu fragen haben, welche Öffentlichkeit das sei. In einer auflagestarken Stadt- und Provinzzeitung rechnet man, wie mir versichert wurde, für die kulturelle Sparte mit einem Leseranteil von 0,5 bis 1%. Auch wenn die Schätzung zu niedrig angesetzt sein sollte, ist hier das Feuilleton keine Sache der Nachfrage, sondern des Prestiges. Dagegen konnte eine der großen überregionalen Zeitungen nach der Erweiterung des Literaturteils einen erheblichen Zuwachs an Abonnenten/Käufern verzeichnen. Zählen wir zu den Lesern des Feuilletons und der literarischen Zeitschriften das Publikum der literarischen Hörfunk- und Fernsehprogramme hinzu, so wird deutlich, daß sie kein Phantom ist: die literarisch interessierte Öffentlichkeit. Obwohl kein Gegenstand des Massenkonsums, ist Literaturkritik doch auch keine Angelegenheit einer elitären Minderheit. Zugegeben, sie beschäftigt sich mit etwas ›Überflüssigem‹ – aber doch mit jener Art des Überflüssigen, für das nicht etwa ein Ästhet, sondern der Materialist Bertolt Brecht stellvertretend das Theater nennt: »Das Theater muß nämlich durchaus etwas Überflüssiges bleiben dürfen, was freilich dann bedeutet, daß man für den Überfluß ja lebt. Weniger als alles andere brauchen Vergnügungen eine Verteidigung.« (Kleines Organon für das Theater)

Rezensionen können mithelfen, einem Buch ein Lesepublikum

zu schaffen, ja, die literarisch interessierte Öffentlichkeit zu erweitern. Literaturkritik kann an einer rechtverstandenen – also alle Nivellierung ausschließenden – Demokratisierung von Literatur mitwirken, so sehr diese zunächst auch ein gesellschaftliches Problem und nicht eines der Literatur oder Literaturkritik ist. Die vermittelnde Funktion einer Maßstäbe bewahrenden und setzenden Kritik, ihre Verantwortung wächst, wo der Öffentlichkeit von den Bestseller-Listen rein quantitative Wertvorstellungen eingehämmert und von der immer gigantischeren Werbung die Bücher als Warenparadies angeboten werden. Es ist alarmierend, in welchem Maße in provinziellen Rezensionen lediglich noch Klappentexte der Verlage nachgeschrieben oder paraphrasiert werden. Literaturkritik muß immun bleiben gegen die Werbesprache der Lektorate und Vertriebsabteilungen.

Deren Suggestion zu erliegen, besteht naturgemäß dort keine Gefahr, wo überhaupt kein Zusammenhang mit dem Buchmarkt besteht: in der literaturwissenschaftlichen Interpretation. Auch die Textinterpretation kann ja kritisch verfahren, und sie tut es geradezu programmatisch in der Kritischen Literaturwissenschaft, auch wenn es diese eher zur Ideologiekritik als zur Textkritik im engeren Sinne drängt. Im Englischen (wie im Französischen), zumal in der Literaturtheorie von Wellek und Warren, wird ein strenger Unterschied zwischen dem »criticism« der Literaturwissenschaft und der Buchbesprechung nicht gemacht. Dem entspricht eine Praxis, die sich bei uns erst durchzusetzen beginnt: daß Literaturwissenschaftler und -professoren mit Selbstverständlichkeit in literaturkritischen Spalten von Zeitungen schreiben. Doch existieren durchaus auch in den anglo-amerikanischen Ländern die akademische und die journalistische Kritik als zwei institutionell verschiedene Formen des »literary criticism« (Geiser).

Die nach dem Zweiten Weltkrieg vor allem an Emil Staiger und Wolfgang Kayser orientierte ›Kunst der Interpretation‹ oder ›immanente Interpretation‹ hat den schon bestehenden Graben zwischen Literaturwissenschaft und Buchkritik noch einmal vertieft. Staigers bekanntes Wort, es gehe darum, »zu begreifen, was mich ergreift«, schaltet ja gerade den kritischen als einen die Interpretation des Werkes störenden Impuls aus. Literaturkritische Betrachtung – und so läßt sich verallgemeinernd sagen: Textbetrachtung – hat aber zugleich zu begreifen, was uns befremdet.

Auch wenn Carl Otto Conrady in seiner »Einführung in die Neuere deutsche Literaturwissenschaft« (1966) Literaturkritik als eine wichtige Aufgabe in die Literaturwissenschaft einholt, ist damit nicht eigentlich an eine Einbeziehung der aktuellen Buchkritik gedacht. Conrady beruft sich zwar auf Friedrich und August Wilhelm Schlegel und ihre »Meisterstücke der Rezension«, doch haben ebendiese Besprechungen und Essays so viel literarhistorische Patina angesetzt, daß sie wohl zu kritischer Textinterpretation, kaum aber zur Mitarbeit in literaturkritischen Institutionen auffordern. Immerhin hat Conrady das Tor zur Literaturkritik als angewandter Literaturwissenschaft aufgestoßen.

Indem Kritik vor allem als »Wertung« verstanden wird, bleiben die Brücken zur Werkinterpretation erhalten. Denn sowohl die »Kunst der Interpretation« wie die Analysen der russischen und Prager sogenannten Formalisten beruhen ja auf Wertungen, auf der Vorstellung von notwendigen – zumindest formalen – Qualitäten des sprachlichen Kunstwerks. Staiger erklärt die »stilistische Einstimmigkeit aller einzelnen Momente des Kunstwerkes« zum Kriterium (Die Kunst der Interpretation, 1955); für Kayser (Literarische Wertung und Interpretation, 1952) sind unter den »einstimmigen Werken die ranghöher«, »deren Einheit aus mächtigeren Spannungen zusammengefugt ist«. Von Vertretern des amerikanischen New Criticism werden Begriffe wie Ambivalenz und Ambiguität oder Multivalenz, aber auch Paradox und Ironie bevorzugt – das Kunstwerk fordert zu immer neuer Lektüre und immer neuen Interpretationen heraus, während sich die Bedeutung des Nichtkunstwerks bei einmaligem Lesen erschöpft. So wäre die Komplexität und ›Unausschöpflichkeit‹ des literarischen Werks ein Wertkriterium – die »innere Unendlichkeit des Kontinuums der Reflexion«, wie (in Anlehnung an Friedrich Schlegel) Wilhelm Emrich sagt, der im übrigen das Kunstwerk auf bestimmte »Daseins- und Bewußtseinsstufen« bezieht (Das Problem der Wertung und Rangordnung literarischer Werke, 1963).

Die Wertungs-Diskussion (vgl. auch Walter Müller-Seidel: Probleme der literarischen Wertung, 1965) bewegt sich in einem Kriterienbereich, der grundsätzliche Geltung sowohl für die Werkinterpretation als auch die Literaturkritik beansprucht. Daß ein Begriff wie »stilistische Einstimmigkeit« nicht ausreicht, weil ihm auch ein gehaltlich flaches oder durch und durch epigonales Werk entsprechen und andererseits der stilistische Bruch gerade der an-

17

gemessene Ausdruck für die Widersprüchlichkeit des Gegenstandes sein kann, wurde bald erkannt. (Staiger selbst deutet das Problematische des Kriteriums an in: Einige Gedanken zur Fragwürdigkeit des Wertproblems, 1969.) Zu einer generellen Kritik der Werttheorien, zumal des Stimmigkeitskriteriums, kommen Jochen Schulte-Sasse (Literarische Wertung, 1971) und Norbert Mecklenburg, der zugleich die Grenzen der werkimmanenten Kritik aufzeigt und an die Spannung von ästhetischer Form und geschichtlichem Gehalt erinnert (Kritisches Interpretieren, 1972).

Während für die Literaturwissenschaft und die Literaturkritik der DDR der historisch-gesellschaftliche Gehalt und die gesellschaftliche Funktion von Literatur und ihrer Kritik immer selbstverständlich waren (was die neuerliche Aufmerksamkeit für formalästhetische Qualitäten nicht ausschließt), erobert sich in der Bundesrepublik eine solche Sicht erst in den sechziger Jahren breiteren Boden. Die Aufgaben einer gesellschaftsgebundenen Wertung und Kritik ergeben sich – so faßt Maximilian Nutz zusammen – aus der Analyse des »gesellschaftlichen Gehalts« literarischer Normen und der Entstehung literarischer Normen innerhalb einer literarischen »Öffentlichkeit« sowie aus der Analyse des literarischen »Markts« und der Funktion literarischer Normen und Werturteile im literarischen Produktionsprozeß (Zur gesellschaftlichen Dimension literarischer Normen. In: Literaturkritik und literarische Wertung). Das Credo solcher Theorie der Literaturkritik pointiert Peter Uwe Hohendahl in dem Satz: »Literaturkritik, die ihren öffentlichen Auftrag nicht preisgeben will, [ist] nicht abzutrennen vom Gedanken der Ideologie- und Gesellschaftskritik« (Literaturkritik und Öffentlichkeit, 1971).

Von ihrem Ansatz her neigt die gesellschaftswissenschaftlich bestimmte Interpretation von Literatur zur Inhalts- und Gehaltsanalyse und zum Konservativismus in der Bewertung der Form. Exemplarisch dafür ist Georg Lukács, wie sich vor allem in der Expressionismus- und Realismusdebatte sozialistischer Schriftsteller zeigte. Eine oppositionelle materialistische Theorie vertritt Walter Benjamin, für den »die Tendenz einer Dichtung politisch nur stimmen kann, wenn sie auch literarisch stimmt«. Seine vordringliche Frage lautet deshalb nicht, wie ein Werk *zu* den Produktionsverhältnissen der Epoche, sondern wie es *in* ihnen steht, nicht ob es reaktionär oder revolutionär ist, sondern mit welcher schriftstellerischen *Technik* es seine Funktion wahrnimmt (Der Autor als Produzent, 1934).

Gegen die an bewährten literarischen Formen orientierte, in bezug auf deren geschichtliche Angemessenheit mehr oder weniger gleichgültige Literaturinterpretation und -kritik stellt sich eine andere, deren wesentliches Wertkriterium die Innovation ist. Sie kann sich auf die Erfahrung stützen, daß alle literarischen Werke, die sich in der Literaturgeschichte als bedeutend erwiesen haben, zugleich die literarische Ausdrucksskala bereicherten. Für die Rezeptionsästhetik von Hans Robert Jauß ergibt sich diese Innovation aus dem Verhältnis zwischen dem Erwartungshorizont des Publikums und dem Werk: wird einer herrschenden Geschmacksrichtung und den vertrauten Empfindungen und Wunschvorstellungen entsprochen, nähert sich das Werk der »kulinarischen« oder Unterhaltungsliteratur, während umgekehrt der Kunstcharakter und Wert eines Werkes nach dem Abstand zwischen dem Werk und der Erwartung seines ersten Publikums zu bemessen ist, so daß der ästhetisch wertvolle neue Text einen »Horizontwandel« zugleich erfordert und bewirkt (Literaturgeschichte als Provokation, 1970).

Solche Bestimmung des ästhetischen Werts ist unbeeindruckt von Tendenzen, die sich in den sechziger Jahren verstärkten, von dem Bemühen, auf die Trennung zwischen der »anspruchsvollen« und der übrigen Literatur zu verzichten und auch die sogenannte Unterhaltungs- oder Trivialliteratur zu einem würdigen Gegenstand der Literaturanalyse zu erheben. Ein weiter gefaßter Literaturbegriff sollte nicht wieder aufgegeben, die Literatur unterhalb des ›Höhenkamms‹ nicht wieder ins wissenschaftliche Ghetto verwiesen werden. Auch die Literaturkritik kann hinter einem erweiterten Literaturverständnis nicht zurückbleiben oder wieder hinter es zurückfallen, zumal ja zu ihren Gegenstandsbereichen auch Jugend- und Kinderliteratur gehören, bei denen die Grenzen zwischen ›anspruchsvollen‹ und ›anspruchslosen‹ Texten weitaus schwerer zu ziehen sind.

Dennoch hat hier die Literaturkritik strenger zu scheiden als die literaturwissenschaftliche Analyse. Für die sogenannte Trivialliteratur vornehmlich zuständig ist die Literatursoziologie, weil diese Texte eben von ihren gesellschaftlichen Implikationen her reichere Aufschlüsse versprechen als von den ästhetischen. Das gilt zumal für die ›Trivialliteratur‹ früherer Epochen, die für niemand mehr einen Lektüreanreiz bietet außer für den Literarhistoriker, deren Lebensfähigkeit (nämlich Funktionstüchtigkeit) sich mit dem geschichtlichen Augenblick ihrer Entstehungszeit erledigt hat. Die Literaturkritik als Rezension aber hat es mit der Gegenwärtigkeit und – bei Texten früherer Epochen – mit der Reaktualisierung von Literatur zu tun. Sie kann vergessene Texte rehabilitieren oder nach der Berechtigung des Neudrucks fragen. Absurd aber wäre es, sich mit Texten zu beschäftigen, die niemand drucken will und deren Neuausgabe sinnlos, überflüssig oder gar widersinnig wäre. Das muß die Literaturkritik, wie sie hier verstanden werden soll, der historisch interessierten Literaturwissenschaft überlassen.

Damit ist ›Trivialliteratur‹ nicht grundsätzlich dem Zugriff und dem Aufgabenbereich der Literaturkritik entzogen. Erfolgsautoren etwa wie Simmel oder Konsalik durch Nichtachtung strafen, hieße wichtige Möglichkeiten und Funktionen der Literaturkritik vernachlässigen. Gewiß, Autoren wie diese gewinnen ihr Publikum ganz ohne Literaturkritik, sie brauchen sie nicht, um öffentliche Resonanz zu finden. Aber die literarische Öffentlichkeit braucht gutbegründete Urteile über sie.

Die Ausgrenzung von »Unterhaltungsliteratur« ist auch deshalb problematisch, weil sie den falschen Anschein erweckt, als sei der Unterhaltungswert eines literarischen Werkes ein Makel. Daß die Kunst zu erfreuen, zu vergnügen, also zu unterhalten habe, ist ein unabdingbarer Bestandteil selbst jener bis ins 18. Jahrhundert gültigen Formel, die auf der Lehrhaftigkeit und dem Nutzen des Werkes besteht. Für die Späteren rechtfertigt sich sogar das ästhetische Vergnügen durch sich selbst. Freilich wird ›Vergnügen‹ in den geschichtlichen Epochen und von den einzelnen Autoren verschieden verstanden: beispielsweise als ein Vergnügen des Verstandes von Johann Elias Schlegel, als interesseloses Wohlgefallen von Kant oder als kritische Produktivität von Brecht. Eine allgemeingültige Definition gibt es nicht, doch ist es wohl eine allgemeine Voraussetzung des Vergnügens, daß das literarische Werk unseren Geist und unsere Einbildungskraft fesselt. Dazu gehört eine gewisse Spannungstechnik (selbst im Gedicht), die Verstand, Empfinden und Phantasie des Lesers beweglich macht. Auch das anspruchsvollste literarische Werk verfehlt einen seiner wesentlichen Zwecke, wenn es Langeweile verbreitet. Selbst die ›gehobene Langeweile‹ verdient in der Literaturkritik keine ›mildernden

Umstände‹.

Zweifellos geht mit der Zeit ein Teil des Vergnügens verloren, das die ›Neuheit‹ eines literarischen Werkes dadurch gewährt, daß sie den Erwartungshorizont des Publikums übersteigt, also den Leser aufstört, irritiert, anregt. Der Reiz verbraucht sich. So büßt der »Verfremdungseffekt« einen Teil seiner beabsichtigten Wirkung ein, sobald er in die selbstverständliche Erwartung des Publikums mit aufgenommen ist. ›Klassisch‹ gewordene Literatur muß also andere Wirkungsenergien entfalten, um lebendig zu bleiben. Dennoch kann die Auseinandersetzung mit der Gegenwartsliteratur – und Literaturkritik als angewandte Literaturwissenschaft hat es vornehmlich mit ihr zu tun – auf die Frage nach dem innovatorischen Wert des Werkes nicht verzichten. Für Heinrich Vormweg hat das Kriterium der Innovation, obwohl es, wie alle anderen Kriterien auch, nicht unproblematisch ist, noch am ehesten eine Funktion (Kriterien der Literaturkritik. In: Kritik der Literaturkritik, 1973). Dadurch erhält folgerichtig das Ausprobieren, das Experiment, der avantgardistische Versuch einen gewissen Vorrang – eine Vorgabe, die eine vom Gehalt her argumentierende Kritik nicht einräumen wird. Doch sollte sich Literaturkritik ebensosehr vor dem allzu raschen Formalismusverdacht hüten wie vor der bedingungslosen Anerkennung des Experimentellen als eines Wertes an sich.

Das Fehlen eines allgemein verbindlichen, überzeitlichen Regelkanons für die Produktion und die Kritik von Literatur kann nur bedauern, wer unhistorisch denkt. Nur einen kurzen Augenblick lang konnte in der Geschichte unserer Literaturkritik der ›Kunstrichter‹ von geschriebenen Gesetzen, von Gesetzen ehrwürdigen Alters, her urteilen. Die Entstehung der Literaturkritik hat ihre Wurzeln im skeptischen, Autorität nicht mehr fraglos hinnehmenden, auf das Vernünftige dringenden Geist der Aufklärung. Aber ihr erster Repräsentant in Deutschland, der seine Poetik nicht zufällig »Kritische Dichtkunst« nennt, Gottsched, sieht das Heil noch in der strikten Befolgung überlieferter Normen: man brauche nur die Alten nachzuahmen. Noch bei Lessing bleibt dieses normative Denken erkennbar; in der »Hamburgischen Dramaturgie« wird der Poetik des Aristoteles die gleiche Unfehlbarkeit zugesprochen wie einem mathematischen Lehrsatz des Euklid. Zugleich aber bricht Lessing hier mit aller normativen Poetik, wenn er im 96. Stück fragt, ob sich denn ein Genie durch

Regeln überhaupt unterdrücken lasse. »Nicht jeder Kunstrichter ist Genie: aber jedes Genie ist ein geborener Kunstrichter. Es hat die Probe aller Regeln in sich.« Danach verfährt Lessing als Literaturkritiker: er respektiert die Individualität des Autors, des Werks – freilich ohne sich die übersteigerten Vorstellungen des ›Geniewesens‹ im Sturm und Drang oder die subjektiven Maßstäbe der rezensierten Autoren zu eigen zu machen. Schon seit Lessing besteht jenes Dilemma der Literaturkritik, von dem Norbert Mecklenburg spricht, in seiner These »Die Kriterien können weder aus dem jeweiligen Gegenstand der Kritik noch aus einem allgemeinen Normensystem entnommen werden« (Kriterien als Bedingungen der Möglichkeit von Literaturkritik. In: Kritik der Literaturkritik).

Immerhin läßt sich ein Vorschlag Goethes hören. Der Ärger über ein bei Kritikern beliebtes Verfahren, dem Autor und seinem Werk »irgendein Musterbild« entgegenzuhalten, und zwar ohne Rücksicht auf die Angemessenheit des Vergleichs, veranlaßt Goethes Überlegungen zu einer »produktiven Kritik«. Drei Fragen empfiehlt er dem Kritiker: »Was hat sich der Autor vorgesetzt? Ist dieser Vorsatz vernünftig und verständig? Und inwiefern ist es gelungen, ihn auszuführen?« (Graf Carmagnola noch einmal, 1821). Auch hier bleibt der Wunsch nach Einzelkriterien offen (und die dritte Frage setzt, wörtlich genommen, allzu selbstverständlich das Gelingen voraus). Doch verrät diese Fragentrias noch deutlich die Herkunft der Literaturkritik aus der Aufklärung, und ohne das Aufklärungserbe ist für mich auch heute distinktive Literaturkritik schlecht denkbar. Im übrigen bieten Goethes Fragen ein praktikables Modell für den kritischen Zugang zu einem Werk.

Einen neuen Typus von Kritik bringt das Junge Deutschland hervor: die »Gesinnungskritik« (Hartmut Steinecke: Literaturkritik des Jungen Deutschland, 1982). Hatte Heinrich Heine das »Ende der Kunstperiode« ausgerufen, also das Ende einer Verabsolutierung der Kunst gegenüber dem Leben, so ist es nicht ohne Ironie, daß Ludwig Börne ausgerechnet ihm das Auseinanderklaffen von Talent und Charakter, das heißt, von Künstlertum und Gesinnungshaltung, vorwirft. Heines Rückkehr zum Gedanken der Autonomie des Kunstwerks – freilich eines Kunstwerks, das sich gegen Religion und Politik nicht abschließt – ist wohl nicht zuletzt eine Antwort auf die immer aufdringlicher werdende Tendenz, Bücher nur noch nach der Gesinnung zu beurteilen, die in ihnen sich ausspricht, und nach der – Gehalt und Aussage ja mitbestimmenden – Vermittlungsweise nicht mehr zu fragen. Wo Gesinnungstüchtigkeit derart zum Wertkriterium wird, liegt die Gefahr nicht weit, daß Literaturkritik zur Gesinnungsüberprüfung und der Kritiker zum ›Literaturpolizisten‹ wird. Gegen einen Literaturbegriff, wie ihn die Gesinnungskritik offenbart, wäre das spätere Wort Gottfried Benns zu setzen: Kunst ist das Gegenteil von gut gemeint.

Gesinnungskritik schließt, sofern der Urteilende nicht seinen eigenen Maßstab verraten will, die Parteilichkeit und Parteinahme des Kritikers mit ein. Von daher versteht sich auch die Politisierung des literaturkritischen Vokabulars im Jungen Deutschland. Steinecke notiert: konservativ, servil, restaurativ oder liberal, freiheitlich, fortschrittlich, emanzipiert; unzeitgemäß oder zeitgemäß, alt oder jung.

Vorgebildet im Literaturverständnis des Jungen Deutschland ist das der marxistischen Ästhetik: hier gilt sowohl für die Werkinterpretation wie für die Literaturkritik die politische Parteilichkeit des Standpunkts und des Urteils als unbezweifelbarer Grundsatz. Diese Forderung bezieht ihre Rechtmäßigkeit aus der Prämisse, daß es ein rein interesseloses Wohlgefallen nicht gibt, daß auch bei der Rezeption literarischer Werke unsere Interessen und Erfahrungen mit im Spiel sind. Die Interessen nicht ausschalten können und sie zur Richtschnur der Wertung machen, sind aber zweierlei Dinge. Eine Bedingtheit des Urteils muß nicht auch noch zum Prinzip des Urteils umgemünzt werden. In der Literaturkritik ist die Schwester der zur Herrschaft gekommenen Parteilichkeit das Vorurteil. Wo nicht die politische Position von Kritiker und Autor identisch sind, verschließt sich die Parteilichkeit, der mit Heilsaura versehene Klassenstandpunkt, der Komplexität des Werks. Nicht anders verhält es sich bei jeder strikt moralisch, religiös oder theologisch argumentierenden Kritik. Das vom Dogma einseitig gelenkte Interesse begibt sich entdeckerischer Möglichkeiten, weil es nur Selbstbestätigung sucht.

Heinrich Vormweg hat die Position des Literaturkritikers mit Hilfe von Roland Barthes' Gleichsetzung von »historischer« und »subjektiver« Existenz beschrieben (Literaturkritik. In: Literaturwissenschaft. Grundkurs 2, 1981): nur im Subjekt realisiert sich das Geschichtliche, deshalb kann allein das Subjekt die Verantwortung des Sprechens und Schreibens übernehmen. Kritik ist dazu berufen, aus dem Möglichen für die Zukunft etwas zu bestimmen und seine geschichtliche Verwirklichung vorzubereiten (Roland Barthes: Was ist Kritik?). Es versteht sich, daß das literaturkritische Subjekt als ein in sozialen Bezügen und Erfahrungen verankertes Subjekt zu begreifen ist.

Der Kritiker, sofern er sich mit Literatur der Vergangenheit befaßt, kann aber auch von der Geschichte der Deutungen eines Werks nicht absehen. Bei aller Spontaneität, die seinem Urteil Elan und Farbe gibt, hat er zu bedenken, daß sich seine Wertung vor den Hintergrund vieler anderer Urteile stellt, daß sie eben – und zwar auch im Widerspruch – Produkt einer Interpretationsgeschichte ist. Und selbst wo der Literaturkritiker die Neuerscheinung der Gegenwartsliteratur bespricht, tritt er in eine Tradition der Wertungen, die sein Urteil mitlenkt, sogar in der Negation. Eine voraussetzungslose, nur dem kritischen Genie sich verdankende Literaturkritik gibt es nicht. Jedes neue Urteil steht in der Spannung von Vorgeprägtheit und Selbständigkeit.

Hierin stimmen Literaturkritik und Werkinterpretation überein. Es bestehen aber, außer den schon deutlich gewordenen, eine Reihe von Unterschieden, die eine genauere Funktions- und Formbestimmung jener Art von Literaturkritik erlauben, die als Rezension an die Öffentlichkeit tritt. In Abweichung von der allgemeinen literaturkritischen Untersuchung ist die Rezension eine Gebrauchsform. Hier bestimmt der Praxisbezug die Art und Weise der Literaturkritik. Die Rezension hat ihre Stelle in einem Zweckzusammenhang innerhalb des literarischen Lebens und damit der Gesellschaft. Und begründet ist Norbert Mecklenburgs Befremden darüber, daß sich »Literaturdidaktik als eigene Disziplin längst etabliert hat«, während »Literaturkritik bisher nur ganz sporadisch im wissenschaftlichen Rahmen« vorkommt (Wertung und Kritik als praktische Aufgaben der Literaturwissenschaft. In: Literaturkritik und literarische Wertung). Ihr Gebrauchscharakter trennt die Rezension von literaturwissenschaftlicher Forschung, ihr Zusammenhang mit der Werkinterpretation macht sie zu einem Fall *angewandter* Literaturwissenschaft. Zur Einübung genügen nicht nur Seminare über die Theorie der Literaturkritik oder über die von Hans Mayer herausgegebenen »Meisterwerke deutscher Literaturkritik« (1962 ff.), sondern es bedarf praktischer Übungen an literarischen Texten.

Literaturkritik als Rezension schaltet sich in den Verteilungsprozeß von Literatur ein, sie hilft, zwischen Autor/Verleger und Leser zu vermitteln. Aber nicht der bestmögliche Verkauf des Buches, sondern seine gerechteste Beurteilung ist ihr Ziel, so daß alle Werbetexte zunächst einmal gegen den Strich zu lesen sind. Den Gesetzen des Marktes sich widersetzend, kann sie sich doch ihnen gegenüber nicht rein halten. Auch wenn man die praktischen Folgen von Rezensionen nicht überschätzen darf, haben sie verkaufslenkende Wirkung, und zwar sowohl als Lob wie als ›Verriß‹, wobei Verrisse durchaus nicht immer dem Verkauf schaden müssen, sondern bei bestimmten Kritikern, die den Leser in jedem Falle neugierig machen, ihn sogar fördern können. Stets lenken Rezensionen die Aufmerksamkeit des Lesers, weil aus der unübersehbaren Fülle von Neuerscheinungen immer nur ein verschwindend kleiner Teil rezensiert wird. Für ein Buch ist eine Rezension an sich schon eine Auszeichnung. Das heißt, daß über die Aufmerksamkeitslenkung mehr als die Kritiker selbst die Redaktionen entscheiden, die Rezensionen vergeben. Gar nicht mitentscheiden kann der Kritiker bei der Verwertung seiner Rezension durch die Verlagswerbung. Machtlos ist er gegen die Verwendung von Ausschnitten, die den Grundtenor der Rezension verdrehen oder verfälschen. So wird der Ausspruch eines Kritikers verständlich, er empfinde es jedesmal als eine persönliche Niederlage, wenn er in einer Werbeanzeige zitiert werde.

Der Kritiker als Vermittler zwischen Autor und Leser kann in Versuchung geraten, als Agent des Autors tätig zu werden (zumal bei persönlicher Bekanntschaft, was nicht eben so selten ist). Ein Essayist wie George Steiner wünscht sich den Kritiker sogar als den Diener des Autors. Solche Auffassung ist annehmbar nur in dem Sinne, daß eine Rezension ja immer auch ein Stück Übersetzung ist: die Übertragung eines umfangreichen Textes in die Sprachform einer kritischen Nachricht über ihn. Im übrigen aber hat der Kritiker die Belange der literarischen Öffentlichkeit zu vertreten, und das sind in diesem Falle die der Leser. Insofern spricht Rilke eben zu Recht von der Kritik als einem Brief an das Publikum.

Hier gehen die Absichten von Werkinterpretation und Kritik auseinander. Gewiß ist die »Autorintention« inzwischen als eine schwer bestimmbare Größe erkannt, gewiß gilt sowohl für die Interpretation wie die Kritik, daß die Texttheorie »zwischen intendiertem Sinn und aktuell abgehobener Bedeutung eines Textes deutlicher unterscheiden gelehrt« hat (Eberhard Lämmert: Über die zukünftige Rolle der Literaturkritik. In: Kritik der Literaturkritik). Dennoch bleibt die Interpretation, auch die kritische, autor- und werkbezogen, weil sie möglichst das ganze Beziehungsgefüge des Werkes zu erfassen, »auszuloten« versucht und deshalb auch im Umfang grundsätzlich nicht beschränkt ist. Die Werkinterpretation hat, der Tendenz nach, etwas Affirmatives; manchmal widersteht der Interpret nicht der Verlockung, in offenkundigen Schwächen des Werks besonders subtile Kunstgriffe des Autors zu sehen.

Welche Faszination auf den Interpreten einwirken kann, macht am Beispiel eines Zeitschriftenaufsatzes Rudolf Hartung deutlich (In einem anderen Jahr. Tagebuchnotizen, 1982). Es zeige sich wieder einmal, sagt Hartung, »daß die sorgsamste Interpretation zur Klärung der Frage, welchen künstlerischen *Rang* das Werk hat, oft so gut wie nichts leistet. Kunstvolle Bezüge, mythologische Grundierung, ein relevantes Thema etc.-: all das kann aufgespürt werden, wobei die ergiebigen Funde und die zu leistenden interessanten gedanklichen Operationen dem Interpreten unablässig den Wert seines Gegenstandes suggerieren – und das Werk könnte dabei gleichwohl künstlerisch ganz problematisch oder eine taube Nuß sein.« »Der Interpret überantwortet sich ganz dem Gebilde«, meint Hartung. »Wer die Qualität bestimmt, verästelt sich nicht im Gebilde; er deutet nicht aus, sondern fällt ein Urteil.«

Die Beobachtungen haben Beweiskraft dadurch, daß sie die – keineswegs ganz unkritische – Interpretation eines Verfassers betreffen, der sonst als Literaturkritiker tätig ist, und somit auf die unterschiedliche Gesetzlichkeit von Werkinterpretation und Rezension deuten. Der Literaturkritiker hat das Werk im Hinblick auf die Urteilsfindung zu durchmustern. Das Subjekt tritt nicht zurück zugunsten der verstehenden Hingabe ans Werk, es präsentiert das Werk einem Publikum und artikuliert sich deutlich in der Wertung. Das Urteil muß unzweideutig sein, und zwar im Interesse des Lesers. Weil Literaturkritik als Rezension zweckgebunden und publikumsbezogen ist, hat sie den Forderungen nach Umfangsbegrenzung, also Konzentration, und allgemeinverständlicher Sprache, also Lesbarkeit, zu entsprechen.

Die Werkinterpretation richtet sich an eine fachwissenschaftlich gebildete, also kollegiale, oder doch im Umgang mit fachwissenschaftlichen Veröffentlichungen geübte Leserschaft. Sie braucht ihre Terminologie nicht eigens zu erläutern. Literaturkritik als angewandte Literaturwissenschaft stellt zweifellos eine Form der Popularisierung dar, aber eben auf wissenschaftlicher Grundlage. Das heißt, sie sieht über die Ergebnisse der Interpretation nicht einfach hinweg, sondern macht sie für die historische und ästhetische Bewertung des Werkes fruchtbar. Dabei hat die Sprachkraft des Kritikers die Aufgabe eines ›Transformators‹: sie setzt eine weitgehend abstrakte Beweisführung in eine vorwiegend anschauliche um.

Hier zeigt sich, daß Literaturkritik nicht nur ohne das kritische Vermögen, sondern auch ohne eine besondere Darstellungsgabe, ohne schriftstellerische Fähigkeiten nicht auskommt. Sie erreicht die literarische Öffentlichkeit in ihrer ganzen Breite nur, wenn sie sich auf die Anschaulichkeit der vom Publikum gelesenen Literatur selbst einstellt, auf den literarisch, nicht wissenschaftlich interessierten Leser. Das Gebot der Anschaulichkeit gibt auch der Metapher, der bildlichen Umschreibung, in der Rezension einen anderen Rang als in der Interpretation. Wissenschaftliche Sprache sollte sich der Metapher nach Möglichkeit enthalten (freilich wäre auch hier Purismus ein zweifelhafter Ratgeber); in der Rezension kann die einen Sachverhalt bildlich aufschließende Metapher das Verständnis erleichtern – Bildkraft und Anschaulichkeit der Sprache hängen ja unmittelbar zusammen. Freilich gibt es auch eine Metaphernsucht (meistens in zweitklassigen Rezensionen), die nicht mehr Sachverhalte bildlich erhellt, sondern vernebelt. Mit den Metaphern ist es wie mit den Adjektiven: sie erzeugen, wenn sie nur noch Schmuck sind, Leerlauf.

Seit Lessing wissen wir, wieviel zur Wirksamkeit der Kritik eine geistvolle Schreibweise beitragen kann. Zweifellos hat die beherzte und leidenschaftliche, zupackende Kritik Lessings eine Neigung zum Polemischen. Hätte er alle Polemik gemieden, hätte seine Kritik – etwa an Gottsched oder am französischen Klassizismus – auch historisch gesehen einen wesentlichen Teil ihrer Schlagkraft eingebüßt. In zwei Richtungen entfaltet sich die Kritik Lessings: zur breiteren, die Sache diskutierenden, und zur pointierenden, aperçuhaften Auseinandersetzung. Pointe, Aperçu, kritische Zuspitzung aber werden nie zum Selbstzweck. Nicht von allen, die es in den nächsten Jahrhunderten Lessing gleichtun wollten, ist die dienende, enthüllende Funktion des Witzes begriffen und beachtet worden. Gelegentlich hat sich Literatur- und Theaterkritik in witzige Spielerei verstiegen, hinter der die Sache nicht mehr erkennbar wird, bei der die Sache dem Kritiker nur noch Anlaß ist, mit dem eigenen Witz zu brillieren. Gegenüber wirklicher Könnerschaft sollte man allerdings nicht sauertöpfisch reagieren; schlimm wird es nur, wo das Aperçu in den Kalauer abgleitet.

Wie Ironie zu beleben, Wachheit herauszufordern und den Leser geistig beweglich zu machen vermag, wissen wir spätestens seit Heine, welche Leichtigkeit und Beiläufigkeit eine gleichwohl genaue Kritik gewinnen kann, seit Fontane. Aber auch hier lauern die Gefahren im übermäßigen Gebrauch: dann hält sich Leichtigkeit an der Oberfläche auf, macht Ironie den Leser orientierungslos oder nimmt jene »Eigenschaft einer schadenfrohen Überlegenheit« an, vor der Nietzsche warnt (Menschliches, Allzumenschliches).

Die Erwartung, die eine Rezension an das literarische Werk richtet: daß es fesselt, wendet sich auch auf sie selbst. Die Kritik kommt solchen Erwartungen auf vielfache Weise entgegen. Zunächst einmal versucht sie Aufmerksamkeit zu heischen, sozusagen in eigener Sache zu werben. Den Leser zu »fangen«, ist Aufgabe des Titels. Er muß »attraktiv« sein in dem zweifachen Sinne, daß er ein Rufsignal an den Leser aussendet und zugleich das Besondere oder das Seltsame des Themas, das Komplexe oder das Bruchstückhafte des Buches anzeigt. Den Titel muß durchaus nicht immer der Rezensent finden; grundsätzlich behalten sich die Redaktionen die Formulierung vor, oft müssen ja auch im Literaturteil mehrere Titel zu einem Ensemble zusammenstimmen.

Für die Rezension selbst gibt es keine Rezepte, wohl aber Elemente eines Modells. Der Anfang hat noch etwas von der Aufgabe des Titels mit zu übernehmen, auf jeden Fall hat er den durch die Überschrift aufmerksam gewordenen Leser festzuhalten. Hier stehen verschiedene Arten der Akzentsetzung zur Wahl: ein anekdotischer Eingang, die erzählerische Skizzierung des größeren Zusammenhangs, in dem das Werk seinen Platz hat, die zitathafte Berufung auf eine anerkannte Autorität, die Vorstellung eines besonders frappanten Gedankens oder Ereignisses im rezensierten Werk, das sofortige Bekennen der Enttäuschung oder Zustimmung, auch die pointierende Vorwegnahme der Wertung, so daß sich die folgende Rezension wie eine Urteilsbegründung entwickelt.

Damit ist zugleich ein Typus des Aufbaus, der ›Dramaturgie‹ von Rezensionen umrissen. Der »Urteilsbegründung« entgegengesetzt ist der Typus der »Urteilsfindung«: Der Kritiker sammelt im Verlauf einer Analyse Argumente für die Wertung und zieht am Ende die Bilanz in einem Gesamturteil. Selbstverständlich gibt es unendlich viele Möglichkeiten des Aufbaus; der Kritiker kann auch ein Werk vorstellen und erst am Schluß zur Wertung ansetzen. Er kann auf vorhergegangene Rezensionen anderer Kritiker Bezug nehmen und deren Bewertung mit der des Werkes verbinden, kann von vornherein den Autor gegen zu erwartende (oder bisherige) Mißverständnisse des Publikums in Schutz nehmen (Publikumsbezogenheit der Rezension meint nicht: sich dem Geschmack, den Vorlieben oder Vorurteilen der Leserschaft anbequemen). Er kann aber auch Leserreaktionen rechtfertigen oder sich zur Wehr setzen gegen eine ›Kritikerbeschimpfung‹ des Autors. Kurz: er kann vor allem die Rolle des Verteidigers wählen. Dennoch werden alle Kritiken entweder mehr dem einen oder dem anderen Typus der Rezensions-›Dramaturgie‹ zuneigen.

Manchmal geraten Rezensionen zu offenen oder verborgenen Gefechten der Kritiker untereinander. Das kann für ›Insider‹ außerordentlich reizvoll sein und ist auch nicht rundweg zu verwerfen, weil das literarische Leben die Diskussion braucht. Grundsätzlich tritt aber die Rezension eben nicht vor ein Kollegen-Forum, sondern vor die breite, auf Unterrichtung Anspruch erhebende literarische Öffentlichkeit. So ist die grundlegende Aufgabe des Rezensenten die Information. Der Leser muß am Ende der Rezension wissen, woran er mit dem besprochenen Buch ist, und das heißt nicht nur, ob es gut oder schlecht ist. Er erwartet Auskunft über – sagen wir es klar – Inhaltliches. Wesentliche Teile der Rezension werden also darstellender Art sein. Die schlechteste Lösung wäre ein bloßes Inhaltsreferat. In die Darstellung sollten immer schon Aspekte der Analyse und der Wertung mit eingehen.

Die naturgegebene Bedeutungsbeschwertheit des Schlusses verlangt eine mehr oder weniger markante Aussage. Schlechte Rezensenten schließen mit lauter Nebensächlichkeiten, geistvolle bewahren sich eine Pointe fürs Ende, martialische holen zu einem letzten kritischen Schlag aus, ängstliche weichen im letzten Augenblick wieder in eine halbe Zurücknahme des Urteils aus. Knüpft der Schluß noch einmal an einen Gedanken des Anfangs an – einen Gedanken, der durch den Gang der Argumentation eine Vertiefung oder auch Widerlegung erfahren hat –, wird eine Abrundung, Geschlossenheit der Rezension erreicht. Doch kann die innere Logik der Kritik auch in eine Frage drängen oder dazu, daß der Schluß vollends ins Offene weist.

Die Rezension verdient den ganzen Ernst des Kritikers gegenüber seinem Gegenstand und seiner Aufgabe. Das aber verwehrt ihm nicht das Vergnügen an seiner Sache. Zugegeben, in Deutschland hat es Literaturkritik besonders schwer. Marcel Reich-Ranicki sieht die antikritische Haltung des öffentlichen Bewußtseins geschichtlich in der Mentalität der Untertanengesinnung und des Obrigkeitsdenkens begründet und verweist auf die wechselseitige Bedingtheit von Freiheit und Kritik, von Demokratie und Kritik (Nicht nur in eigener Sache, 1970). Wer dennoch als Kritiker fürchtet, in den Geruch der Negativität zu kommen, und wer sein Geschäft mit halbwegs schlechtem Gewissen betreibt, der erinnere sich daran, welch wichtiges Ferment für das literarische Leben die Literaturkritik ist. Man stelle sich die Öde, den Stillstand vor, wenn den Autoren und ihren Werken nur noch gehuldigt würde.

Auswahlbibliographie

Heinz Ludwig Arnold: Literaturkritik und Literaturbetrieb. In: H.L.A., Brauchen wir noch die Literatur? Zur literarischen Situation in der Bundesrepublik, Düsseldorf 1972.

Roland Barthes: Literatur oder Geschichte, Frankfurt a. M. 1969.

Günter Blöcker, Friedrich Luft, Will Grohmann, H.H. Stuckenschmidt: Kritik in unserer Zeit. Literatur – Theater – Musik – Bildende Kunst, Göttingen 1960.

Karl Heinz Bohrer: Exkurs über Kritik und Geschichtlichkeit. In: K.H.B., Der Lauf des Freitags. Die lädierte Utopie und die Dichter. Eine Analyse, München 1973, S. 68-86.

Anni Carlsson: Die deutsche Buchkritik von der Reformation bis zur Gegenwart, Bern/München 1969.

Horst S. Daemmrich: Literaturkritik in Theorie und Praxis, München 1974.

Ein Jahrhundert deutscher Literaturkritik (1750-1850). Ein Lese- und Studienwerk, hrsg. von Oscar Fambach. 4 Bde., Berlin 1953 ff.

Fischer Almanach der Literaturkritik, hrsg. von Andreas Werner, Frankfurt a. M. 1979 ff.

Northrop Frye: Analyse der Literaturkritik, Stuttgart 1964.

Peter Glotz: Buchkritik in deutschen Zeitungen, Hamburg 1968.

Christian L. Hart Nibbrig: Ja und Nein. Studien zur Konstitution von Wertgefügen in Texten, Frankfurt a. M. 1974.

Hans Egon Hass: Das Problem der literarischen Wertung, 2. Aufl. Darmstadt 1970.

Walter Hinderer: Elemente der Literaturkritik. Acht Versuche, Kronberg/Ts. 1976.

Walter Höllerer: Zur literarischen Kritik in Deutschland. In: Sprache im technischen Zeitalter, 1962, H. 2, S. 153-164.

Peter Uwe Hohendahl: Literaturkritik und Öffentlichkeit, München 1974.

Joachim Kaiser: Kritik als Beruf. In: J.K., Kleines Theatertagebuch, Reinbek bei Hamburg 1965, S. 9-29.

Kritik der Literaturkritik, hrsg. von Olaf Schwenke, Stuttgart/Berlin 1973.

Kritik – von wem / für wen / wie. Eine Selbstdarstellung deutscher Kritiker, hrsg. von Peter Hamm, München 1968.

Michael Krüger: Dossier: Literaturkritik in der DDR. In: Akzente, 1973, H. 5, S. 444-467.

Literarische Wertung. Texte zur Entwicklung der Wertungsdiskussion in der Literaturwissenschaft, hrsg. von Norbert Mecklenburg, Tübingen 1977.

Literatur und Kritik. Aus Anlaß des 60. Geburtstages von Marcel Reich-Ranicki, hrsg. von Walter Jens, Stuttgart 1980.

Literaturkritik als Gesellschaftsauftrag. In: Neue Deutsche Literatur, 1973, H. 5, S. 101-154.

Literaturkritik – Medienkritik, hrsg. von Jörg Drews. Mit Beiträgen von W. Gast, P.U. Hohendahl, G.R. Kaiser, N. Mecklenburg, F. Nemec, K. Prümm, K. Ramm, R. Viehoff, H. Vormweg, Heidelberg 1977.

Literaturkritik und literarische Wertung, hrsg. von Peter Gebhardt, Darmstadt 1980.

Fritz Lockemann: Literaturwissenschaft und literarische Wertung, München 1965.

Georg Lukács: Schriftsteller und Kritiker. In: G.L., Schriften zur Literatursoziologie, hrsg. von Peter Ludz, 2. Aufl. Neuwied/Berlin 1963, S. 198-212.

Manon Maren-Grisebach: Theorie und Praxis literarischer Wertung, München 1974.

Maßstäbe und Möglichkeiten der Kritik zur Beurteilung der zeitgenössischen Literatur. Berliner Kritiker-Colloquium 1963. In: Sprache im technischen Zeitalter, 1964, Sonderheft 9/10, S. 685-836.

Hans Mayer: Von Oxford bis Harvard. Methoden und Ergebnisse angelsächsischer Literaturkritik, Pfullingen 1964.

– Von Paris bis Warschau. Methoden und Ergebnisse europäischer Literaturkritik, Pfullingen 1967.

Norbert Mecklenburg: Kritisches Interpretieren. Untersuchungen zur Theorie der Literaturkritik, München 1972.

Meisterwerke deutscher Literaturkritik, hrsg. von Hans Mayer. 4 Bde., Stuttgart/Frankfurt a. M. 1962 ff.

Walter Müller-Seidel: Probleme der literarischen Wertung. Über die Wissenschaftlichkeit eines unwissenschaftlichen Themas, 2. Aufl. Stuttgart 1969.

Jan Mukařovský: Das dichterische Werk als Gesamtheit von Werten. In: J.M., Kapitel aus der Poetik, Frankfurt a. M. 1967, S. 34-43.

Probleme der literarischen Wertung. In: Der Deutschunterricht, 1967, H. 5.

Marcel Reich-Ranicki: Nicht nur in eigener Sache. Bemerkungen über Literaturkritik in Deutschland. In: M.R.-R., Lauter Verrisse, München 1970, S. 7-45.

Ivor Armstrong Richards: Prinzipien der Literaturkritik, Frankfurt a. M. 1972.

Paul Rilla: Urteil und Vorurteil. In: P.R., Kritik und Polemik, Berlin 1950, S. 295-310.

Peter Schneider: Die Mängel der gegenwärtigen Literaturkritik. In: Neue Deutsche Hefte, 1965, H. 107, S. 98-123.

Jochen Schulte-Sasse: Literarische Wertung, 2. Aufl. Stuttgart 1976.

Janusz Sławinski: Funktionen der Literaturkritik. In: J.S., Literatur als System und Prozeß, München 1975, S. 40-64.

Hartmut Steinecke: Literaturkritik des Jungen Deutschland. Entwicklungen – Tendenzen – Texte, Berlin 1982.

Dolf Sternberger: Der Kunstrichter. Prüfung einer Metapher. In: Literatur und Kritik, Stuttgart 1980, S. 65-73.

Reinhold Viehoff: Buchbesprechungen im Westdeutschen Rundfunk. Ein Beitrag zur Analyse ›öffentlich-rechtlicher‹ Literaturkritik. In: Helmut Kreuzer (Hrsg.), Literatur für viele (2). Studien zur Trivialliteratur und Massenkommunikation im 19. und 20. Jahrhundert, Göttingen 1976, S. 191-208.

Heinrich Vormweg: Literaturkritik. In: Literaturwissenschaft. Grundkurs 2, Reinbek bei Hamburg 1981, S. 237-252.

Heinz-Dieter Weber: Kritik, Literaturkritik. In: Historisches Wörterbuch der Philosophie, hrsg. von Joachim Ritter und Karlfried Gründer, Bd. 4, Darmstadt 1976, Sp. 1282-1292.

René Wellek: Grundbegriffe der Literaturkritik, Stuttgart/Berlin 1965.

- Geschichte der Literaturkritik 1750-1950. Darmstadt/Berlin-Spandau 1959 ff.

Herbert Wutz: Zur Theorie der literarischen Wertung. Kritik vorliegender Theorien und Versuch einer Grundlegung, Tübingen 1957.

Dieter E. Zimmer: Kritik der Literaturkritik. In: Der Monat, 1969, H. 247, S. 79-88.

- Sprache im Kulturbetrieb. Kritik der Literaturkritik II. In: Der Monat, 1969, H. 248, S. 97-107.

Theaterkritik als Opposition

Gehen wir aus von einer Anekdote, die – wie ich gleich zugeben will – für ihren Demonstrationszweck etwas ausstaffiert wurde. Auf einer amerikanischen Provinzbühne im Mittelwesten spielte der Darsteller des Intriganten seine Schurkenrolle so perfekt, daß ein Farmer im Publikum zornentbrannt aufsprang, seinen Revolver zog und den Bösewicht mit einem wohlgezielten Schuß auf den Bühnenboden streckte. Das Gerichtsurteil gegen den Schützen war kompromißlos, und die Vollstreckung folgte ihm auf dem Fuß, so daß Opfer und Täter gleichzeitig beerdigt wurden, und zwar mit großem Ehrengeleit. Beide erhielten auch einen gemeinsamen Grabstein. Auf ihm war zu lesen: »Hier ruht der beste Schauspieler der Welt neben dem besten Zuschauer der Welt.«

Diese Anekdote ist nicht einfach eine ironische Gleichnisgeschichte für die Verwechslung von Kunst und Wirklichkeit, von ästhetischer und Lebensrealität, kein bloßes Negativbeispiel für eine Theorie der ästhetischen Illusion. Das Absurde in dieser Geschichte verweist doch auf ein paar bedeutsame Besonderheiten, die den Gegenstand des Theaterkritikers von dem aller anderen Kunstkritiker trennen. Die Bühne ist offenbar der einzige Kunstraum – sehen wir von einigen Grenzfällen des Happenings in der modernen bildenden Kunst ab –, wo künstlerisches Spiel und blutige Wirklichkeit unmittelbar ineinander überspringen können. Zum dramatischen Motiv selbst hat dieses Problem Arthur Schnitzler gemacht, in seiner Groteske »Der grüne Kakadu« (1899): Die Scheinwelt des Schauspiels bricht um zur Tatwelt eines wirklichen Mords im Aufbruchstaumel der Französischen Revolution. Nirgendwo außer im Theater kann die Verletzung oder gar Vernichtung eines Kunstwerks bzw. einiger seiner Teile zu tödlichem Ausgang für einen Menschen, den Künstler, führen. Bei den von Goebbels angestifteten Bücherverbrennungen im Jahre 1933 wurden eben – Gottseidank – die Schriftsteller nicht mitverbrannt. Gespieltes Leben und gelebtes Leben, Fiktion und Wirklichkeit, Scheintod und absoluter Ernst des Todes können auf der Bühne in eine umheimliche Verstrickung geraten.

Die Erklärung, daß im Bühnenkunstwerk der Mensch selbst, der Schauspieler, mit seinem Körper und mit seinem ganzen Ausdrucksvermögen zum künstlerischen Instrument und zum Bestandteil des Kunstwerks wird, deutet zugleich die Zwangssituation des Theaterkritikers an. Seine Schauspielerkritik betrifft eine Leistung, die sich nicht einen Augenblick von der lebenden Person abtrennen läßt, nicht sich ablöst wie die Partitur vom Komponisten, der dramatische Text vom Theaterautor, die Plastik vom Bildhauer. Die dramatische Figur kann aus der Haut des Schauspielers nicht heraus. Selbst den Einwand gegen die Figurenkonzeption des Dramatikers wird der Schauspieler oft noch auf sich beziehen, verschmelzen doch der Entwurf des Autors und der des Darstellers in der lebendigen Bühnengestalt. Das macht den Schauspieler so verletzlich, so empfindlich. Lessings Scheitern in der Doppelfunktion des Dramaturgen (oder Theaterdichters) und des Theaterkritikers am Hamburger Theater hat ein für allemal gezeigt, daß den Kritiker und den Schauspieler unter ein Dach stecken soviel heißt, wie einem labilen Patienten ständig das Messer des Chirurgen vor Augen halten.

Nun ist das Spannungs-, ja Feindschaftsverhältnis von Kritiker und Künstler, das zwischen dem Theaterkritiker und dem Schauspieler nur seine extreme Form annimmt, eine so allgemeine und zugleich notwendige (weil produktive) Erscheinung kulturellen Lebens, daß es dazu keines weiteren Wortes bedarf. Ohnehin hat sich das Schwergewicht von der Schauspielerkritik zur Regiekritik verlagert. Entscheidender ist, daß auf der Bühne der Mensch zwar selbst zum Bestandteil des Kunstwerks wird, aber doch nur als ein Element unter anderen.

Nehmen wir die reine Pantomime auf leerer Bühne aus, so hat es der Theaterkritiker mit einem durchaus heterogenen Gegenstand zu tun, und zwar nicht nur beim sogenannten theatralischen »Gesamtkunstwerk«, das in der Aufführung die verschiedensten Künste vereinigt (und deshalb eigentlich einen Polykritiker verlangte, das kritische Allroundgenie). Schon in der »Grundausstattung« einer Aufführung, dem Bühnenbild und den Darstellern, treffen zwei verschiedene Zeichensysteme aufeinander. Bühnenaufbauten, die eine bestimmte Raumwirklichkeit andeuten oder vorspiegeln, sind als Zeichen in einer Funktion und einer Form festgelegt, die sich von der ersten Aufführung zur letzten Aufführung eines Stückes überhaupt nicht verändern. Auch die Schauspieler werden zu Zeichen; sie leihen für die Dauer der Aufführung den Körper, sich selbst der Rolle aus. Doch pulst unter der Hülle ästhetischer Zeichenhaftigkeit menschliches Leben mit all seinen

Unwägbarkeiten weiter. Die unlösliche Bindung des Zeichens an die Lebensgesetze, und zwar im Hier und Jetzt der Aufführung, beläßt auch der in allen Details festgelegten Inszenierung noch ein improvisatorisches Moment. Die Aufführung ist nicht fertig vor dem letzten gesprochenen Wort und dem Fallen des Vorhangs; sie kann in jedem Moment ihrer Dauer einen nicht vorgesehenen Verlauf nehmen.

Ich denke gar nicht an ernstere Zwischenfälle, nicht einmal an »Hänger« und die geistesgegenwärtige Rettung der Situation, sondern an die ja unterschiedliche Disposition des Schauspielers, an die wechselnde Intensität des Zusammenspiels im Ensemble, an die von Abend zu Abend verschiedene Zusammensetzung und Aufnahmebereitschaft oder -fähigkeit des Publikums, an den dadurch bedingten »Rückkopplungseffekt« und dergleichen mehr. So viele nicht vorherbestimmbare Faktoren wirken zusammen, daß keine Aufführung mit der anderen identisch ist. Das aber heißt, daß der Theaterkritiker über ein Kunstwerk urteilt, das gar keine volle Identität mit sich selbst besitzt. Jede Aufführung ist eine von der anderen verschiedene Spielart der Inszenierung und die Premiere nur selten die gelungenste.

Das schränkt nicht nur den Gültigkeits- oder Verbindlichkeitsanspruch der Premieren-Kritik ein, sondern den von Theaterkritik überhaupt. Natürlich wäre es unsinnig, Perfektion anzustreben und vom Theaterkritiker den Besuch vieler oder gar aller Aufführungen zu fordern. Schließlich hat die Theaterkritik in der Tages- oder Wochenzeitung die Aufgabe, dem Publikumsinteresse mit Information zu dienen, und man pflegt auch die Speisekarte nicht erst nach dem Essen zu reichen. Es bleibt aber das notwendig Fragmentarische aller Theaterkritik festzuhalten – etwas Bruckstückhaftes, das nicht in der selbstverständlich begrenzten Perspektive des kritisierenden Subjekts begründet liegt, sondern in der unvollständigen Deckung von Regiekonzeption und Realisierung, von Inszenierung und Aufführung.

Dieses Problem hat seine Kehrseite. Gewiß, es läßt allzu apodiktische Urteile fragwürdig werden; aber zu den Mutmaßungen, die der Kritiker einerseits im Zaume halten sollte, wird er andererseits und paradoxerweise doch ermuntert. Mehr nämlich als andere Kunstkritiker ist der Theaterkritiker angewiesen auf Intuition oder – nüchterner gesprochen – auf Kombinationsfähigkeit. Der Hörer eines Musikstücks kann die Partitur mitlesen; ein Zuschauer im Theater kann den dramatischen Text mitverfolgen (und sein blaues Wunder erleben), aber er kann die Realisation mit keiner Partitur der Inszenierung vergleichen. Denn es gibt diese Partitur nicht – sogenannte Regiebücher sind nur Abbreviaturen einer Noten-Kurzschrift. Die Partitur des Regisseurs ist, mittels der Proben, in die Inszenierung eingegangen und läßt sich aus ihr nur erschließen. Solche Wiederherstellung der eingeschmolzenen Partitur aus einer – in der Aufführung nur fragmentarisch vergegenwärtigten – Inszenierung wird dem Theaterkritiker abverlangt, will er zu stichhaltigen Urteilen kommen. Das heißt, er muß den Gegenstand, dem seine Kritik gilt, in seiner Vorstellung erst noch schaffen, zumindest miterschaffen.

Hier ist also höchste Sensibilität fürs Theater vonnöten. Die Fähigkeit, Dialoge zu interpretieren, reicht hier ebensowenig aus wie die Kunst, als einzelner ein Drama nach Rollen differenziert vorzutragen (wodurch die Lesungen von Ludwig Tieck so berühmt wurden). Philologie kann nur Magddienste leisten, oft steht sie eher im Wege. Was Herbert Ihering im Jahre 1928 im Essay »Die vereinsamte Theaterkritik« schrieb, war wohl vorher schon und ist wohl auch weiterhin die vorherrschende Meinung: »Die Schule der Theaterkritik kann nicht mehr das philosophische und philologische Universitätsstudium sein. Was hat germanistische Lesartenkritik mit der unmittelbarsten, mit der dramatischen, mit der schauspielerischen Kunst zu tun? Germanistik verstellte immer den Blick auf die Bühne« (Herbert Ihering: Der Kampf ums Theater, 1974). Heute möchte wohl mancher im selben Atemzug noch die Theaterwissenschaft mitnennen. Freilich sind hier sowohl Pauschalurteile wie Ressentiments fehl am Platz. Kritische Literaturwissenschaft ist nicht als Lesartenkritik abzutun, und immerhin gibt es auch eine theaterbezogene Dramenanalyse. Setzt man einen engen Fachbegriff voraus, ist das Mißtrauen sicherlich berechtigt. Der eingefleischte Philologe, der Vollblutgermanist sozusagen, ist in Theaterfragen ein Junker Bleichenwang. Iherings Zweifel am Wert des Universitätsstudiums läßt sich leicht ins Positive wenden: Schule der Theaterkritik kann nur das Studium des Theaters sein.

Seinen Gegenstand mitzuerschaffen vermag der Theaterkritiker nur, wenn er Bildphantasie besitzt. Ist doch die Inszenierung ein Versinnlichungsprozeß, in dem die dramatischen Vorgänge zu Bildern werden (zu dreidimensionalen, belebten, versteht sich). In der Vorstellung des Kritikers muß sich die Fleischwerdung des Wortes vollziehen – eben das, was der Regisseur in Bühnenrealität umsetzt. Ohne diese Gabe bleibt er ein Stümper.

Hier stellt sich nun natürlich die Frage, warum der Kritiker, wenn solche Fähigkeiten vorausgesetzt werden, nicht gleich zum Theater gehe und selbst Regie führe. Diese Frage, sofern sie nicht einen hämischen Kern hat, ist keineswegs abwegig. Wir kennen durchaus Beispiele für den Wechsel vom Kritikerplatz zum Regiepult. Ich erinnere nur an Ernst Wendt, der als Theaterkritiker über die Dramaturgie zur Regie kam. Der theatergeschichtlich bekannteste Fall ist wohl der von Otto Brahm. Zumindest für Brahm jedoch gilt, daß er als Regisseur seine Herkunft von der Theater-, ja eher noch Literaturkritik nie verleugnen konnte. Die faszinierende Dichte seiner Berliner Inszenierungen ist so unbestritten wie sein Verdienst um die Durchsetzung Ibsens und Gerhart Hauptmanns auf dem deutschen Theater. Aber daß er es den Schauspielern eine Zeitlang verwehrte, nach den Aufführungen den Beifall des Publikums entgegenzunehmen, läßt sich wohl nicht nur mit den ästhetischen Grundsätzen naturalistischer Regie erklären, die jede Störung oder Aufhebung der Illusion und damit auch das augenfällige Auseinandertreten von Rolle und Darsteller zu vermeiden suchte. Brahms – natürlich nicht lange aufrechtzuerhaltendes – Verbot enthüllte eine sonderbare Fremdheit gegenüber den Bedingungen schauspielerischer Kreativität.

Mit mehr Schwierigkeiten und Hemmungen als der Weg vom Theaterkritiker zum »Theatermacher« ist wohl der Rückweg verbunden. Gerhard F. Hering (in: Theater im Gespräch. Ein Forum der Dramaturgie, 1963) nennt das Beispiel Paul Schlenthers, dessen Name auch durch ein Hauptmann-Buch in Erinnerung geblieben ist. Schlenther wurde aus der Theaterkritik in die Leitung des Wiener Burgtheaters berufen und kehrte später zur Kritik zurück. Und etwas Merkwürdiges wurde offenbar: Schlenthers »kritische Feder war matt geworden«. Die Theatererfahrung, sagen wir besser: die Integration in den Theaterbetrieb hatte die Urteilsfähigkeit nicht verbessert, sondern abgestumpft. Möglich auch, daß eine verständliche, aber nun falsche Solidarität ihn noch fesselte oder aber, daß er einfach den Standpunkt für die neue/alte Perspektive nicht mehr fand. Seine Scheu jedenfalls, jemandem »weh« zu tun, zeigte, daß ihm eine Tugend des Kritikers, die Unbestechlichkeit, abhanden gekommen war, nämlich die Tugend, sich nicht von Dankerwartungen bestechen zu lassen. In solchem Sinne ließe sich sagen: die Zugehörigkeit zum Theater selbst hatte ihn als Theaterkritiker für immer korrumpiert. (Freilich muß das kein Regelfall sein.)

Die Kollegialität zwischen dem Künstler und dem Kritiker, die sich aus der beruflichen Zuwendung und – hoffentlich – Liebe zu demselben Gegenstand herleitet, kommt ohne Distanz nicht aus und unterliegt dem Gesetz der Arbeitsteilung. Die Symbiose von Regisseur, Schauspieler und Kritiker in einem einzelnen ist kein Ideal, ist eine Utopie, deren Erfüllung gar nicht wünschbar wäre. So sehr Kritik im Produktionsprozeß leitend und verbessernd eingreifen kann – das fertige künstlerische Produkt braucht eine kritische Instanz von außen. Ein Vergleich mit der Politik ist so unstimmig, wie er zunächst scheinen mag, nicht: Widersinnig, wenn nicht verhängnisvoll wäre die Personalunion von Regierung und Opposition. Ja, Theaterkritik hat die Aufgaben der Opposition wahrzunehmen (freilich drängt sie nicht so heftig in die Regierung wie die politische Opposition).

Was aber trennt den Theaterkritiker vom Künstler, genauer vom Regisseur nicht nur funktionell, sondern auch substantiell? Wenn auch er die Vorstellungskraft besitzen muß, das Wort Fleisch werden zu lassen, was fehlt ihm dennoch zum Regisseur? Alles, was die Differenz zwischen einer allgemeinen Vorstellung und einer genauen Ausführung ausmacht: die Beherrschung des Handwerklichen, das Organisationstalent, die Fähigkeit zur Führung der Schauspieler, die Aktivität des Handelnden, ein spezifisch künstlerisches Temperament. Der Theaterkritiker braucht die Kraft der Imagination – der Imagination mit all ihrer Vorläufigkeit und Unverbindlichkeit –, der Regisseur braucht außerdem die Kraft der Realisation, einer Realisation mit all ihrer Endgültigkeit und Konkretheit in der Gegenwart des Bühnenabends.

Halten wir uns an die theaterkritische Praxis, so grenzt sich wohl die Imagination des Kritikers noch mehr ein: sie entzündet sich erst an der des Regisseurs, bleibt eine Imagination aus zweiter Hand. Erst die Konzeption der Inszenierung setzt die ganze Vorstellungskraft des Theaterkritikers in Bewegung, provoziert den gedanklichen Entwurf von möglichen, von besseren Alternativen. Zugespitzt formuliert: der Theaterkritiker weiß nicht, wie man es macht, wohl aber, wie man es besser macht (es sei denn, er stimmt zu, findet nichts besser zu machen). Das ist das Paradox im Geschäft der Theaterkritik; deswegen auf sie herabsehen kann nur, wer ihre Aufgabe in der Kunst verkennt, eben ihre Rolle als Opposition. Fundierte Kritik an einer Inszenierung üben, heißt von einem Gegenentwurf her urteilen.

Auch der Literaturkritiker muß einen poetischen Text nicht machen können, wenn er darauf besteht, daß es der Autor hätte besser machen sollen. Aber Literaturkritik und Theaterkritik unterscheiden sich doch in einem wesentlichen Punkt: Gegenstand des Literaturkritikers ist ein sprachliches Werk, Objekt des Theaterkritikers ist sowohl das sprachliche Werk wie dessen Versinnlichung im Raum-Zeit-Gefüge des Bühnenereignisses. Auch der dramatische Text also, den er aus der kritischen Wertung nicht ausschließen kann und soll, selbst wenn es sich um den eines Klassikers handelt! (Heute wird die Kritik oft so sehr von der Inszenierung, etwa eines Klassikers, von den Regietaten gebannt und in Beschlag genommen, daß dies leicht in Vergessenheit gerät.)

Die Theaterkritik bewegt sich auf zwei Rezeptionsebenen. Das hat eine Reihe von Differenzierungen zur Folge, die Möglichkeit ganz unterschiedlicher Akzentsetzung. Die Stück-Kritik kann in den Vordergrund treten – das ist bei Uraufführungen die Regel: oft steht mit einem neuen Stück zugleich ein neuer Dramatiker auf dem Prüfstand. Oder das Schwergewicht verlagert sich zur Inszenierung: nicht nur bei Klassiker-Aufführungen, sondern auch bei Parallelinszenierungen oder bei gleichzeitiger Uraufführung eines Stückes an mehreren Bühnen. Seltener geworden ist die Konzentration des Interesses auf die Schauspieler-Kritik, es sei denn, ein Autor hat sein Stück für einen Schauspieler – wie neuerdings Thomas Bernhard für Bernhard Minetti –, hat eine Rolle einem Schauspieler auf den Leib geschrieben. Im 18. und 19. Jahrhundert hatte die Schauspieler-Kritik wie auch die genauere Beschreibung einer Aufführung noch eine zusätzliche Funktion: das Augenblickshafte und Transitorische der Schauspiel- und Bühnenkunst, das Unerbittliche des Diktums »Dem Mimen flicht die Nachwelt keine Kränze«, wenigstens etwas abzumildern. Diese Chronik-Funktion kommt der Theaterkritik zwar auch heute noch zu, ist aber zum Teil durch den Film und durch die Möglichkeit von Film-Aufzeichnungen überholt worden.

Nun schließt Kritik auf zwei Rezeptionsebenen nicht nur die

verschiedensten Kombinationsformen ein, sondern spannt den Theaterkritiker auch in ein dichteres Netz von Verpflichtungen. Bestimmt man die allgemeinste Form von Kritik als Information des tatsächlichen und des potentiellen Publikums einer Kunstgattung, so muß sich Theaterkritik noch auf andere Verbindlichkeiten einlassen. Sie hat mit ihrer kritischen Berichterstattung nicht nur die Belange des Publikums wahrzunehmen; sie kann auf mehrfache Weise in die Rolle des Anwalts gedrängt werden. In vielen Fällen hat sie die Interessen des Autors gegen den Regisseur zu vertreten (ein Problem, über das noch ausführlicher zu sprechen ist), doch kann sie auch den Regisseur entlasten und ihn gegen eine schwache dramatische Vorlage ins Recht setzen müssen. Sie wird einen Schauspieler manchmal gegen eine brüchige oder blutleere Rolle, manchmal gegen die Zumutungen des Regisseurs in Schutz nehmen, nicht selten aber auch seine Eigenmächtigkeiten gegen Text und Regie tadeln, seinen Egoismus, seine Staralllüren, seine Versuche, Kollegen »an die Wand« zu spielen. Und schließlich kann ihr die Aufgabe zufallen – eine Aufgabe, die sie im Grundsätzlichen allerdings mit der Kritik anderer Kunstgattungen teilt –, gar nicht in Distanz zum eigentlichen Gegenstand der Kritik zu gehen, sondern ihn zu verteidigen, zu rechtfertigen gegen die antiquierten oder die modesüchtigen Erwartungen des Publikums, gegen Stumpfheit und Banausentum. Theaterkritik also kann auch Zuschauerkritik sein (ihre einfachste Form findet sie in der bekannten Formel des Kritikers, nicht das Stück, sondern das Publikum sei durchgefallen). Der Kritiker als Anwalt des Theaters hat zu erklären und aufzuklären, er wird – scheuen wir das Wort nicht – zum Erzieher des Publikums.

Die Theateraufführung ist ein Zusammenspiel (oder ein Auseinanderfallen) so vieler künstlerischer Positionen, daß in vielen Fällen eine klare Parteinahme des Theaterkritikers für die eine oder andere unumgänglich wird. Parteinahme verstanden als Entschiedenheit des Urteils, nicht als Akt besonderen Wohlwollens, der Voreingenommenheit oder des Ressentiments! Wird der fruchtbare Wettstreit unter den Gliedern des Gesamtensembles (Drama, Regie, Bühnenbild, Choreographie, Musik, Schauspielkunst) zur zerstörerischen Rivalität, so sieht sich der Theaterkritiker in der Rolle des Schiedsrichters. Wiederum wird deutlich, daß Theaterkritik für das Theater selbst nur als Außeninstanz von Nutzen ist.

Die Rivalität, die heute alle anderen zumeist überlagert, ist die zwischen Stückeschreiber und Regie – ein Zweikampf unter sehr ungleichen Bedingungen, zumal wenn der Autor keinen Einspruch mehr erheben kann. Hinter uns liegen Jahrzehnte eines merkwürdigen Widerspruchs zwischen den demokratischen Grundverhältnissen des politischen Lebens und den autokratischen Ansprüchen von Regisseuren im Theater. Manchmal hatte und hat es den Anschein, als sei das Reich des Regisseurs die letzte Bastion des fürstlichen Absolutismus, so daß der junge Schiller seinem Gedicht »Die schlimmen Monarchen« eine ganz andere Stoßrichtung gegeben haben würde.

Nun hat dieser Kampf schon eine lange Geschichte; er begann in dem Augenblick, da sich die Kunst der Mimen dramatischer Vorlagen bemächtigte und damit sich selbst die Aufgabe auferlegte, das fremde, das dichterische Wort zu verleiblichen. Das Regie-Theater deckt nur mit aller Schärfe einen Riß auf, der seit jeher wesentlich zur Theaterarbeit gehört und auch dann nur zum Teil aufgehoben ist, wenn Schauspieler selbst die Stückeschreiber sind. Das Drama braucht die Bühne, um zu der in seiner Form angelegten Gestalt zu kommen, und das Sprechtheater braucht den dichterischen Text, will es nicht bloße Schaubude bleiben; aber die wechselseitige Abhängigkeit ändert nichts daran, daß sich Anspruch des Wortes und Anspruch der mimischen Kunst ständig aneinander reiben. Der Theaterkritiker hat sich dazu nicht zu stellen wie der Philologe. Und denen, die sich gern auf das heilige Wort der Klassiker berufen, ist mit dem Beispiel des Klassikers Goethe zu antworten, der in dem Vierteljahrhundert seiner Nebentätigkeit als Theaterleiter und Regisseur in Weimar manche »Sünde« gegen den Geist des Wortes beging, begehen mußte oder glaubte begehen zu müssen. Zu seiner 1812 aufgeführten Bearbeitung von Shakespeares »Romeo und Julia« schreibt er (am 28.1.1812 an Caroline von Wolzogen): »Die Maxime, der ich folgte, war, das Interessante zu konzentrieren und in Harmonie zu bringen, da Shakespeare nach seinem Genie, seiner Zeit und seinem Publikum viele disharmonische Allotria zusammenstellen durfte, ja mußte, um den damals herrschenden Theatergenius zu versöhnen«.

Hüter des Wortes pflegen heute gerade umgekehrt zu argumentieren und das »Allotria« zu beklagen, das Regisseure mit dem Shakespeareschen Text veranstalten. Aber sieht man davon ab, daß die Mittel wechselten, so hat Goethe nichts anderes getan als mancher heutige Regisseur. Ein gebändigter, harmonisierter Shakespeare muß nicht richtiger (dürfte eher falscher) sein als ein entfesselter Shakespeare. Jede Inszenierung hat ihren historischen Ort; und eine der notwendigen Voraussetzungen für den Theaterkritiker ist die Fähigkeit, zu erkennen, was geschichtlich möglich oder gar geboten ist.

Schiller und Goethe waren, wo es um das gegenwärtige Theater ging, keinesfalls die »zeitlosen« Klassiker, zu denen sie deutsche Schulmeister (Schulmeister am Gymnasium und an der Universität, aber auch in der Literatur- und Theaterkritik) so gerne stilisiert haben. Sie gestanden dem Dramaturgen und Regisseur nicht nur das Recht zu, sondern erhoben es zur Pflicht, Stücke aus früheren Epochen den Bühnenformen der eigenen Zeit anzupassen, ja sie, sowohl formalästhetisch wie gehaltlich, dem herrschenden Kunstideal anzunähern. (Dazu schon Julius Wahle: Das Weimarer Hoftheater unter Goethes Leitung, 1892.) Das sind Forderungen, die am Weimarer Hoftheater auch in die Wirklichkeit umgesetzt wurden, Forderungen von unerhörter Konsequenz. Sie besagen nichts anderes, als daß die Bühne eine geschichtliche Variable des – ja unverändert überlieferten – dramatischen Textes zu spielen habe. Der Theaterkritiker hat danach gar nicht die grundsätzliche Zulässigkeit der Bearbeitung eines Textes zur Frage zu machen, wohl aber den Rahmen der jeweiligen Vertretbarkeit oder Notwendigkeit von Eingriffen. Das setzt Studium und Kenntnis nicht nur des Theaters, sondern der gegenwärtigen geistigen, sozialen und politischen Situation voraus. In Zweifelsfällen sei er der Verbündete der Dramaturgie und Regie gegen das Publikum, gegen das Dogma von der Unantastbarkeit der Textvorlage.

Daß sich das Problem der »Texttreue« für die Deutung des Regisseurs anders stellt als für die des Philologen, folgt aus dem Unterschied zwischen gedanklicher und versinnlichender Interpretation. Auch wenn die Hermeneutik und Rezeptionsästhetik mit der Illusion aufgeräumt haben, die Textauslegung könne das Textverständnis des Autors selbst lückenlos rekonstruieren – man spricht von der Verschmelzung von Werk-Horizont und geschichtlich bedingtem Horizont des Interpreten –, so sollte doch der Philologe den Intentionen des Autors so nahe wie möglich zu kommen suchen. Die Verschmelzung von Text-Horizont und

Aufführungs-Horizont ist von ganz anderer Tragweite, bedeutet doch hier Interpretation zugleich die Überführung des Werkes aus einer Kunstform in die andere Kunstform. Der Regisseur und die Schauspieler haben das Werk, und sei es Jahrtausende alt, haben das dramatische Geschehen im Hier und Jetzt der Aufführung zu vergegenwärtigen, es in die unmittelbare Gegenwart zu heben und dabei – mit Goethe zu sprechen – den »herrschenden Theatergenius zu versöhnen«. Genauer: die Bühnenvorgänge müssen, auch wenn sie (wie beim Geschichtsdrama) eindeutig als Abbilder längst vergangener Vorgänge erkennbar sind, die Überzeugungskraft heutiger Vorgänge gewinnen, denn sie haben den Zuschauer zum Augenzeugen.

Damit eröffnet sich der Regie ein Spielraum, dessen Grenzen sehr schwer zu bestimmen sind; die Praxis bewegt sich zwischen den aus dem Geist des Historismus geborenen, das geschichtliche Kolorit um jeden Preis wahrenden Inszenierungen (wie etwa denen der Meininger Bühne gegen Ende des 19. Jahrhunderts) und den hemmungslosen Aktualisierungen, die sich längst nicht mehr mit dem »Hamlet im Frack« begnügen. In der Freiheit liegt die Verführung zum Mißbrauch. Und es gibt zu denken, daß Warnungen gerade von einem Theatermann kommen, der mit der Tradition nicht zimperlich umgegangen ist und alte Stücke durch Bearbeitungen für seine Bühnenkonzeption brauchbar gemacht hat: Bertolt Brecht.

Im Aufsatz »Einschüchterung durch die Klassizität« grenzt sich Brecht entschieden ab gegen »die Bestrebungen oft talentierter Regisseure oder Schauspieler, neue, bisher nicht gesehene, sensationelle Effekte auszudenken, die jedoch rein formalistischer Art sind, das heißt, dem Werk, seinem Inhalt und seiner Tendenz aufgesetzt und aufgedrängt werden«. Der Preis für die Überwindung einer verstaubt-traditionellen Aufführungsart, die »schreckliche Langeweile« erzeuge, dürfe keineswegs eine Inszenierung sein, die »Inhalt und Tendenz des klassischen Werks nicht nur verdunkelt oder verflacht, sondern direkt verfälscht«. Konservativer noch als Goethe selbst erscheint Brecht, wenn er in bezug auf den »Urfaust« meint, man müsse »den ursprünglichen Ideengehalt des Werks herausbringen« und »zu diesem Zweck die geschichtliche Situation zur Entstehungszeit des Werks sowie die Stellungnahme und besondere Eigenart des klassischen Autors studieren.« In den Notizen »Zu ›Don Juan‹ von Molière« heißt es: »Man darf ihn nicht verdrehen, verfälschen, schlau ausdeuten; man darf nicht spätere Gesichtspunkte über die seinen stellen und so weiter.« »Die alten Werke haben ihre eigenen Werte, ihre eigene Differenziertheit, ihre eigene Skala von Schönheiten und Wahrheiten. Sie gilt es zu entdecken« (Ges. Werke, Bd. xvii).

Also doch museale Aufbereitung des »kulturellen Erbes«? Das würde aller Theorie und Praxis Brechts widersprechen, und tatsächlich fährt er denn auch fort: »Das bedeutet nicht, daß man Molière so spielen soll, wie er 170 x gespielt wurde; es bedeutet nur, daß man ihn nicht so spielen sollte, wie er 1850 gespielt wurde (und 1950). Gerade die Vielfalt der Erkenntnisse und Schönheiten seiner Werke erlaubt es, Wirkungen aus ihnen zu holen, die unserer Zeit gemäß sind«. Im übrigen: »Wir befinden uns nicht auf der Seite Molières. Dieser votiert für Don Juan: der Epikuräer (und Gassendischüler) für den Epikuräer. (. . .) Wir sind gegen parasitäre Lebensfreude.«

Die programmatischen Bemerkungen Brechts bieten, sofern man einige merkwürdige Annäherungen an dogmatische Positionen der Theaterkritik in der DDR außer acht läßt, Beurteilungskriterien auch für die Theaterkritik (daß »philologische Interessen« durch Klassiker-Adaptionen »nicht bedient werden« könnten, stellt Brecht in den Anmerkungen zu seiner »Antigone«-Bearbeitung klar); sie lassen sich nach der einen oder anderen Richtung hin ergänzen. Eine textfromme, aber museale Aufführung klassischer Stücke, die Langeweile im Zuschauerraum verbreitet, würde den Geist des Werkes töten, es geht aber gerade um seine Wiederverlebendigung für die jeweilige Gegenwart. Sie kann nicht erreicht werden durch notorische Besserwisserei oder durch Sensationslüsternheit. Weder der Regisseur oder Schauspieler, der sich selbst für klüger, für unendlich fortgeschrittener hält als den Dramatiker, noch derjenige, dem der Text bloß als Material für eigene Regieeinfälle oder solistische Bravourstücke dient, wird den Aufgaben einer Klassikerinszenierung gerecht. Das dramatische Werk darf kein Ziel werden für Freibeuterei. Wohl aber verträgt, ja verlangt es den kühnen Zugriff einer je neuen künstlerischen Interpretation. Denn das scheinbar Zeitlose in klassischen Werken besteht in ihrer Unausschöpfbarkeit, darin, daß sie, obwohl in der Epoche ihrer Entstehung fest verankert, von dieser Zeit in ihrem ganzen Beziehungsreichtum gar nicht erkannt werden können und daß jede folgende Zeit aufgerufen ist, neue, erst ihr zugängliche Sinnmöglichkeiten zu entdecken. Immer wieder droht die lebendige Wirkung des klassischen Werkes stumpf zu werden, und immer aufs neue muß das Theater, die Regie seinen Appellcharakter wiederherstellen.

Das schließt nicht aus, daß der Regisseur, daß der Schauspieler eine gleichzeitige Distanz in die Inszenierung, in die Darstellung mit einschießen läßt. Denn wie bestimmte Sinnbezüge des Dramas immer neue Bedeutungsfacetten entfalten, so verfallen andere einer unaufhaltsamen historischen Abnutzung. Zumal beim Geschichtsdrama sollte in der Vergegenwärtigung zugleich der Abstand zum Fremdgewordenen mit wahrnehmbar werden. Doch ist die Bühne zweckentfremdet, wenn sie statt zum Forum eines klassischen Autors zu einem Tribunal über ihn wird. Und Fragen des geistigen Eigentums sind berührt, wenn die Textelemente nur noch die Funktion von Baukastenelementen haben, die willkürlich versetzt, beiseite geschoben oder ergänzt werden. In solchem Falle sollten Dramaturg oder Regisseur schon ihren eigenen Namen hergeben, statt unter dem Pseudonym eines Shakespeare oder Schiller zu schreiben.

Gewaltakte einer absolutistischen Theaterregie haben einen Theaterkritiker wie Heinrich Vormweg, der noch die Operationen und Amputationen in Hansgünther Heymes »Wallenstein«-Inszenierung von 1969 rechtfertigte und pries, neuerdings dazu gebracht, als Anwalt der Dramatiker aufzutreten. »Im Zweifel dennoch für den Autor« ist sein Beitrag zum Band »Geschichte als Schauspiel« (suhrkamp taschenbuch 2006, 1981) überschrieben. Man kann solche Ernüchterung als ein Alarmzeichen werten: die Notwendigkeit einer entschiedenen Opposition ist erkannt. Aber das »dennoch« im Titel verrät doch auch, wo weiterhin die Sympathie des Theaterkritikers liegt: beim Wagnis des Regisseurs. Und hier bietet sich zum Schluß eine Verallgemeinerung an: Theaterkritik sei grundsätzlich Verbündete des Experiments; so wenig sie die Theatersensation um jeden Preis rechtfertigen kann, so wenig darf sie selbst sich verstehen als Opposition um jeden Preis.

II Rezensionen neuerer Literatur

Der Leser auf falscher Fährte
Ingeborg Drewitz' Roman
»Wer verteidigt Katrin Lambert?«

Der Lockspur zu folgen, die im Titel dieses Romans – wenn wohl auch absichtslos – angelegt ist, wäre verlorene Mühe. Hier erwartet den Leser kein Schlüsselroman um Ulrike Meinhof oder um politisch-kriminelle Sensationen, wofür ihr Name zur Kennmarke wurde. Hier dient auch die fiktive Figur dem Autor nicht, wie in Heinrich Bölls neuester Erzählung, zur satirischen Abrechnung mit seinen journalistischen Widersachern. Katrin Lambert tritt auf dem Buchmarkt dieses Herbstes in keine Konkurrenz zu Katharina Blum.

Und dennoch stehen beide Figuren in einer gemeinsamen Gegenwart, einer Zeit der polarisierten Öffentlichkeit, der Politisierung vieler Lebensbereiche und des Mißtrauens gegen sie. »Nur die Politik hätt' sie draußen lassen sollen!« sagt eine Kollegin über die Sozialfürsorgerin Katrin Lambert.

Ich-Erzähler des Romans, den Ingeborg Drewitz nach einer Reihe von Erzählwerken, Dramen und Hörspielen herausbringt, ist eine Berliner Rundfunk-Journalistin, deren Interesse am Fall der Katrin Lambert zweifach motiviert erscheint: durch die obligatorische Neugier ihres Berufs und durch die Erinnerung an eine Mitschülerin, deren Namen sie in der Pressenotiz findet, die vom Tod einer ins Eis des Grunewaldsees eingebrochenen Frau berichtet.

Die berufliche Neugier wird alarmiert durch die Meldung, daß die Frau auf warnende Zurufe nicht reagiert habe, also durch den Selbstmord-Verdacht. Und die plötzlich wachgerufene Erinnerung ist nicht die Erinnerung an irgendeine der Mitschülerinnen aus der Zeit des »Dritten Reiches«: Gleichgültigkeit gegenüber einem Propagandafilm und Freundlichkeit gegenüber einer jüdischen Flickschneiderin brachten Katrin Lambert in Konflikt mit der Schulleitung, und ihre Eltern waren sogar Opfer des Regimes.

Was mag diese Katrin Lambert schließlich an einem Wintermorgen aufs dünne Eis getrieben haben? – so oder doch so ähnlich lautet die Frage, die sich für die Journalistin und den Leser stellt. Ein ungewöhnlicher Todesfall hat sich ereignet, und die Journalistin, die ihre Recherchen beginnt, kommt nicht ohne kriminalistischen Spürsinn aus. So hat der Roman Züge der Detektivgeschichte, nur daß nicht der Täter gesucht wird, sondern die Biographie der Toten.

Auffälliger ist der Bezug zu – fast schon modischen – Formen des Fernsehreports, zu Filmen, in denen durch Befragung von Zeugen die Geschichte eines Lebens ermittelt und zugleich eine soziale Situation dokumentiert werden soll. Auf der Schlußseite des Romans wird diese Ähnlichkeit sogar reflektiert: »Letzte Einstellung der Gang übers Eis.« Doch ergibt sich die schließliche Enttäuschung des Lesers eben daraus, daß hier mit Spannungsmitteln des Kriminalromans gearbeitet wird und auf diese Weise mit Versprechen, die der Schluß des Romans nicht einlöst. (Zwar ist auch das willentliche Düpieren von Lesererwartungen des Kriminalromans mittlerweile zur beliebten Erzählerattitüde geworden, doch deuten auf solche Absicht der Autorin keine sprachlichen Signale.)

Die falschen Versprechungen bestehen darin, dem Leser die Gestalt, über die recherchiert wird, so mysteriös wie möglich zu machen. Da bringt eine Brandstiftung im Wohnheim von Fürsorgezöglingen und der Versuch, den Schuldigen zu decken, Katrin Lambert ins Zwielicht. Im übrigen halten alle Befragten mit irgend etwas hinterm Berge. Nur so viel ahnt man (und einer der Freunde Katrins spricht es aus): »daß sie am Ende war«.

Allen, die ihr nahestanden, haftet etwas Rätselhaftes an. Der Sohn, »Revoluzzer« und Student der Theaterwissenschaft, gammelt in einem Kellerloch herum, bis er sich plötzlich in eine saubere Pension in der Lüneburger Heide absetzt, um seine Examensarbeit zu schreiben (die dann doch wiederum nicht zustande kommt); er ist lange Zeit beleidigend verschlossen. Übermäßig betroffen wirkt der Fürsorgezögling Robby, sobald von der letzten Nacht die Rede ist, die Katrin Lambert mit ihm und anderen Freunden diskutierend verbrachte: »Seine Finger krallen sich in das Bettzeug.«

Wie die Tätigkeit des Recherchierens gelegentlich zur Pose gerät (etwa wenn die Journalistin eigens in verschiedene Stadtteile fährt, nur um von der Atmosphäre umgeben zu sein, in der Katrin lebte), so sind auch viele der Reaktionen auf Katrins Tod von theatralischer Verkrampftheit.

Die Enthüllung, auf die hin das Interesse des Lesers gespannt wird, die Auflösung, für die soviel Pulver gesammelt wurde, geht aus wie das Hornberger Schießen. Was Katrin Lambert in den Tod getrieben haben könnte, sind Verdächtigungen wegen der fast kindlichen Liebe ihres Schützlings Robby und dessen kindischer Vergewaltigungsversuch, sind die Eifersucht und Verstocktheit des Sohns und allenfalls noch gewisse Isolations-Erlebnisse.

Das alles macht noch keinen Selbstmord zwingend für jemanden, der sich bei der Resozialisierung so vieler Gestrauchelter bewährt hat. Wenn es sich aber gar nicht um Freitod handelt, sondern um Achtlosigkeit beim Gang übers Eis – was der Roman offenläßt –, dann hat die Autorin den Leser zu lange auf falsche Fährten geführt.

Was die Recherchen dennoch in deutlichen Umrissen hervortreten lassen, ist ein hilfsbereiter und in persönlichen Dingen eher hilfloser Mensch, der nicht begreift, daß so viele andere Egoisten sind, eine Sozialfürsorgerin ohne »Sozialgetue« und Ideologie, eine politisch interessierte Staatsbürgerin zwischen den Fronten des Antikommunismus und eines mit Gewalt praktizierten Sozialismus – das sind Menschen, die fast allesamt durch die Hinterlassenschaft des »Dritten Reiches« oder die Wirklichkeit der Nachkriegsjahrzehnte beschädigt wurden. Und von ihnen wird erzählt in einer unprätentiösen, sehr heutigen Sprache.

Nur einmal versagt Ingeborg Drewitz' Sprachgefühl: als sie dem Arbeiterstand kameradschaftlich auf die Schulter klopft und den Fabriklehrling Robby nicht nur zum hoffnungsvollen Lyriker avancieren läßt, sondern auch noch mit einem seiner Gedichte zitiert. Dieses Zeugnis intellektuellen Konsumüberdrusses unterscheidet sich von Arbeiterdichtung ebensosehr wie die Schreibmaschine von der Drehbank. Hier umwölkt für einen Augenblick sozialromantischer Nebel den klaren Geist der Autorin.

(9. 9. 74)

Späte Begeisterung für Canetti
Erfahrungen mit seinen Büchern

Zum siebzigsten Geburtstag Elias Canettis ist eine Sammlung teils schon bekannter, teils neuer Essays über das Werk erschienen. Die Praxis einiger Verlage, ihren Autoren schon zu Lebzeiten kleine Denkmäler zu errichten, macht Schule.

Mit dem Altersruhm hat die ausgleichende Gerechtigkeit dem 1938 aus Österreich emigrierten und seit 1939 in London ansässigen Schriftsteller auch ein Stück Wiedergutmachung beschert. Aber daß der Durchbruch erst so spät, fast zwanzig Jahre nach Kriegsende, und dann fast über Nacht gelang, nämlich mit der dritten deutschen Ausgabe des Romans »Die Blendung« (die erste war bereits 1935, die zweite 1948 erschienen), bleibt merkwürdig. Wie kam es zu solcher Spätzündung?

Mir scheint dies mit der westlichen Kafka-Rezeption zu tun zu haben. In den sechziger Jahren trieb die Kafka-Welle der Nachkriegszeit noch einmal einem Höhepunkt zu, überschlug sich aber auch. Bei nicht wenigen hinterließ die Mode Überdruß. In das entstandene Vakuum nun stieß Canettis Roman mit seiner kafkaesken, aber dennoch ganz unverwechselbaren Welt, der Welt eines paranoiden Intellektuellen in »selbstgeschaffener Wüste« (Idris Parry). Die Wirkungschance der »Blendung« lag in ihrer Nähe und gleichzeitigen Distanz zu Kafka. Erst als sich dessen literarisches Imperium neigte, akzeptierte die Öffentlichkeit den Erben (einen Erben, der kein Epigone war).

Doch führte wohl auch die Literatur des Absurden, die sich um 1960 vor allem auf dem Theater durchgesetzt hatte, günstigere Rezeptionsbedingungen herbei. Immerhin konstatiert Claudio Magris eine »auf Null reduzierte Perspektive« im Roman, und für Günther Busch ist »Die Blendung« sogar eines der ungewöhnlichsten Beispiele absurder Literatur in Deutschland, entstanden »am Vorabend des Ausbruchs der Absurdität«.

Inzwischen also zählt Canetti zu den literarisch Etablierten, und es kommt weniger darauf an, den allzu lange Verkannten für erlittene Ungerechtigkeit zu entschädigen, als ihn vor allzu unkritischer Ergebenheit der Dichter-Gemeinde zu schützen.

Herbert Göpfert hat Hagiographisches aus seiner Sammlung ferngehalten. Aber die beliebte, auch hier zu findende Vergleichs-

und Spitzenreihe Kafka–Musil–Canetti ist nicht nur deshalb problematisch, weil sie einen Romanautor wie Thomas Mann indirekt deklassiert, sondern auch, weil sie Canetti als Erzähler einen Rang zuspricht, der sich seit vierzig Jahren durch keinen weiteren Roman legitimiert hat – die Erzählungen der »Stimmen von Marrakesch« bieten da kaum Ersatz.

Von Anfang an hat es Leser gegeben, auf die der Roman nur beklemmend wirkte – Peter Suhrkamp zum Beispiel. Die subtilste – weil in freigiebigstes Wohlwollen verpackte – Kritik ist immer noch Thomas Manns Wort von der »krausen Fülle« des Romans und »dem Debordierenden seiner Phantasie«.

Freilich begründet die Kraft der Phantasie auch eine Überlegenheit des Romans über die Schauspiele Canettis, denen die Bühne bisher kein Publikum hat schaffen können. Zu vieles scheint in den Dramen von der Anschauung nicht gedeckt. Hier macht sich Canetti der »Entstellung durch das Begriffliche«, die er europäischen Philosophien vorwirft, selber schuldig. Seine szenische Phantasie, meint Peter Laemmle, sei im Roman sogar stärker als in den Dramen. Aber vielleicht ist nur die Bühne für Canettis Konzeption der »akustischen Maske« (eine von Karl Kraus beeinflußte anthropologische Sprach- und negative Kommunikationstheorie) noch nicht gefunden?

Die Theaterstücke ordnen sich als poetische Experimente der sozialen Anthropologie zu, die Canetti in »Masse und Macht« entwickelt hat. Dieses Buch, originell im kühnen Hinwegsehen über alle bekannten Theorien zur Massenpsychologie, visiert auch die Diktaturen Hitlers und Stalins an, wenn es Herrscher und Paranoiker identisch setzt, und ist nicht zuletzt ein »Dokument gegen den Krieg« (Dagmar Barnouw). Allerdings öffnet sich das Buch raschem Verständnis nicht, ist doch Canetti »einer der letzten hermetischen Schriftsteller« (Karl Heinz Bohrer).

Problematisch am Hermetiker ist eine Neigung, die Randzonen des Wirklichen aufzusuchen und sie für die Mitte zu halten. Diese Gefahr lassen die Charakterskizzen »Der Ohrenzeuge« ahnen, Canettis Versuche, die »Charaktere« des Theophrast und La Bruyères um moderne Porträts zu erweitern. Gegenüber den Vorbildern hat sich ein Wandel vom Typischen zum Individuell-Originellen vollzogen, aber manche Besonderheit wird erkauft mit dem Absonderlichen. Canettis Charaktere sind weniger das Resultat der Beobachtung als vielmehr »einer von Begriffen dirigierten

Imagination« (Rudolf Hartung).

Am lockersten und spontansten, dem Konkreten am meisten hingegeben ist Canetti in den Texten, die er zunächst nur als Nebenprodukt und Ventil seiner schriftstellerischen Arbeit ansah: in den »Aufzeichnungen« (1942-1972, gesammelt unter dem Titel »Die Provinz des Menschen«). Hier kommt am ungebrochensten zum Zuge, was Urs Widmer die »unideologische Neugier« Canettis nennt.

Ein Teil dieser Aufzeichnungen stellt sich in beste aphoristische Tradition. Zwar fehlt Canetti der kombinatorische Witz eines Lichtenberg, von dem ihn auch das Fixiertsein auf bestimmte Themen (etwa seine Idiosynkrasie gegen den Tod) trennt, doch wird nicht umsonst Lichtenbergs Kladde, das »Sudelbuch«, zum »reichsten Buch der Weltliteratur« erhöht – in diesem Werturteil winkt eine versteckte Selbstaussage. Und tatsächlich drückt Uwe Schweikert nur eine allgemeiner werdende Überzeugung aus, wenn er in den »Aufzeichnungen« das eigentliche Zentrum des Canettischen Werkes sieht.

In der »Rezeptionsgeschichte«, wie Dieter Dissinger den Überblick über die Rezensionen und die Forschung nennt, dominieren allerdings vorläufig »Die Blendung« und »Masse und Macht«. Zum Roman ist bei Hanser eine neue Monographie erschienen. David Roberts baut seine – im ganzen kluge – Interpretation auf einer kommentierenden Paraphrase des Romangeschehens auf. Zwei Thesen bleiben haften, reizen zum Widerspruch. »Die Blendung« sei »eine Art negativer Monadenlehre« (die fensterlose Bücherei des Gelehrten Kien erinnere an die fensterlosen Monaden Leibniz'), und mit dem in einer Ersatzwelt von Büchern lebenden Kien beschreibe Canetti ein menschliches Phänomen der kapitalistischen Gesellschaft: die Herrschaft der toten Materie über lebendige Beziehungen, die Verdinglichung.

Die Thesen beleuchten Ansichten, aber eben doch Nebenansichten des Romans. Monadologie und prästabilierte Harmonie von Leibniz vermögen allenfalls bildlich-metaphorisch einen »ironischen Kommentar« zu Kiens »eigenem Kosmos« zu bieten. Und ginge es Canetti um eine Parabel über die Verdinglichungstendenzen der kapitalistischen Gesellschaft, so hätte es wohl einer anderen Figur bedurft als ausgerechnet eines Büchermenschen.

(Herbert G. Göpfert [Hrsg.]: »Canetti lesen. Erfahrungen mit seinen Büchern«.

David Roberts: »Kopf und Welt. Elias Canettis Roman »Die Blendung«. Aus dem Engl. von Helga und Fred Wagner).

(4. 10. 75)

Der vergnügte Maschinist
Martin Gregor-Dellins Erzählungsband
»Das Riesenrad«

In seinem letzten Roman, »Föhn«, ließ sich Martin Gregor-Dellin auf einen Fall ein, den die Medien in unzähligen Reportagen und Kommentaren zur Sensation gemacht hatten. Solcher Bürgen bedürfen seine neuen Erzählungen nicht. Sie beziehen ihre Glaubwürdigkeit aus der eigenen Logik der erzählerischen Phantasie. Freilich wäre die Authentizität all dieser Geschichten gering, führten nicht in sie die Spuren unserer Wirklichkeit hinein.

Nun steht es aber seit jeher der Literatur, auch ihrer erzählerisch-novellistischen Form, frei, unsere Erfahrungsgewohnheiten nicht nur zu bestätigen, sondern auch in Frage zu stellen, also die Evidenz des Augenscheins zu erschüttern und unsere Skepsis gegen allzu bequeme Schlüsse zu wecken, unsere Wahrnehmungsfähigkeiten zu verfeinern.

In Gregor-Dellins neuem Sammelband sind es vor allem die Erzählungen der ersten Hälfte, deren Geschehen sich einem raschen Einordnungsverlangen entzieht. Geradezu signalisiert wird Doppelbödigkeit im Titel der Geschichte »Ungewisser Tatbestand«, die ihr Thema, eine zum Trauma gewordene soziale Demütigung, durch die kunstvolle Verschränkung von Gesellschaftsspiel- und Wirklichkeitsebene entfaltet. Das Rätsel, das die Geschichten aufgeben, bleibt ungelöst; im offenen Ende halten sich mehrere Möglichkeiten die Waage. So in »Ein Entfesselungskünstler«, wo der Einstand der Möglichkeiten den Fortgang der Geschichte verhindert, so in »Freitisch«, wo der Bericht über den Männerasyl-Bewohner, der seinen Freitisch bei einem Ehepaar auch nach der – verheimlichten – Heirat mit einer Kolonialwarenhändlerin (einer »guten Partie«) weiter in Anspruch nimmt, die psychologische Erklärung in absichtsvoller Weise ausspart und dem Leser zur Ergänzung überläßt.

Das Ineinander verschiedener Perspektiven, verschiedener Wahrnehmungs- und Realitätsebenen führt immer in die Nähe jenes Erzählstils, den E. T. A. Hoffmann als erster zur Vollendung entwickelt hat. Stärker noch als in »Ungewisser Tatbestand« nutzt Gregor-Dellin den Spielraum dieses Erzählstils in »Heydenreichs Traum«, dem »Roman eines Korrektors«. Heydenreich, Korrektor der Provinzzeitung einer mittelfränkischen Stadt, liest einen zum Abdruck angenommenen Roman, in dem er zu seiner Bestürzung selbst als Korrektor vorkommt. Korrigierend greift er in das Manuskript ein, »ein Tauziehen über den Roman beginnt«. Andererseits wird Heydenreich, von seiner Rolle als Romanfigur her, »auf die Fährte der Wirklichkeit gesetzt«. Hinzu kommen die Ebenen des Traums und der bloßen Vorstellung: Heydenreich hat es fertiggebracht, Hitler zu fangen, er erhielt dafür den Friedenspreis. Sehr bald haben sich alle Realitätsgrenzen verwischt; die Rollen des Autors, der Hauptfigur und des Korrektors gehen ineinander über; Traum, Wirklichkeit, Fiktion und Fiktion in der Fiktion werden ununterscheidbar. Man sieht, die Erzählung gerät in jenen (romantisch-ironischen) Zirkelschluß, in dem das Kunstprodukt sein eigener Schöpfer und sein eigenes Publikum ist. Das Modell abzuwandeln, zieht Gregor-Dellin alle Register des Fabulierens.

Andere Erzählungen gleichnishaften Charakters werden mit einem Kafkaschen Motiv eröffnet: Ein ahnungslos Verhafteter wird aus dem Gang der Gewohnheiten plötzlich in die Fremdheit einer Welt gestoßen, deren Instanzen er nie zu Gesicht bekommt. Während in »Carné« das Ritual des Zwangs und der Folterungen von absoluter Ausweglosigkeit ist, tritt in »Riesenrad« der Gefangene eines Tages ungehindert aus seinem Verlies in die luxuriöse Welt des süßen Lebens. Die Erzählung wäre deutbar als Gleichnis derer, die sich der Zivilisation verweigern und schließlich ihre Anpassung wie eine Befreiung erleben.

Gregor-Dellins Erzählung »Die Liebe der Danae« befestigt die Biographie des Mädchens Dodo ganz in der geschichtlichen Wirklichkeit. Die Kindheit im Königsberg der Vorkriegszeit, die Flucht auf einem Schiff, das torpediert wird, Rettung und vorübergehender Aufenthalt in Dessau, Flucht in den Westen – dies alles sind Daten einer Lebensgeschichte aus unserer Zeit, unserer Welt. Stundenlange Spaziergänge des Kindes im Regen und die – durch die Torpedierung des Schiffes vereitelte – sexuelle Annäherung eines Funkers bilden die Vorspiele für geheimnisvolle Träume und Wachträume und für das entscheidende magische Ereignis im Park von Oranienbaum: An einem schwülen Augustsonntag wird Dodo von einem wolkenbruchartigen Regen überschüttet und umfangen. Sie wird schwanger. Ihren Sohn bringt sie dann im Westen zur Welt; sie nennt ihn Percy.

Der Titel der Erzählung erleichtert es dem Leser, im Akt der Empfängnis den Besuch Jupiters bei Danae in Gestalt eines Goldregens, also die Zeugung des Perseus, wiederzuerkennen. Noch eine Reihe anderer – mehr oder weniger versteckter – Entsprechungen zum Mythos lassen sich entdecken. Doch bleibt dies alles schöne Reminiszenz, ohne innere Beziehung zur geschichtlichen Situation, in die Dodo/Danae und Percy/Perseus gestellt sind. Der Rückgriff auf alte Mythen überzeugt nur dann, wenn sie auch von ihren Sinnmöglichkeiten etwas wiederhergeben. Hier aber liegt das Netz von mythischen Verweisungen dem modernen Erzählstoff nur auf, bleibt ihm äußerlich. Historie und Mythos werden nicht miteinander vermittelt.

Daß sich diese Erzählung dennoch ohne Peinlichkeit liest, verdankt sie dem Verzicht auf jegliches mythische Geraune. Hier, gerade hier bewährt sich eine lakonische Prosa. Zum ironischen Parlando wird diese Prosa, sobald Satire beabsichtigt ist. Der ironischen Sprechweise gemäß ist der frappierende Einfall. So gipfelt die Persiflage des stupiden wissenschaftlichen Ernstes, mit dem Leistungen von Spitzensportlern hochgetrieben werden, in der Parabeltheorie des (mit der Partei zerstrittenen) russischen Sportarztes Zaparow, einer wahrhaft explosiven Theorie, deren genaue Befolgung den deutschen Weitsprungmeister über die Tribünen des Stadions hinweg ins benachbarte Kleingartengelände befördert, wo er zerschmettert liegen bleibt, »während im Stadion der Streit um die Anerkennung des Sprungs begann – denn es ging ein leichter Rückenwind«.

Auf eine treffende, eine groteske Pointe strebt in »Epitaph für ein Flugzeug« die ironische Kritik an der Sucht nach immer neuen Geschwindigkeitsrekorden zu: Zeugen beobachteten, wie beim ersten Probeflug eines neuen Typs der Düsenjäger »seine eigene Schießspur auffraß« und mit den »abgeschossenen Sprengkörpern kollidierte«.

Daß die Technik nicht nur Anlaß für Katastrophen-Erwartungen sein muß, zeigt die wohl liebenswürdigste Erzählung: die »Geschichte eines Maschinisten«. Alois Stangl, der als Kind am liebsten mit Baukästen spielte, wäre gern – hätte es den Beruf gegeben – »Ausdenker« geworden. Beim Theater bekommt er schließlich sein Stichwort: »Umbau«. Besser als bei der »komödiantischen Halbtrauer der Musikdramen« im Bayreuther Festspielhaus kann er seine Vorstellungen vom »absoluten Theater«

in München verwirklichen. Die Bühne wird seiner »ausdenkenden« Phantasie zum Raum der unbegrenzten Möglichkeiten.

Sein ganzes Koboldwesen enthüllt sich, als ein ausländischer Präsident im Theater zu Gast ist. Das Orchester fährt vorübergehend nach oben aus und verdeckt die Sicht, die Hauptpersonen fliegen katapultartig heraus, im Zuschauerraum beginnen Stühle zu rucken. Als die schwarze Limousine des Staatspräsidenten auf der Bühne erscheint und vom Gast mit großer Freude begrüßt wird, ist das Eis endgültig gebrochen, es setzt im Theater ein allgemeines fröhliches Chaos der Verwandlungen ein.

Mir scheint, Gregor-Dellin hat mit der Geschichte des Maschinisten zugleich eine Geschichte über die Spielfreude der künstlerischen Phantasie geschrieben, über eine Verwandlungslust, die, wenn sie schon das Gewohnte, Vertraute verändern will, es nicht mit tierischem Ernst tun muß. Der wohlwollende Humor, mit dem alles erzählt wird, verrät den Autor als geheimen Verbündeten der Hauptfigur. Und tatsächlich findet, wer richtig hinschaut, in vielen Erzählungen Gregor-Dellins einen »vergnügten Maschinisten« am Werk.

(15. 5. 76)

Max Frisch ein Klassiker?
Seine »Gesammelten Werke«

Wann ist ein Schriftsteller zum Klassiker geworden? Wenn seine »Gesammelten Werke« erscheinen? Dann wäre jetzt dem Autor Max Frisch beschieden, was er selbst den Klassikern attestierte: durchschlagende Wirkungslosigkeit. Allerdings erwies sich sein Urteil, abgegeben über den »Klassiker Brecht«, als voreilig. Und so werden hoffentlich auch seine eigenen Schriften weiterhin ein Ärgernis bleiben und sich neue Freunde gewinnen.

Herausgekommen sind die »Gesammelten Werke in zeitlicher Folge« zu Frischs 65. Geburtstag. Was will die Ausgabe sein? Nicht eine historisch-kritische Gesamtausgabe, kein Exklusivdruck also für Philologen, sondern ein Angebot an breitere Schichten des zeitgenössischen Lesepublikums. Anmerkungen können sich nicht zu Parasiten des Textes entwickeln, sie beschränken sich darauf, die wichtigsten Informationen zu liefern – ohne indessen die Neugier des Laien oder die Erwartung des Kenners zu enttäuschen.

Diese Gesamtausgabe bietet genug für Entdeckungen und Wiederentdeckungen. Die Köder sind ausgelegt in den »Kleinen Prosaschriften« – ausgewählten Kurzgeschichten, Rezensionen, Reiseberichten, Essays, Vorträgen und dergleichen, die in Zeitungen, Zeitschriften oder Sammelbänden gedruckt erschienen und nun nach Zeitabschnitten gesammelt sind. Nicht also in erster Linie vom Roman-, Tagebuch- oder Theaterautor Frisch ist hier zu sprechen, sondern vom Schriftsteller, der seinen Partner, die Öffentlichkeit, zu erreichen versucht.

Wer sich schon vom Anfänger Frisch Geniestreiche versprochen haben sollte, überschlage besser einige der ersten Prosastücke. So erspart er sich etwa die allzu bemühte und deshalb zu naive Ironie in der Kurzgeschichte vom Büromenschen Magnus Klein, der die Filmdiva Greta Garbo platonisch liebt. Aber die Besprechung von Zuckmayers »Liebesgeschichte« (1934) sollte er nicht auslassen, des Vergleiches wegen. Welch ein Schritt vom Schatzkästlein-Vokabular dieser Rezension (»Ewigkeitsschimmer« und das »Alles-Heiligende echter Dichtung«) zu der noblen, aber nichts beschönigenden Auseinandersetzung mit Ernst Wiechert (1946), zu der entlarvenden Analyse des »blonden Edelkitschs« und eines

»gefährlichen Mangels an Denkkraft, der sich so gerne für Tiefe des Gemütes hält«.

Nein, dem Anfänger Frisch war keine glänzende Laufbahn geebnet, auch mit seinen ersten Romanversuchen nicht. Allerdings wirkt der Entschluß des Jahres 1937, alle Manuskripte zu verbrennen, etwas theatralisch, und aus der Asche erhob sich ja auch wenig später ein Phönix. Wenn schon der frühe Frisch irgendwo sich selber voraus war, dann in seinen Reiseberichten von 1933 (aus Ungarn, Jugoslawien und Griechenland). Hier deutet sich bereits eine Nähe zum Tagebuch an, dem Frisch später eine ganz einzigartige Form geben wird, und vor allem jene Identität von reflektierendem Beobachter und fesselndem Erzähler, die seine späteren Reiseberichte so unverwechselbar macht – man lese etwa »Spanien – Im ersten Eindruck« (1951): wie er dort die Gespräche, die Sprache oder die »märchenhafte« Gastfreundschaft beschreibt, aber auch das Nichtexistieren des »Vielleicht« und eine »Tradition des Inhumanen« (die übrigens literarisch schon dokumentiert ist in der Rigorosität des Ehrbegriffs, deren Tödlichkeit die großen Dramatiker des spanischen Goldenen Zeitalters um 1600 zeigen).

Der zweite und eigentliche Durchbruch zum Schriftsteller vollzieht sich nicht ohne Paradoxie. Bei Ausbruch des Krieges zum Militärdienst einberufen, nimmt Frisch, da die Grenzen der Schweiz unangetastet bleiben, nicht die Waffe, sondern die Feder zur Hand. Die erste Buchpublikation eines Schriftstellers nach seiner »Wiedergeburt«, des Schriftstellers aus dem neutralen Lager, ist das Tagebuch eines Soldaten (»Blätter aus dem Brotsack«, 1940). Sogar einen späten Ableger dieses Tagebuches gibt es, die Erinnerungen im »Dienstbüchlein«, das erst vor wenigen Jahren erschienen ist. Zwar liegt hier der Akzent »auf der Tätigkeit des Recherchierens und nicht der Reproduktion von Erlebnissen« (Tildy Hanhart), auf kritisch-selbstkritischer Reflexion. Aber wo sonst noch in der deutschsprachigen Literatur der letzten Jahrzehnte wäre so kühl und sachlich, so wenig in Anklage- oder Rechtfertigungsabsicht über den Militärdienst geschrieben worden? Und Ironie gegenüber dem »Schweizer Wehrmann« – auf die Anspielung von Jürgen Habermas reagierte Frisch, wie man im »Dienstbüchlein« liest, mit wortlosem Ärger – scheint nicht angebracht.

Auf dem Hintergrunde dieses bedingten Einverständnisses ist

die weitaus kritischere Solidarität mit der Schweiz zu sehen, die ihm unter Landsleuten wenig Freunde geschaffen und den Ruf eines notorischen Störenfrieds eingetragen hat. In den »Kleinen Prosaschriften« gewinnt ein Schriftsteller Kontur, dem das immer stärkere künstlerische Echo nicht als Alibi dient, sich dem Hier und Jetzt kommunaler und nationaler Tagesfragen zu entziehen – ein im unprätentiösen Sinne politischer Schriftsteller, ob es nun um Pläne für den Städte- oder Theaterbau (wofür ihn der erlernte Beruf des Architekten zuständig macht), um Kritik an Gesetzesvorlagen, Protest gegen den Visum-Zwang für chilenische Flüchtlinge oder um Warnung vor der Rückkehr zum Kalten Kriege geht. Die klare Absage an linksradikalen Romantizismus hebt nicht den Vorwurf auf, die Schweiz sei ein »Land ohne Utopie«: nämlich ein allzu fertiges, nur noch sich perfektionierendes Land. Daß er sich »vom Sozialismus etwas erhoffe«, daran hält Frisch auch im Bericht über die kurze China-Reise, die er im Herbst 1975 in der Begleitung des deutschen Bundeskanzlers mitmachte, fest, ohne deshalb auf die Potemkinschen Dörfer in China hereinzufallen.

Das Schicksal der Schweizer, sagte er nach dem Kriege, sei nicht identisch mit dem deutschen, wohl aber verkettet mit ihm. So legitimierten sich wechselseitig Kritik an der Schweiz und Kritik an den Deutschen.

Was Frisch auf diese Weise zufiel und was im Laufe der letzten Jahrzehnte immer unbestrittener wurde, ist eine literarische Autorität, die fast an die einstige Autorität Thomas Manns heranreicht. Böll und Grass sind »deutsche« Schriftsteller; Frisch ist so nicht einzugrenzen, weder als schweizerischer noch als deutscher Autor. Er liefert den schlüssigsten, den lebendigen Beweis dafür, daß sich innerhalb der deutschsprachigen Literatur Nationalliteraturen nicht voneinander isolieren lassen, daß sich immer aufs neue ein historischer Kulturzusammenhang herstellt.

Es hat mit dieser Autorität Frischs zu tun, wenn keiner mehr berufen schien als er, die zeitgenössische Literatur zu verteidigen, als sie vor den Richterstuhl des Züricher Lehrstuhls gerufen wurde. »Endlich darf man es wieder sagen«, die Antwort an Emil Staiger aus dem Jahre 1966 – Teil dessen, was man auch den Neuen Zürcher Literaturstreit genannt hat –, ist das sprachliche Glanzstück unter den Prosaschriften Frischs. Nirgendwo sonst hat die Kunst der ironischen Replik polemische Vernichtungsstöße mit solchen Gesten der Liebenswürdigkeit vollführt, nirgendwo sonst sind mit den leichtesten Schlägen Argumente des Gegners so bis ins Mark getroffen worden. Frisch enthüllt die moralisch-rhetorische Zuchtrute, die vom Katheder aus über die Gegenwartsliteratur geschwungen wurde, als Werkzeug des poetischen Dogmas, den wortgewaltigen Savonarola der Literatur als den Literaturpapst selbst.

Am Ende der sechziger Jahre setzte sich ein anderes Dogma absolut: das des politischen Aktionismus. Frischs Abkehr von Lehrstück und Parabeltheater wurde als Flucht ins Private verdächtigt, und er nahm die Gelegenheit wahr, den unlösbaren Zusammenhang zwischen »gesellschaftlicher Situation« und »privater Existenz« zu erläutern. (Der Briefwechsel über »Dramaturgisches« mit Walter Höllerer, in dem es geschieht, fehlt leider in der Werkausgabe). Ein Schriftsteller, dem die Tabuierung des Politischen in der Literatur schon immer absurd erschien, war nicht geneigt, jetzt im Instrument der Sprache nur noch die Fanfare der Politik zu sehen.

Gleichwohl hatten jene nicht unrecht, die in Frischs Schriften eine zunehmende Skepsis gegenüber den praktischen Wirkungsmöglichkeiten von Literatur bemerkten. Der Vorwurf der Resignation lag nicht fern. Ihm freilich hatte Frisch schon in seiner Rede zur Verleihung des Georg-Büchner-Preises 1958 eine Antwort gegeben, die auch später noch galt: »Es ist eine Resignation, aber eine kombattante Resignation, was uns verbindet . . .«

Gesamtausgabe und kritische Bestandsaufnahme zum 65. Geburtstag setzen stillschweigend Frischs besonderen literarischen Rang voraus. Rang läßt sich in diesem Falle auch am Erfolg messen (welch ein Abenteuer es ist, wohlhabend zu werden, hat Frisch mit sympathischer Offenheit in »Montauk« und im »Text + Kritik«-Beitrag »Money« ausgeplaudert). Aber er hat nie eine Zeile nur aus Opportunität geschrieben, keine, die eilfertig auf Beifall schielte. Wenn er als Schriftsteller je etwas wie eine »Gemeinde« haben sollte, so könnte es nur eine aus der Solidarität der Unbequemen hervorgegangene sein. Und vergessen wir nicht, wieviel er dazu beigetragen hat, daß unter den Republiken der Weltliteratur die Vereinigten Literaturen deutscher Sprache wenn schon keine volle Realität, so doch auch keine bloße Utopie sind.

(7. 8. 76)

Zwischen allen Fronten
Klaus Manns Erzählungsband
»Abenteuer des Brautpaars«

»Sie waren beide die entflohenen Kinder einer verfluchten Bourgeoisie: er war ins Proletarische, sie ins zweifelhaft Mondäne geflohen. Aber sie wußten sich beide in dem Milieu ihrer Wahl nicht so ganz sicher«, heißt es in der Titelerzählung »Abenteuer des Brautpaars« (1929) von Gert und Jak. Was hier auf zwei Personen projiziert ist, waren in Wahrheit zwei Ansichten eines einzigen Ichs, eines als Doppelrolle verkleideten autobiographischen Ichs – wenn auch nur im Sinne des Gleichnisses: den jungen Klaus Mann zog es weniger zum Mondänen als zur Vagabondage, und sein Kronzeuge gegen das Bürgertum hieß nicht Karl Marx, sondern André Gide.

Wie alle schreibenden Söhne großer Schriftsteller hat auch Klaus Mann gegen die Autorität des Vaters anschreiben müssen. Denn was überall sonst zum Selbstverständlichen gehört: das Erbe zu übernehmen, das ist dem Künstler, der nicht Epigone seines Vaters sein will, verwehrt. Und verhehlen wir es nicht: der Schatten Thomas Manns, aus dem der Sohn nie ganz heraustreten konnte, ist mit der Zeit noch mächtiger geworden. Doch ist Klaus Mann kein Vergessener.

Bekannt wurde er, gerade neunzehnjährig, durch Erzählungen. Und der Auswahlband, den jetzt Martin Gregor-Dellin zum 70. Geburtstag Klaus Manns vorlegt, bietet noch einmal die Möglichkeit zu Wiederentdeckungen. Von nun an wird man den Novellisten nicht mehr hinter den Romanautor und Essayisten zurückstellen können.

Schon in den frühesten, zum Teil noch aus der Schulzeit in Hochwaldhausen und der Odenwaldschule Oberhambach stammenden Erzählungen verrät sich eine Weise der Beobachtung von Menschen, die in unserer Literatur kaum ihresgleichen hat: ein sanftes Verwischen der geschlechtlichen Polarität. Haralds »Mund war von einem tiefen künstlichen Rot«. »Mit männlich langen Schritten kam sie auf ihn zu«. Kavaliere empfingen sie, »damenhaft aufkreischend«. Heiners Mund war »ein Frauenmund unter der männlichen Stirn«.

Hier kündigt sich das – wie man weiß, autobiographisch begründete – erzählerische Interesse an der homoerotischen Beziehung an, die im Roman »Der Vulkan« (1939) und auch in der abgedruckten Novelle »Vergittertes Fenster« (1937), in den Erinnerungsschüben des paranoiden bayrischen Königs Ludwig II., eine so entscheidende Rolle spielt. Aber dieser Sicht ist das Sadistische des homosexuellen Verhältnisses etwa in Musils »Verwirrungen des Zöglings Törleß«, das Gewaltsame der normwidrigen Sexualität in Werken Hans Henny Jahnns oder das Zudringliche der Schwulensubkultur in Hubert Fichtes »Palette« ganz fremd. Eine eigentümliche Empfänglichkeit für Hermaphroditisches in den Erscheinungen bringt sich vor allem atmosphärisch zur Geltung.

Doch bezeugen sich auch darin die Abweichung und die Abkehr vom Normal-Bürgerlichen, die das Grundmotiv fast aller Erzählungen bilden: ob als groteskes Auseinanderklaffen von Intellektualität und Religiosität, als »gotteslästerliche Frömmigkeit«, die schließlich berechnend den Inzest betreibt (in »Der Vater lacht«), oder als jene herrlich gelassene Mütterlichkeit, mit der die Witwe eines berühmten Mannes ihren vier Kindern das unehelich geborene Schwesterchen vorstellt (in »Kindernovelle«), ob als vornehm-gaunerisches Geschäft mit der bürgerlichen Ehre (in »Wert der Ehre«) oder als Mut zum Glück auch im Augenblick des Betrogenseins (in »Rut und Ken«).

In Zivilisationshaß schlägt der antibürgerliche Affekt in »Leben der Suzanne Cobière« um. Suzanne, als Schülerin im Geiste katholisch-militärischer Tradition erzogen, nach dem Kriegstod ihres Mannes von allem angestauten Druck befreit, stürzt sich in die Vergnügungen einer »phantasielosen Halbwelt«, die bald Überdruß und schließlich Leere hinterlassen. Sie verläßt Paris und folgt einem Amerikaner nach New York. Hier gründet sie zuerst einen Bildersalon, dann eine Zeitschrift und verbraucht ihre Energie in fanatischer Arbeit; sie bricht zusammen. Nun sagt sie auch der letzten, der zermürbendsten Form der Zivilisation Lebewohl und findet auf Tahiti Frieden. Doch die »Monate ihres vollkommenen Glücks« sind bald gezählt. Unternehmungslust und Ehrgeiz werden wieder lebendig, als während eines Ausflugs nach Samoa rhythmische Tänze der Eingeborenen sie hinreißen. Ihr Rückfall in den »ungesunden Tätigkeitsfanatismus« ist gründlich. Sie stellt in Honolulu eine Truppe für Amerika- und Europatourneen zusammen. Bei einem amerikanischen Flottenbesuch enthemmen die Tänze alle Aggressionen der Matrosen; die Erzählung endet in einem Furioso – in einer Orgie von Wollust und Blutgier, deren Opfer auch die Truppe und Suzanne selbst werden. Zivilisation und elementare Natur umarmen einander mit tödlicher Gewalt.

Wie die Flucht der Suzanne Cobière mißlingt, so sollten auch Klaus Manns Versuche des Ausbruchs, der Affront seiner Kunst und seines Lebens gegen die Bürgerlichkeit und der Aufbruch in die Politik, am Ende scheitern. Aber über ihn brach der Tod nicht wie ein Naturereignis herein, als er sich im Jahre 1949 in Cannes das Leben nahm. Dieser Tod war längst vorherbedacht: schon im Roman »Der Vulkan« im Selbstmord des Dichters vorentworfen und schon im Essay »Die Heimsuchung des europäischen Geistes« (1949) gedanklich reflektiert. Auch die Novelle »Vergittertes Fenster« sammelt das Leben Ludwigs II. im Brennpunkt seiner erinnerungsschweren letzten beiden Tage. Unter dem Deckmantel der Historie und im Zwielicht des Wechsels von Bewußtseinshelle und Wahnvorstellung (eines Herrschers, der an seiner enttäuschten Liebe zu Richard Wagner am meisten leidet) wird die Situation des zum Freitod Entschlossenen erzählerisch durchgespielt.

Dieser Erzählungsband, vom Nachwort des Herausgebers knapp kommentiert, gibt nichts her für eine literarische Sensation. Gelegentlich läßt der gekünstelte Satzbau (»Rudi, um, daß er eifersüchtig war, zu beweisen . . .«) weniger auf fehlende sprachliche Sorgfalt als auf bewußte Manier schließen. Und an einigen schwächeren Texten wird klar, daß der Sache des Autors tatsächlich besser mit einer Auswahl als mit einer Gesamtausgabe seiner Erzählungen gedient ist. Zum überwiegenden Teil aber haben die abgedruckten Erzählungen von ihrer novellistischen und geistigen Spannung nichts eingebüßt. In ihnen schattet sich die Selbstbiographie eines Intellektuellen ab, der mit seinen privaten Neigungen wie mit seinen politischen Überzeugungen zwischen die Fronten geriet – eines Intellektuellen freilich, der zu anderen Schlußfolgerungen gekommen ist als jene vielen, die ihre politische Resignation literarisch kultivieren.

(13. 11. 76)

In Ost und West am meisten gespielt
Ein sozialistischer Klassiker?

Peter Hacks, der Dramatiker,
in zwei Studien

Den Erfolg des in Ost-Berlin lebenden »meistgespielten Gegenwartsdramatikers deutscher Sprache« plausibel zu machen, wetteifern zwei in der Bundesrepublik entstandene Untersuchungen zu den Theaterstücken von Peter Hacks. Von dem einen Buchumschlag her lächelt dem Leser gefällig das Porträt des lässig dasitzenden, geschmackvoll-locker gekleideten Dramatikers entgegen – so, als sollte das durch Wolfgang Schivelbusch in Umlauf gebrachte Wort vom »salonmarxistischen Boulevard-Komödienschreiber« optisch bestätigt werden. Aber beide Interpreten, sowohl Peter Schütze wie Winfried Schleyer, suchen Hacks gegen die Polemik Schivelbuschs zu rechtfertigen. Für beide sind seine Rückgriffe auf antike Mythen einer »sozialistischen Klassik« gemäß. Dieser Lieblingsbegriff von Hacks wird übrigens ohne Einschränkung akzeptiert, auch wenn Schleyer einräumt, Hacks sei beim Lob der »sozialistischen Klassik« denn doch »ein bißchen ins Schwärmen« geraten. Beide schließlich nehmen ihn gegen den Vorwurf der Realitätsflucht in Schutz.

Dabei darf Schützes verächtlicher Ausfall gegen das »vollmundig links tönende Praxis- und Realismus-Gerede« in der Bundesrepublik nicht täuschen. Schütze teilt den historisch-materialistischen Standpunkt von Hacks und zitiert sogar Walter Ulbricht als marxistischen Klassiker, während Schleyer mit der Kritik »eines zum Spießbürgertum verkümmerten Staatssozialismus« auf Distanz zu gehen versucht. In ästhetischen Detailfragen greift Schütze immer ein wenig tiefer, so in den Abschnitten zum Verhältnis von Mythos und Drama.

Der frappierendste Gedanke des Buches ist der, daß Staat und Gesellschaft im Sozialismus nicht identisch sind, daß der sozialistische Staat neben Verwaltungs- und Erziehungs- auch Unterdrückungsfunktionen hat und sich gleichwohl durch die Zweckmäßigkeit seiner Ziele als Vernunftstaat ausweist. Hierin sei der sozialistische dem absolutistischen Staat ähnlich, nur daß er nicht wie dieser das Erstarken einer neuen Klasse (der bürgerlichen) ermögliche, sondern die Abschaffung der Klassen überhaupt. Un terdrückung im sozialistischen Staat ist bisher in marxistischen Studien weder so unumwunden eingestanden noch so freimütig gerechtfertigt worden.

Daß demgegenüber Hacks tatsächlich zum Schwärmen neigt, verrät ein Zitat, das Schütze seiner Argumentation nicht recht einzupassen vermag: »Die Harmonie der sozialistischen Gesellschaft hat doch eine andere Qualität als die früheren; sie ist stabiler. Sie hält mehr aus, auch mehr Kritik.« – Dies Wort in die Ohren derer, die es wahrmachen könnten!

Dem Buch Schützes beigegeben ist ein Originalbeitrag von Hacks, »Der Fortschritt in der Kunst« (mit dazugehörigen »Glossen«). Darin berichtet Hacks über ein Gespräch mit Wilhelm Girnus. Beide erörterten die Frage, ob es zu bedauern sei, daß Karl Marx keine Ästhetik verfaßt hat. »Wir waren in den zwei Hauptpunkten sofort einig: dem, daß Marxens Ästhetik hervorragend gewesen wäre, und dem, daß es ein Glück ist, daß er sie hat ungeschrieben sein lassen.« Eine salomonische Lösung des Problems, die Hacks im nachhinein abschwächt, aber nicht widerruft: »Ich wollte, er hätte sie geschrieben, aber unter falschem Namen.«

Der Gedanke an eine Ästhetik von Marx ein Alpdruck für erklärte Marxisten? Fürchtet man den dogmatischen Eifer, der sich an seinen Namen geheftet hätte? Oder hält man ihn gar in Kunstfragen für einen unsicheren Kantonisten? Denn wie urteilte doch Marx – nach dem Zeugnis seiner Tochter Eleanor – über die »politischen Schwächen« seines Zeitgenossen Heinrich Heine? »Dichter, erklärte er, seien sonderbare Käuze, die man ihre Wege wandeln lassen müsse.«

(Peter Schütze: »Peter Hacks«. Ein Beitrag zur Ästhetik des Dramas – Antike und Mythenaneignung.
Winfried Schleyer: »Die Stücke von Peter Hacks«. Tendenzen – Themen – Theorien«.)

(23. 5. 77)

Die gesammelten Aufsätze von Peter Hacks

Will Peter Hacks den außerordentlichen Bühnenerfolg seiner Stücke durch ein entsprechend gewichtiges theoretisches Werk legitimieren? Diese Frage stellt sich unwillkürlich, wenn man »Die Maßgaben der Kunst« zur Hand nimmt, den dicken Band der gesammelten kunsttheoretischen Essays, der jetzt als Lizenzausgabe des Ostberliner Henschel-Verlages bei Claassen in Düsseldorf erschienen ist. Hat sehr viel Wesentliches versäumt, wer bisher nur die Essays des Bandes »Das Poetische« (edition suhrkamp, 1972) kannte?

Ohne den Wert einiger neuerer Beiträge herabzusetzen, kann man die Frage mit einem klaren Nein beantworten. Denn jene Essays bleiben das Herzstück dieser Ausgabe. Sie entwickeln die Ansätze einer sogenannten »postrevolutionären Dramaturgie«, mit der sich Hacks gegen das mächtige Vaterbild Brechts auflehnte. Der Brechtschen Konzeption eines Theaters im »wissenschaftlichen Zeitalter« verargt er ihre falsche Gefolgschaft: »Die gesamte westliche Moderne tritt mit dem Anspruch auf, wissenschaftlich zu sein.« Hacks läßt sich »die höchst persönliche Weise« des künstlerischen Subjekts nicht verkleinern und verweist die Wissenschaft in eine »Sklavenrolle« zurück. Gegen die Vormundschaft Brechts sucht er das große Vorbild Shakespeare wiederherzustellen.

Doch ist Hacks bei Shakespeare nicht stehengeblieben. Seit seiner Hinwendung zu antiken Stoffen wird er nicht müde, Möglichkeit und Entstehen einer neuen Klassik im sozialistischen Staat nachzuweisen. Seine Reflexionen über die Frage, »wann und wo ein klassischer Nationalautor entstehe«, werden zum prätentiösen Versuch der eigenen Standortbestimmung. Aber Klassik läßt sich weder durch staatlich verordnete Vorstellungen von gesellschaftlicher Harmonie noch durch schriftstellerisches Selbstverständnis herbeizitieren.

Gern begegnet man Hacks' gescheiten Kommentaren zu eigenen Stücken oder seiner brillanten Kritik der Kortnerschen Fernsehbearbeitung von Aristophanes' »Lysistrata« wieder, mit Vergnügen liest man die Polemik gegen die »Tasso«-Kritik des Ostberliner Literaturprofessors und Theaterkritikers Ernst Schumacher und auch die Gedanken zum »Fortschritt in der Kunst«. Kein Dramatiker schreibt heute in deutscher Sprache so geistvoll und anmutig über Probleme des Theaters wie Hacks – und gerade hierzulande, wo sich das Nachdenken über Kunst leicht im Dikkicht von Spekulation und Abstraktion verfängt, ist solcher Vorzug gar nicht genug zu loben.

Nur hat man leider den Eindruck, daß die hurtige Feder dem Autor manchmal davonläuft und schneller einen guten Satz als einen guten Gedanken zu Papier bringt. Nicht alles, was hier auf etwa vierhundert Seiten ausgebreitet ist, hält sich selbst an die »Maßgaben der Kunst«. Das Fragment »Ekbal oder: Eine Theaterreise nach Babylon« wird durch die allzu bemühte Verschlüsselung nicht interessanter; diese ironisch-satirische Erzählung, zu der Hacks drei Anläufe brauchte (1961/62, 1966 und 1975), wäre vorläufig in der Schublade besser aufgehoben gewesen. Und Beiträge wie der »Brief an einen Geschäftsfreund« und »Das Arboretum« setzen sich gegen die Plagegeister des Kunstbetriebs, die den zu Ruhm gekommenen Autor durch ihre Fragen und Ansichten belästigen, nur mit dürrem Witz zur Wehr.

Nachdem Sarah Kirsch die DDR verlassen hat, liest man den Essay »Der Sarah-Sound« mit geschärfter Aufmerksamkeit. Hacks sucht in dieser 1976 zuerst erschienenen Analyse dem besonderen Ton und den künstlerischen Mitteln der Lyrikerin auf die Spur zu kommen, und zwar experimentell: indem er ein Gedicht von Johannes R. Becher über mehrere Stufen der »Entbecherung« in eine Fassung überträgt, die als ein Gedicht von Sarah Kirsch durchgehen könnte. Sein Fazit lautet: »Es gibt, zur gegenwärtigen Zeit, bessere deutschsprachige Gedichte als Sarahs. Es gibt keinen besseren deutschsprachigen Dichter.« Ein beachtliches, wenn auch paradoxes Lob. Doch dann kommt der Pfeil aus dem Hinterhalt: »Immerhin, in der ungefähren Sarah-Weise zu singen, bereitet nun keine Schwierigkeiten mehr. Jeder Kutscher vermag es.« Die Ironie dieses Essays wirkt auf den Leser frostiger, seitdem Sarah Kirsch im Westen ist.

(8. 4. 78)

Zwei Stück-Bearbeitungen von Peter Hacks

Peter Hacks ist nicht nur als deutscher Dramatiker der Gegenwart, sondern auch als Operateur alter Dramen der produktivste. Einen guten Teil des Bühnenerfolgs verdankt er seinen Stücken nach Texten von Aristophanes und Shakespeare, John Gay und Heinrich Leopold Wagner oder seinen Libretti nach Vorlagen von Meilhac und Halévy beziehungsweise Saul O'Hara. Bearbeitungen sind die intensivste Form des Dialogs, den ein späterer Dramatiker mit einem früheren führen kann. Daß unter Hacks' Partnern eines Tages auch Goethe erscheinen würde, war zu vermuten – weniger gefaßt war man auf das altsächsische Stiftsfräulein Hrotsvit (Roswitha) von Gandersheim.

Um Hacks' Bearbeitung der Goetheschen Farce »Das Jahrmarktsfest zu Plundersweilern« haben sich die Bühnen geradezu gerissen, um seine Roswitha-Version wird nirgendwo mit gleichem Ungestüm geworben. Was Hacks aus Goethes Jugendscherz, im nachempfundenen Stil des altdeutschen Fastnacht- und Schönbartspiels, aus dieser – mit Verlaub zu sagen – Nebensächlichkeit gemacht hat, ist zwar weiterhin eine Nebensächlichkeit, aber die gelungenste und hinreißendste, die während der letzten Jahre in unseren Theatern zu beklatschen war: ein Ereignis, von Vers- und Gesangskapriolen und von der Spiellaune ständig sich verwandelnder Darsteller moussierend – Sekt für die Schauspieler wie fürs Publikum.

Dergleichen ließ sich aus geistlichen Dramen des 10. Jahrhunderts, aus den dramatisierten Legenden der Stiftsdame von Gandersheim, nicht keltern. Was überhaupt kann den Bearbeiter angezogen haben außer dem verdienten Ruf des adligen Fräuleins, erste deutsche Dichterin und Geschichtsschreiberin, erste Dramatikerin des christlichen Abendlandes, aber auch die erste emanzipierte Frau zu sein?

Hacks selbst, sonst um Kommentare in eigener Sache nicht verlegen, bleibt in seinem Nachwort zu »Rosi träumt« eine bündige Antwort schuldig. Er sei sich über die Notwendigkeit von Liebe im geistlichen Theater mit der Erfinderin des deutschen Schauspiels einig – nun gut, aber weder ging es ihm um die Erneuerung des geistlichen Dramas, noch war er ausgerechnet auf das Märtyrer- und Bekehrungsstück der Roswitha angewiesen, wenn er Kunstwerke suchte, in denen ein bedeutendes Allgemeines und eine persönliche Liebesgeschichte zusammentreffen.

Die Lust an der Parodie allein kann es auch nicht gewesen sein. Aus dem Parodistischen allerdings gewinnt das Stück einen wesentlichen Teil seiner Bühneneignung. Hacks amalgamiert, zunächst an Roswithas »Gallikan« sich anschließend, Motive mehrerer Legendendramen und diese wiederum mit eigenen Erfindungen. Auf eine in Rosvitha (Rosi) umbenannte römische Kaisertochter projiziert er Züge der gläubig-heiteren Autorin des Mittelalters und gibt dem Flügelroß des Legendenwunders kräftig die

Bühnensporen. Die in grotesker Grand-Guignol-Manier Enthaupteten stehen wieder auf, der Glaube versetzt zwar keine Berge, aber doch Wasserquellen; während für den herbeigebeteten Sieg Blitze die gegnerischen Soldaten zerschmettern, überwältigen Filzläuse die Pferde – man sieht, auch das Läppische geht mit im Triumphzug der Farce. Die Handlung endet im Himmel, wo die heilige Jungfrau als Stiftsäbtissin wirkt. »Legende« nennt Hacks sein Stück, aber es ist natürlich eine Antilegende.

Auch Dürrenmatts »Romulus der Große« zerstört eine Legende, eine historische, durch Parodie. Aber wo bei Dürrenmatt die Farce mit den Bruchstücken des zertrümmerten Geschichtsbildes den Grund für eine humanere, wenngleich tragische Geschichtskonzeption legt, löst sie bei Hacks das Weltbild der Vorlagen in der Lauge von Skepsis, Ironie und Spott auf.

Und dennoch bleibt vom Werk der Roswitha – und das ist nun seinerseits fast wunderbar – etwas erhalten, das gegen alle Ätzwirkung resistent ist, etwas, das auf eine geheime Faszination schließen läßt, so daß »Rosi träumt« auch als eine versteckte Huldigung an Roswitha gelesen werden kann. Und mir scheint, es ist dies die Welterfassung der Dichterin – ein Realismus, den auch der Wunderglaube ihrer Legenden nicht ausschließt: die Erkenntnis, daß in der Schöpfung neben dem Heiligen das Profane, neben der Tugend die Leidenschaft, neben Gottesliebe die sinnliche, die Fleischesliebe ernst genommen werden muß (auch wenn der Sündenbegriff alle Wertneutralität verbietet). Man könnte auch sagen, es sind die Züge der ottonischen Renaissance (ihrer Verbindung von christlichem Geist und antiker Form), die den Bearbeiter am Werk der Roswitha angezogen haben.

Aber Hacks' produktiver Dialog mit Roswitha wird über eine große, mir scheint, zu große Distanz geführt. Zu viele Welten liegen eben zwischen Ost-Berlin und dem mittelalterlichen Gandersheim.

(1. 7. 78)

Sechs Dramen von Peter Hacks

Mit den westdeutschen Bühnenerfolgen des Ost-Berliner Dramatikers Peter Hacks hält der Claassen-Verlag in Düsseldorf Schritt. Innerhalb kurzer Zeit sind drei Sammelbände von Hacks erschienen. Der neue vereinigt sechs Theaterstücke, deren Stoffe sechs verschiedenen Epochen entstammen. Ein gewaltiger Zeitenbogen spannt sich von der biblischen Schöpfungsgeschichte zu den Nachfolgestreitigkeiten in der – erdachten – »Sozialistischen Republik Italien«, vom Richtspruch des alttestamentlichen Gottes bis zu den Entscheidungen eines neugewählten Generalsekretärs der Partei, von der Vertreibung Adams und Evas aus dem Paradies bis zum Einzug des Politbüros ins Märchen.

Die Komödie »Adam und Eva«, bereits durch Drucke und Aufführungen bekannt, tastet den Kern des biblischen Vorgangs verhältnismäßig wenig an und spiegelt in die Figur des Satanael Züge des Goetheschen Mephisto hinein. Merkwürdig aufgepfropft wirkt im Schauspiel »Prexaspes«, mit dem Hacks an die historische Gestalt des persischen Königs Kambyses (6. Jahrhundert vor der Zeitrechnung) anknüpft, die Schlußsentenz: das Königtum bleibe erhalten, solange es dem Bedürfnis aller entspreche (solange also eine revolutionäre Zeit des Umsturzes nicht herangereift sei). Wie Philosophie zur Praxis wird, zeigt Hacks im Schauspiel »Senecas Tod«, doch fällt die Darstellung des halbwegs erzwungenen Freitods zurück hinter Brechts kritischen Umgang mit Legenden, die sich um die Taten großer Männer ranken, also beispielsweise hinter Brechts balladische Chronik »Der Schuh des Empedokles«.

Darf man das »Gespräch im Hause Stein über den abwesenden Herrn von Goethe« als ein verstecktes Plädoyer des sozialistischen Autors für die Einzelleistung deuten? Jedenfalls ist dieser dramatische Monolog, nach dem die Bühnen sofort gegriffen haben, Zuckerbrot für alle Schauspielerinnen, die auf die Gelegenheit des großen Solos warten. Noch in keinem anderen Stück hat Hacks Szenisches so ausschließlich und so meisterhaft von der Sprache und von der Psychologie her entwickelt.

Eher zur Farce, einem von Hacks durchaus nicht verachteten Genre, neigt das kürzlich in Göttingen uraufgeführte Schauspiel »Die Fische«, dessen Handlung in das Jahr 1866 gelegt und mit der Episode von Maximilians Kaisertum in Mexiko verbunden ist. Etwas Historie, etwas Science-fiction und eine Ehebruchgeschichte umrahmen die Einfälle und Unternehmungen eines spleenigen Forschers, der eine Schwundform und zugleich Vorstufe des Menschen, den Fischmenschen, den Homo pisciforme, entdeckt hat. Die Evolutionstheorie im Licht der Farce!

Zugstück des Bandes ist sicherlich die Komödie »Numa«. Ihre Handlung spielt in einem (fiktiven) sozialistischen Staat, und so läßt sich an ihr prüfen, bis zu welcher Grenze Hacks in seiner Sozialismus-Satire zu gehen bereit ist. Allzu weitgehende Erwartungen werden enttäuscht, denn »Numa« trägt die Züge des phantastischen Spiels und des Märchenstücks, es ist Hacks' romantischste Komödie.

Gewiß gibt es Ansätze zu ernster Kritik, etwa an den Maßnahmen zur Unterdrückung geistiger Vielfalt oder an den Versuchen, die unbequemen Schriften des jungen Marx zu übergehen, auch an den Winkelzügen der Politiker hinter verschlossenen Türen. So einigen sich, als das Amt des Staats- und Parteioberhaupts in der Sozialistischen Republik Italien neu zu besetzen ist, die beiden Fraktionen auf den vermeintlich schwachen, für beide Seiten ungefährlichen Numa, der vor Jahren seiner Parteiämter enthoben wurde, nun als Gemeindevorsteher auf dem Lande lebt und so »vom Mähdrescher herunter zum Generalsekretär« gewählt wird.

Aber Hacks verschmäht das scharfe Messer des Satirikers, das an die Wurzeln geht; er vollführt mit der Klinge des Witzes kunstvolle Luftstöße. Seine sozialistische Republik ist in einem Überall-Nirgendwo angesiedelt, in einem Land, in dem gleich neben Rom ein brandenburgisches Tempelfelde liegt und in dem die Lüstlinge der Antike, die Faune, eine »nationale Minderheit« bilden. In dieser letztlich ort- und zeitlosen Welt läßt sich Kritik nie recht beim Worte fassen. Die Satire in »Numa« ist ohne Zähne, ohne Biß.

Das Stück lebt von der geistreichen Ironie seines Autors und von Paradoxien, von überraschenden Beziehungen und Situationen. Mitglieder des Politbüros reden, wie Shakespeares Römer, in Blankversen. Numas erste Gedanken beim Amtsantritt sind Rücktrittsgedanken. Freundin des Generalsekretärs ist die Göttin Egeria, eine Theatergöttin, die – im Stil der romantisch-ironischen Märchenkomödie Tiecks – die dramatische Handlung anhält und den Spielern nach einem neuen Textbuch souffliert. Als den Gegenstand seiner Begierde verfolgt der Faun ausgerechnet Lucia, die Alterspräsidentin des Politbüros.

Im fünften Aufzug endet die Komödienhandlung in jener Zwischenwelt, die auch in unserer Wirklichkeit die Gesetze und Regeln des gesellschaftlichen Lebens ungültig macht : im Karneval.

»Der Mummenschanz füllt alle Straßen Roms«, Verliebte jagen und verfehlen sich. Die Göttin Egeria wird zum Zauberer, der Generalsekretär der Partei zum König. In der Verkleidung ist nichts, was es zu sein scheint, und alle Klassengrenzen sind aufgehoben. Der römische Karneval wird zur Theatermetapher für die klassenlose Gesellschaft.

Ob die Komödie »Numa« bald ihre Chance auf der Bühne bekommt? Möglich, daß sie ein Opfer der politischen Teilung des Landes wird. Vielleicht befürchtet man in der DDR die Zündkraft schon der leisesten Anspielung, während für westdeutsche Bühnen die Satire zu zahm wirkt. Eines bleibt die Komödie aber sicherlich: ein ungeteiltes Lesevergnügen.

(24. 2. 79)

Statthalter Goethes
Karl August Varnhagen von Ense

Die Literaturgeschichte weiß mehr von den Geliebten der Dichter als von ihren Frauen. In den Ehen der Schriftsteller pflegte die Gattin ganz in den Rollen der Hausfrau und Mutter aufzugehen, und nur in Glücksfällen war sie ihrem Mann auch die Muse (die man sich immer unverheiratet denkt). Was an Ruhm für sie abfiel, war von des Mannes Gnaden.

Nahezu umzudrehen vermochte dieses Verhältnis Rahel Varnhagen (geborene Levin) in ihrer Ehe mit Karl August Varnhagen von Ense. Rahel, Kämpferin für die Juden- und Frauenemanzipation, Jüngerin Goethes und strahlender Mittelpunkt des berühmten Berliner Salons, stahl ungewollt der Laufbahn des vierzehn Jahre jüngeren Schriftstellers und Literaturkritikers, der sie 1814 heiratete, den Glanz.

Dieses etwas verschobene Bild hätte sich leicht wieder zurechtrücken lassen, trotz der ehrenwerten publizistischen Versuche Varnhagens, das Andenken der 1833 verstorbenen Rahel zu erhalten und zu mehren. Spätestens nach seinem Tod im Jahre 1858 hätte eine Urteilsrevision einsetzen müssen. Aber eben nun neigte sich die Waage vollends zu seinen Ungunsten. Die scharfe Kritik des Germanisten Rudolf Haym und des Historikers Heinrich von Treitschke stempelte ihn als substanzlosen und dilettantischen Schriftsteller ab, und dies auf eine Weise, die auf andere als bloß literarische Motive schließen ließ.

Tatsächlich ist für die unglückliche Wirkungsgeschichte von Varnhagens Schriften die nationalgeschichtliche Entwicklung Deutschlands während der zweiten Hälfte des 19. Jahrhunderts verantwortlich. Varnhagen, wegen seiner liberalen Ansichten 1819 als preußischer Ministerresident in Baden abberufen, unvoreingenommener Interpret des Saint-Simonismus und im Jahre 1848 Befürworter der Revolution, widersprach den »deutschthümelnden Großmäulern« im Frankfurter Parlament, weil er der Einheit der Deutschen nicht ihre Freiheit aufgeopfert sehen wollte, und machte sich einen Vertreter des »rechten Centrums« wie Haym zum Feind. Hayms und Treitschkes wie später auch Oskar Walzels Urteile sind insgeheim politisch begründet.

Nach dem Zweiten Weltkrieg war Varnhagens Rehabilitierung

endlich an der Zeit. Teile der »Tagebücher« und der »Denkwür-
digkeiten des eigenen Lebens« sind 1960 in München und 1971
in Ost-Berlin erschienen. Jetzt folgt ein Bändchen mit ausgewählten Literaturkritiken, von Klaus F. Gille zusammengestellt und
sachkundig eingeleitet. Sicherlich hat nur ein Teil des Werkes
noch Anspruch auf unser Interesse. Von Varnhagens Biographien
preußischer Generäle und Feldmarschälle werden wir nicht unbedingt den Staub schütteln wollen.

Auch die Rezensionen sind nicht alle von gleichem Gewicht.
Aber als Literaturkritiker steht uns Varnhagen doch am nächsten.
(Zu fragen wäre, warum sich Gille nur auf Besprechungen deutscher Autoren beschränkt und beispielsweise nicht die Puschkin-
Rezension von 1838 aufgenommen hat.) Als Kritiker ist Varnhagen einer der Wegbereiter Heines gewesen. Er gehört zu den ver-
ständnisvollsten Interpreten des »Wilhelm Meister«. Und als sich
unmittelbar nach Goethes Tod Mißgunst und Deutschtums-Ideo-
logie zu Wort meldeten und Goethe herabsetzten gegen Dichter,
»an welchen sich der Deutsche Jüngling bildet, der Deutsche
Mann freut, der Deutsche Greis sonnt« (D. L. B. Wolff in »Büch-
lein von Goethe»), da ergriff Varnhagen das Amt des Verteidigers, das der Kritiker gelegentlich auch wahrnehmen muß. Den
»Statthalter Goethes auf Erden« nannte ihn Heine.

Seine Stimme erhob Varnhagen auch gegen den anfänglichen
Goethe-Haß der Jungdeutschen, für die er andererseits doch
(nachdem ihre Schriften gegen Ende des Jahres 1835 verboten
worden waren) um Verständnis warb in seinem denkwürdigen
Brief an den Fürsten Metternich. In dieser Denkschrift stehen
erstaunliche Sätze, die heute zum Credo aller Literaturkritik gehören sollten, aber zur Zeit der Restauration nicht wie etwas
Selbstverständliches ausgesprochen werden konnten: »Von jeher
ist in der Literatur ein Element der Opposition gewesen, das mit
dem Staat, der Kirche, den Sitten in mehr oder minder entschiedenen Kampf gerät. Dies wird immer und ewig so sein und durch
Zensur und Polizei nie bemeistert werden.« Varnhagen erinnert
daran, daß auch Voltaire, Byron oder Wieland, auch Friedrich
Schlegel, Fichte, Schleiermacher und Tieck einmal zu den Schriftstellern gehörten, »welche man den Sitten, dem Staat und der
Religion für gefährlich« hielt.

Erweist dieses Plädoyer für die Freiheit oppositioneller Literatur
Varnhagen als einen aufrechten Mann vor Fürstenthronen und

Regierungen, so zeigt ein anderes seinen Mut angesichts mächtiger emotionaler Bewegungen im Volk. Im Januar 1815, noch vor dem endgültigen Sieg über Napoleon, rief er dazu auf, die bedeutenden französischen Schriftsteller zu verlegen und sich »unsrer edelsten Volkseigenheit« zu besinnen, »die uns das Umfassen der ganzen geistigen Welt zu stets erneuerter Prüfung und das Abwehren jedes einseitigen Vorurtheils unwiderstehlich auferlegt«. Dies schreibt einer, der als Teilnehmer an zwei Feldzügen des Befreiungskriegs nicht des mangelnden Patriotismus verdächtigt werden konnte, der aber als Literaturkritiker seine humanere Aufgabe begriff, Feindbilder abzubauen – ein Anwalt der Weltliteratur »gegen Überdeutsche«.

(6. 8. 77)

Sprachliches Bacchanal auf Rabelais' Spuren

Gerold Späths Roman
»Balzapf oder Als ich auftauchte«

Gerold Späth, 1939 in Rapperswil am Zürichsee geboren und vor einigen Jahren dorthin zurückgekehrt, führt den Leser in seinem dritten Roman durch vier Generationen der Familie Zapf. Also etwas wie die schweizerischen »Buddenbrooks«? Kaum lassen sich größere Gegensätze denken. Vom hanseatischen Lübeck ist die Kleinstadt, in der die Zapfs erbliche Ehrenbürger sind, nicht nur geographisch weit entfernt. Nicht einmal Gottfried Kellers Seldwyla befindet sich in unmittelbarer Nähe. Diese Stadt mit den drei sprechenden Namen Spiessbünzen, Molchgüllen, Barbarswil – Gülle heißt, wie man seit Dürrenmatts »Besuch der alten Dame« auch außerhalb der Schweiz genauer weiß, Jauche – liegt auf demselben literarischen Breitengrad wie das spätantike Abdera, wie das Schilda des Volksbuchs und das Krähwinkel Jean Pauls und Nestroys.

Aber auch mit den gewöhnlichen Spiessbünzener Familien haben die Zapfs, das eher mythische als bürgerliche Geschlecht, wenig zu tun. Sie scheinen der phantastischen Welt von Rabelais' Dichtung entsprungen zu sein, als Nachgeborene des Gargantua und des Pantagruel. Ihren Familiennamen tragen die Zapfs, seit Tobi, der Urgroßvater des Ich-Erzählers, als Fünfjähriger beim Ansaugen eines Fasses »ins große Saufen geriet«. Wurde nicht auch Gargantua als Kind mit Wein gesäugt? Gargantua kam durch das linke Ohr Gamellas zur Welt; durch die Nase der »Dicksten Frau der Welt« wiedergeboren wird Tobi Zapf, der sich – die Psychoanalyse wird vom Autor beim Wort genommen – den Wunsch nach Rückkehr in den Mutterschoß erfüllte. Dem Labyrinth einer Urlandschaft sieht er sich im Leib seiner Wirtin-Mutter gegenüber – wie bei Rabelais Alcofrybas im Mund Pantagruels eine ganze Welt mit Gebirgen und Städten vorfindet.

Der Roman ist dort am stärksten, wo Gerold Späth alle Register phantastischen Erzählens zieht, wo er sich im Halbdunkel des Mythischen bewegt, wo er mühelos auch über Märchen- und Sagenmotive verfügt. Da entdeckt man – keineswegs nur äußerliche – Parallelen zu Günter Grass' gerade erschienenem »Butt« (und zur früheren »Blechtrommel«).

Noch der Ururgroßvater des Ich-Erzählers Balz Zapf hatte mit anderen als menschlichen Lebewesen Gemeinschaft; er konnte den Pottwal reiten, mit Elfen »gickeln« und Meerjungfrauen »bespringen«. Aus der mythischen Zeit hat sich eine magische – auch eine besondere sexuelle – Kraft der Zapfs erhalten. Der Urgroßvater ist das Kind einer geheimnisvollen, engelhaften Frau, der Großvater das Kind einer wunderschönen vagabundierenden Zigeunerin. Ist der eine – wie später sein Enkel – von zwerghaftem Wuchs, so schießt der schnellwüchsige Sohn zu riesenhafter Größe empor.

Dieser Geri, der zum Begründer der »weltberühmten Schweizer Hostellerie« und des straffen Managements wird, sammelt seine Erfahrungen als Organisator eines Nonnenbordells; er wird Stadtamtmann und später Bankpräsident und Unternehmer in Spiessbünzen. Der Sohn hat als Embryo seine Mutter, die ehemalige Novizin Eurasia, wie ein Parasit von innen her ausgehöhlt, so daß von ihr nichts übrigblieb als ein Kokon, aus dem er schlüpfte und in den er sich zeitlebens zurückziehen kann.

Wie Eurasia geht schließlich auch die Mutter des Ich-Erzählers, die Stadtamme Louise Curti, in ihrer Funktion auf; sie wird ganz und gar Brust, man muß ihr die Milch absaugen. Es ist kein anderer als Adolf Hitler, der diese Wunderquelle zum Versiegen bringt. Als Louise 1933 im Radio Hitlers »R« rollen hört, gerinnt ihr die Milch im – 440 Pfund schweren – Leib; sie überlebt die Rede nicht. Aus dem geronnenen Quark aber wird als dreieinhalb Monate alte Frucht Balz Zapf geholt, der dann in einer Nährlösung und einem Brutsystem zu Gestalt und Kraft kommt. Der Vater dieses neuen Homunculus, ein Wunderdoktor, hat übrigens den »Mikroskopblick«: er sieht die Schlachten von Bakterienheeren, seine Geräte sind Bakterienpfeile, Bazillenpistole und Mikrobenkanone.

So gehen in das Fabulöse alter Volksbücher Spuren – parodierter – moderner Science-fiction ein, in die Rabelaissche Optik des Monströsen die mikroskopische Optik (eine andere Monstrosität, eine von ganz anderem Ausmaße). Beherrschend bleiben die Exzesse des Leiblichen. Zu einem wahren sprachlichen Bacchanal wird die Schilderung von Geri Zapfs Geburtstagsfest. Nahezu rachitisch wirkt dagegen das satirische Motiv der Universität Spiessbünzen, an der nur ein Student immatrikuliert ist. Die Orgien des Körperlichen überborden die Bürgersatire.

Sobald das Rabelaissche Element zurücktritt, ist dem Roman das Mark entzogen. Deshalb fällt die Spannung zum Ende hin ab: im letzten der vier Teile, wo sich der Ich-Erzähler als halbwegs normaler Mensch oder doch als mäßiger Narr präsentieren muß, wo das »Narrenfeld« Barbarswiler (Molchgüllener, Spiessbünzener) skurriler Bürger abgeschritten wird. Es ist dem Autor nicht voll gelungen, in seinem Spießbünzen die Bewohner Krähwinkels und die Nachfahren von Gargantua und Pantagruel unter ein Dach zu bringen.

Aber man findet in dieser humoristischen Groteske Beispiele von solcher Kraft der Erzählphantasie, daß man sich den Namen Gerold Späth wird merken müssen.

(10. 11. 77)

Ein »Schelm« aus dem Arbeiterviertel

August Kühns Roman »Jahrgang 22«

Der Münchener August Kühn begann seinen Weg als Schriftsteller ohne die Vorgabe einer gutbürgerlichen Bildung. Von der Realschule ging es in die optische Fabrik und nach ersten journalistischen Versuchen in die Büros eines Lebensmittelbetriebes, einer Versicherung und schließlich der Münchener Stadtverwaltung. Erst dann war der Übergang zum Beruf des freien Schriftstellers kein halsbrecherischer Schritt mehr. Münchener Glossen (unter dem Pseudonym Rainer Zwing geschrieben), biographische Berichte aus dem Arbeiterviertel Westend, zwei Theaterstücke und der Betriebsroman »Eis am Stecken« brachten Achtungserfolge. Aber der Durchbruch gelang erst vor zwei Jahren mit dem Roman »Zeit zum Aufstehen«, der Chronik einer Arbeiterfamilie, die zugleich durch hundert Jahre deutscher Geschichte führt.

Werden die Erwartungen, die dieser »vielversprechende Anfang einer neuen Art von Arbeiterliteratur« (Lothar Baier, F.A.Z., 7. 10. 1975) geweckt hat, durch den neuen Roman »Jahrgang 22« erfüllt? War mit einem »Schelmenroman« – wie Kühn sein neues Werk nennt – zu rechnen? Was hat diese traditionelle, im 16. Jahrhundert ausgebildete Romanform mit moderner Arbeiterliteratur zu tun?

Genauer besehen, erweist sich Kühns Wahl als so überraschend nicht und keineswegs als inkonsequent oder gar abwegig. Der Schelmen- oder Picaroman, der von Spanien aus in die europäischen Literaturen drang, trat in eine sehr erfolgreiche Opposition zu den beliebten Ritterromanen, weil er von den hohen Rängen der gesellschaftlichen Hierarchie herabstieg und sich seinen Helden – eigentlich seinen Antihelden – in der untersten Schicht der Gesellschaft suchte. Es ist also das plebejische Erbe, auf das sich der Erneuerer dieser Romanform berufen kann.

Ein freilich nicht unproblematisches Erbe. Denn der »Schelm« ist nicht, wie unser heutiges Wortverständnis glauben macht, ein gutmütiger Spaßvogel, sondern ein Gauner: ein Hungerleider zwar, der den Widrigkeiten einer unbarmherzigen Welt ausgesetzt ist, aber oft genug auch ein Schurke. Lazarillo de Tormes, der allererste seiner Gattung, lernt als Führer eines alten Blinden alle Finessen der List und des Betrugs, aber er rächt sich auch grausam für unsanfte Behandlung – er zahlt das Lehrgeld in harter Münze heim, indem er den Alten mit ganzer Wucht gegen einen Steinpfeiler springen läßt und dem Schwerverwundeten seine Hilfe versagt.

Lazarillos Nachfahren können sich zu harmloseren Vagabunden oder Abenteurern mausern und – wie einer von ihnen, der »Simplicissimus Teutsch« des Grimmelshausen – vorübergehend in das Narrengewand schlüpfen, sie können wie ebendieser Simplicissimus oder wie sein Vorbild, der spanische Guzmán de Alfarache, ihre bewegte Lebensgeschichte mit dem Unterton moralischer Warnung erzählen. August Kühn hält aber an der Konzeption eines ungebesserten und unbelehrten Schelms bis zum Ende fest. Gewiß, der ständige Wechsel von Ich- und Er-Erzählung in »Jahrgang 22« deutet noch die Doppelperspektive des traditionellen Schelmenromans an: das Nebeneinander von frischer Erlebnisschilderung und kommentierender Rückschau. Doch der Verzicht auf eine – sei es nun religiöse oder politische – Heilsvorstellung, von der her der Held seine Handlungen kritisch wertet, macht Kühns Roman zu einer Art Gegenentwurf zum »Simplicissimus«.

Sowohl der Grimmelshausensche wie der Kühnsche Schelm sind in eine Zeit der politischen und kriegerischen Auseinandersetzungen hineingeboren, in denen es nicht nur des Glücks, sondern auch der Schläue bedarf, um durchzukommen. August Kühns Fritz Wachsmuth, Münchner Arbeiterkind – sein Vater war Anhänger der bayerischen Räterepublik von 1918/19 –, gehört zu jenem Jahrgang 1922, der stellvertretend steht für eine Generation: für alle, die aus den Zeltlagern der Hitlerjugend über die Kasernenhöfe in die mörderischen Schlachten des Zweiten Weltkrieges marschierten.

Daß sich Erzähler unseres Jahrhunderts wieder des Schelmenromans annehmen, ist kein Zufall. Reden wir hier nicht von der subtilsten Umformung des alten Genres in den »Bekenntnissen des Hochstaplers Felix Krull«, mit denen Thomas Mann zugleich die Romanform parodiert, die in Deutschland (über manche Zwischenstufen) den Schelmen- und Abenteuerroman abgelöst hatte: den Bildungsroman. Bei den neuen Beispielen ist der Zusammenhang mit der Hitler-, der Kriegs- und der frühen Nachkriegszeit auffällig. Nur wenige mögen sich noch an Rudolf Krämer-Badonis »Mein Freund Hippolyt« (1951) erinnern, aber wer dächte nicht sogleich an Günter Grass' Blechtrommler Oskar Matzerath. Auch der Held aus Hermann Kants kürzlich in der DDR erschienenem Roman »Der Aufenthalt«, Mark Niebuhr, (F.A.Z., 11. 6. 1977) gehört in die Reihe der Schelme. Offensichtlich hat der Schelmenroman seine Stunde, wenn der einzelne in besonderem Maße zum Spielball willkürlicher Macht und wechselnder Ideologien wird. Der Schelm setzt sich zur Wehr als einer, der nicht nur Opfer sein, sondern überleben will.

Fritz Wachsmuth entwickelt schon früh gegenüber ideologischen Bekehrungsversuchen einen Widerstand, der hartnäckige Taubheit hinter beflissener Aufmerksamkeit tarnt. So verhält er sich etwa gegenüber dem Hitlerjugend-Führer. Aber auch als Soldat in Rußland, bei der Begegnung mit einem Freund seines Vaters, einem ehemaligen KZ-Häftling, der ihm die Zeitung des »Nationalkomitee Freies Deutschland« zusteckt, bleibt er bei seiner Devise »Der Schlaue ist am schlausten für sich allein«.

Diese Selbstschutztechnik setzt eine Indifferenz voraus, die von Kühn schon im Anfangsteil des Romans signalisiert wird: Der Schüler Wachsmuth nimmt – auf Verlangen der Mutter, die ihn von der Straße fernhalten will – sowohl am katholischen wie am protestantischen Religionsunterricht teil.

Die erzählerische Phantasie wird dem formalen Anspruch des Schelmenromans gerecht: Kühn fesselt den Leser durch die dichte Folge von Ereignissen. Der Lehrbub im Münchner Reichsbahnausbesserungswerk wird Luftschutz- und dann Flakhelfer, schließlich Flaksoldat (»Nebler«, der die Batterie gegen Feindsicht in Rauch hüllt). Er versäumt die Abfahrt seiner Truppe, kriecht bei einer fremden unter, wird aber zu Frontbewährung verurteilt. Eine Krankheit bringt ihn in die Heimat zurück, wo man ihn als Facharbeiter freistellt. Dann finden wir ihn auf den verschiedensten Kriegsschauplätzen. Als Verwundeter kehrt er heimlich nach München zurück, verbirgt sich in einer Bäckerei, meldet sich aber doch zur Flak zurück und entgeht durch Glück dem Militärgericht. Bei Kriegsende macht er in Verpflegungslagern Beute, wird von den Amerikanern verhaftet und wieder entlassen (später noch einmal als kommunistischer Agent verdächtigt) und schlägt sich durch die Nachkriegszeit als Schwarzmarkthändler.

Recht eindeutig wiederhergestellt hat also August Kühn das Bild des gaunerischen Schelms, der sich für die Nachteile der Geburt und der sozialen Lage, für die vielfach erlittenen Pressionen und Wunden schadlos hält nach dem Grundsatz des *corriger la fortune*. Fritz Wachsmuth nutzt bedenkenlos jede Gelegenheit zu eigenem Vorteil und gewinnt so den Widrigkeiten einer aus den Fugen geratenen Welt das Abenteuerliche ab. Hierher gehört auch die erotisch-sexuelle Freibeuterei. Daß Wachsmuth trotz aller Mädchenaffären an seinem Verhältnis zu Uschi festhält, ja, es durch Heirat legalisiert und am Ende sogar dreifacher Vater ist, mutet fast wie ein bürgerlicher »Ausrutscher« an.

Das Paradoxe an Wachsmuths Existenz ist, daß er seine Selbstbehauptung seiner Fähigkeit zur Anpassung verdankt. Er entwaffnet seine mißtrauischen Vorgesetzten, indem er der offiziellen Ideologie kräftig nach dem Munde redet. Als Lehrling will er durch eifriges Fegen zur sprichwörtlichen Sauberkeit deutscher Staatsbetriebe beitragen. Beim Militär verblüfft er durch seinen »Wehrwillen«, seinen Wunsch, »endlich einmal an eine richtige Front zu kommen«. Gegen Kriegsende spricht man ihm verminderte Zurechnungsfähigkeit zu, »weil er ständig die letzte Führerrede aus dem Radio nachbetet«. Man sieht, vieles hat dieser Schelm dem braven Soldaten Schwejk abgeguckt.

An der Gestalt des Schwejk konnte Kühn nicht einfach vorbeigehen, ist sie doch der eindrucksvollste Beweis für die Wiedergeburt des Schelms in unserem Jahrhundert – Hoffnungssymbol dafür, daß Menschen immer wieder durch die Kontrollen der Macht zu schlüpfen vermögen, daß sie die geschichtlichen Katastrophen und deren Anstifter überdauern.

Die Problematik des Romans und seines Helden wird deutlicher, wenn man die gleichzeitig erschienenen »Münchner Geschichten« August Kühns mit heranzieht. Die hier gesammelten Reportagen und Kurzgeschichten, »Valentinaden, Glossen und Satiren« sind sehr ungleichwertig: manchmal steht Gesinnungstüchtigkeit dem guten Stil im Wege, einiges vegetiert vom läppischen Witz, anderes dagegen ist von starker sprachlicher und erzählerischer Konzentration. Aber immer verrät sich hinter dem Erzähler ein politisch engagierter, parteilicher, den Argumenten der DKP zuneigender Autor, einer, dessen Satire sowohl die Hochburgen des Kapitals in München wie den Parteiapparat der SPD oder den »letzten Kreuzritter« Franz Josef Strauß ins Visier nimmt. – In »Jahrgang 22« muß man die Urteile des Autors eher zwischen den

Zeilen lesen.

Daß der Held ungeläutert in die Zeit nach der Währungsreform geht und sein Desinteresse an der Politik nicht widerruft, wird Kühn vermutlich bei seinen politischen Freunden, die auf die Theorie des sozialistischen Realismus eingeschworen sind, manchen Tadel eintragen. Vermissen wird man die gebührenden Hinweise auf jene bereits gefundene Lösung gesellschaftlicher Widersprüche, die eine Gestalt wie die des Schelms Wachsmuth unmöglich und überflüssig mache. Man mag ihm auch Hermann Kants Roman als Beispiel vorhalten: die »Entwilderung« des Mark Niebuhr (der, eines Kriegsverbrechens beschuldigt, das er nicht verübt hat, dennoch erkennt, daß ohne Menschen wie ihn »die Unmenschlichkeit nicht gegangen wäre«). Kurz: dieser Schelmenroman könnte den Anstoß zur Wiederaufnahme eines Realismus-Streits geben, den vor einem Vierteljahrhundert Brecht für sich beendete mit dem Satz: »Dem Stückschreiber obliegt es nicht, die Courage am Ende sehend zu machen . . ., ihm kommt es darauf an, daß der Zuschauer sieht.«

»Jahrgang 22« folgt einem ganz anderen Romanmodell als »Zeit zum Aufstehen«, aber für mich bleibt Kühn hier auf der künstlerischen Höhe seiner Chronik einer Arbeiterfamilie. (Nicht nur, weil die kernige Sprache mit ihrem heimlichen bajuwarischen Zungenschlag dem Milieu dieses Schelmenromans gemäß ist.)

Die künstlerische Komposition, die den Helden wie den Leser unaufdringlich mit Alternativmöglichkeiten des Denkens und Handelns konfrontiert, läßt dem Leser gar keine andere Wahl, als sich kritisch zur Figur zu stellen. (Einen »vernebelten Nebler« nennt der Erzähler überdies beziehungsvoll den Helden.) Kühn vermeidet jegliche Form von Indoktrination im Roman eines Schelms, dessen politische und moralische Gleichgültigkeit gerade der Abwehr von Indoktrination entspringt.

(22. 11. 77)

August Kühns Roman
»Fritz Wachsmuths Wunderjahre«

Die Gestalt des braven Soldaten Schwejk, wäre sie denkbar ohne die k. u. k. Monarchie und den Ersten Weltkrieg, denkbar in der Anfangszeit der tschechoslowakischen Republik? Jaroslav Hašek, der Autor des Schwejk-Romans, starb zu früh, um die Probe aufs Exempel machen zu können, aber es ist zu vermuten, daß sich der Roman nicht in die Nachkriegszeit hätte fortsetzen lassen. Erst nach der Besetzung des Landes durch Hitlers Armeen und mit dem Terror der Gestapo war, wie dann Bertolt Brechts Theaterstück »Schwejk im zweiten Weltkrieg« zeigt, die Situation für einen neuen Schwejk gekommen. Der listige kleine Mann, der sich unter Bravheit und Regimetreue tarnt, um seinen Unterdrückern zu entschlüpfen und sie zu überleben, konnte zur exemplarischen Gestalt erst wieder in der Zeit der Diktatur werden.

Mit der List scheinbarer Anpassung an die Nazi-Ideologie setzt sich auch Fritz Wachsmuth zur Wehr, die Hauptfigur in August Kühns Schelmenroman »Jahrgang 22«. Dem Vorbild der Schwejk-Figur hatte Kühn nicht ganz ausweichen können, weil der Roman Hašeks seinerseits die Tradition des Schelmenromans – und zwar als eine seiner großartigsten neueren Versionen – weiterführt. Damit gelten aber für den Schelm Fritz Wachsmuth ähnliche geschichtliche Voraussetzungen wie für die Figur des Schwejk – mit welchen Konsequenzen, das offenbart jetzt Kühns Fortsetzung der Lebensgeschichte Wachsmuths in seinem neuen Roman »Fritz Wachsmuths Wunderjahre«.

Die Handlung von »Jahrgang 22« endete mit der Schwarzmarktzeit, der neue Roman beginnt mit dem Jahr der Währungsreform (Wachsmuth hat gerade eine Haftstrafe wegen Schwarzhandels abgesessen) und führt durch die Jahre des Wirtschaftswunders in die unmittelbare Gegenwart. Wachsmuth, aus der Zwangsjacke der Wehrmachtsuniform befreit, will sich für zehn Jahre an der Gesellschaft schadlos halten – er nennt das seinen privaten »Lastenausgleich« – und schlägt sich in München zunächst mit Arbeitslosenunterstützung und Gelegenheitsarbeit durch, vernachlässigt seine Familie, hat Weibergeschichten (eine Affäre bringt ihm sogar eine Anklage wegen Vergewaltigung und eine Zuchthausstrafe ein) und wird von seiner Frau geschieden.

Wachsmuth verharrt unter den neuen politischen und sozialen

Verhältnissen in seiner alten Widerstandshaltung. Aber sein Außenseitertum ist nun von anderer Qualität, es ist das des »Asozialen«. Was als Technik des Selbstschutzes gegen das Hitlerregime recht und billig war, kann als Verweigerungspraxis in den neuen politischen Verhältnissen der Demokratie kein angemessenes Verhalten mehr sein.

August Kühn hat die Schwierigkeiten einer Fortsetzung von »Jahrgang 22« offensichtlich gesehen und die Konzeption des Schelmenromans dort nicht weiterverfolgt, wo kein rechter Boden mehr für »Schwejkiaden« war. Das Festhalten an der Hauptgestalt aber bezahlt er mit einem Bruch in der Figur. Besitzt Fritz Wachsmuth im ersten Roman zumindest eine gewisse politische Schlitzohrigkeit, so stempeln ihn im zweiten Roman Naivität und Desinteresse zum politischen Toren. Wo er in politische Aktivitäten verwickelt wird, geschieht es unwissentlich und unwillentlich. Aus dem Schelm ist der Pechvogel, Prügelknabe und Irrläufer geworden. Er bekommt als Zaungast einer Versammlung und eines Straßenauflaufs den Gummiknüppel zu spüren, er wird ohne Engagement für die Sache zum Mithelfer einer illegalen Flugblattaktion und zum proletarischen Aushängeschild radikaler studentischer Linksgruppen.

Wie in »Jahrgang 22« zwingt Kühn den Leser in ein kritisches Verhältnis zur Hauptfigur. Und wie dort verzichtet der Erzähler auf jegliche dogmatische Besserwisserei, obwohl kein Zweifel bleibt, daß er die Sache des Arbeiters bei unseren Bundestagsparteien nicht in den allerbesten Händen und den Schutz der Demokratie auch Antidemokraten anvertraut sieht. Er verläßt sich auf die mobilisierende Kraft nicht von Polemik und Programmen, sondern von Fragen.

In »Jahrgang 22« blieb der geschichtliche Hintergrund des Romangeschehens ziemlich unbestimmt, es kam im Schelmenroman vor allem auf fesselnde Erzählepisoden an. Der neue Roman hält sich in seinem Erzählverlauf stärker an die Entwicklungsstadien der Bundesrepublik. Auch wenn er sich nicht zur Chronik verdichtet, knüpft er mit dem konkreteren geschichtlichen Rahmen wieder an Kühns ersten bedeutenden Roman, »Zeit zum Aufstehen«, an.

Problematisch aber wird die Erzählmethode, wenn Kühn die Kehr- und Schattenseite des Wirtschaftswunders zeigen will, wie es der Titel, »Fritz Wachsmuths Wunderjahre«, ironisch andeutet (als Anspielung auf »Wilhelm Meisters Wanderjahre« verstanden, ist der Titel ironische Absage an das Goethesche Modell des Bildungsromans). Denn die Stiefkinder unserer Wohlstandsgesellschaft zu repräsentieren, ist die Hauptfigur des Romans wenig geeignet. Mit einem Fritz Wachsmuth, den man auch in sozialistischen Ländern einen Arbeitsscheuen und Drückeberger nennen würde, lassen sich soziale Ungerechtigkeiten in der Wirtschafts- und Gesellschaftsform der Bundesrepublik nicht glaubhaft demonstrieren.

Besondere Erwartungen richten sich auf den Schluß des Romans, der eine Biographie in der Gegenwart enden läßt, ohne daß diese Biographie bereits abgeschlossen wäre. Kühns Lösungsversuch besteht darin, das Selbstverständnis des Helden behutsam dem Rollenbild anzunähern, das andere – wenn auch auf Grund bloßen Scheins – von ihm haben. Nach der Ermordung des Arbeitgeberpräsidenten Schleyer wird er in einem Stehcafé, wo er zu bedenken gibt, daß auch die Entlassung von Arbeitern und die Aussperrung bei Streik »eine Art von Gewalt« seien, als »Roter« von einem jungen Mann – einem »Arbeiter offenbar« – zusammengeschlagen. Es scheint so, als wolle Wachsmuth am Ende eine neue, seine eigentliche Identität in der verpflichtenden Erinnerung an den Vater finden, der Kommunist war.

Kühn hat diesen Beginn einer Sinneswandlung dadurch vorbereitet und zugleich aufgewertet, daß er den ehemals vagabundierenden Gelegenheitsarbeiter gegen Ende hin in ein geregeltes Arbeitsverhältnis als Betriebsschlosser treten läßt. Etwas wie eine Sozialisation des Asozialen durch die Arbeit findet statt. Doch vor dem Schritt zum plakativen Schluß hütet sich Kühn auch diesmal.

Kein Bekenntnis zu einer Partei, kein Lob des Sozialismus und keine Zukunftsvision beschließen den Roman; das optimistische Finale bleibt aus. Zwischen Wachsmuth und einer Frau, die in der Gewerkschaft aktiv ist, bahnt sich eine Liebesbeziehung an; Wachsmuth selbst will sich nun an der Gewerkschaftsarbeit beteiligen. Mit diesem unaufdringlichen Hinweis auf Gewerkschaft und Arbeitersolidarität erinnert der Romanschluß an das Ende von Franz Xaver Kroetz' Theaterstück »Das Nest«.

Kühn hat sich in diesem Arbeiterroman aus der Zeit der Wirtschaftswunderjahre um viele erzählerische (analytische wie darstellerische) Möglichkeiten gebracht, indem er Handlungslinien und Hauptfiguren von seinem Schelmenroman, dem Roman aus der Zeit des Hitlerregimes, übernahm, anstatt einen der neuen politischen und ökonomischen Situationen gemäßeren Entwurf zu entwickeln. Aber selbst im Fehlgriff zeigt sich noch, daß ihm die Wirklichkeit wichtiger ist als Doktrinen. Wenn heute die Arbeiterliteratur bayerisch-münchnerischer Prägung mit dem Bergarbeiterroman des Ruhrgebiets konkurrieren kann, dann verdankt sie es dem Erzähler August Kühn.

(12. 12. 78)

Eine Jugend im Pütt
Hans Dieter Baroths Bergarbeiter-Roman
»Aber es waren schöne Zeiten«

Um die Kampfwörter »Bildungsprivileg« und »Sprachbarriere«,
die vor zehn Jahren den Reformforderungen soviel Stoßkraft ver-
liehen, ist es wieder stiller geworden. Hatte man etwa damals das
Problem nur polemisch aufgeblasen? Jetzt bietet ein Roman mit
dem ironischen Titel »Aber es waren schöne Zeiten« Anschau-
ungsmaterial zum Gegenbeweis.

»Als ich zwanzig Jahre alt war«, heißt es am Ende des Romans
von Hans Dieter Baroth, habe ich »buchstäblich erst einmal
schreiben lernen und reden lernen müssen«. Es ist dies die Zeit, da
der Erzähler – später Journalist und Filmautor – seinen Beruf als
Bergmann aufgegeben und jenen Ort im Ruhrgebiet (im »Pütt«)
verlassen hat, dessen Lebensformen Gegenstand seiner intensiven
Erinnerung sind.

Fast leitmotivisch tauchen im Laufe des Erzählens diese Leerstellen der Bildung auf. In der Bergarbeiterfamilie kann nach dem
Kriegsende von den Kindern nur eines, der Bruder, die Mittel-
schule besuchen, und das auch nur, »weil die Oma etwas von
ihrer Rente abzweigte«. »In unserer Schule wurden keine Gedichte gelehrt und auch nicht besprochen.« Erst nach der Schulzeit die erste wirkliche Berührung mit einem Buch, einem Taschenbuch, erstanden in einem Kaufhaus. »Mein Vater hatte kein
Buch besessen, meine Verwandten hatten auch keine Bücher, ich
kannte eigentlich keinen Menschen, der ein Buch besaß.« – An
diesem Roman ließe sich demonstrieren, daß kein flammender
Protest und keine wortreiche Polemik so wirkungsvoll sein können wie die eher unterkühlte Aussage, in der eine Sache, die nach
Änderung ruft, für sich selber spricht.

Es gibt mittlerweile eine Reihe von Romanen über die Arbeits-
welt im »Ruhrpott«, und bei Max von der Grün hat sich längst
auch der literarische Erfolg eingestellt. Was bei Baroth den Bericht über die Kindheit und Jugend in einer Bergarbeitersiedlung
(während der Hitler-Zeit und der Adenauer-Ära) glaubwürdig
macht, ist der Verzicht auf eine durchgehende Erzählhandlung.
Nicht eine Fabel verknüpft die Einzeldinge, sondern die Bestandteile dieser Lebenswelt zeigen ihre eigene Geschichte vor. Das gilt

zumindest für den ersten Teil des Buches, der dem Gesetz der Reihung folgt.

Die Überschriften der Einzelkapitel deuten die Themen an: »Mein Vater« (Bergmann, am Ende halbseitig gelähmt, 1951 mit 46 Jahren gestorben), »Meine Mutter« (heiratet wieder, weil die Rente zu knapp ist), »Die Oma« (spricht nur polnisch und hat ihren Wohnbereich seit dreißig Jahren nicht verlassen), »Die Wohnung« (zwei Zimmer; im Schlafzimmer zwei Betten, eines für die Eltern, eines für die Kinder; jedes Geräusch im Haus ist zu hören; große Sauberkeit, Paradekissen), »Ein Unfall« (der Onkel verunglückt bei einer Schlagwetterexplosion im Pütt) und so fort.

Mit Kapiteln wie »Das Kriegsende« und »Vom schwarzen Markt« deutet sich schon der Wechsel der Erzählweise an. Legte der erste Teil Vertikalschnitte durch die Zeit, so folgt der Roman nun der Chronologie der Ereignisse bis zum Ende der Berglehrlings-Jahre. Wird der erste Teil atmosphärisch vom Armuts- und Todesmotiv beherrscht (stark eingeprägt haben sich dem Gedächtnis Friedhöfe und Beerdigungen), so bestimmen den anderen die Probleme der Lehrlingsarbeit und der Pubertät.

Die Sprache des Erzählers bewegt sich im Zwischenfeld einer kunstlosen Prosa: der »schreiben« gelernt hat, hilft seinem früheren Ich, dem Bergarbeiter, über die Sprachbarriere hinweg, aber so, daß die Artikulationsschwierigkeiten von einst noch im ungelenken Nebeneinander kurzer Sätze und im gelegentlich hölzernen Stil erkennbar bleiben. Wörter wie »Soldaterei« oder »Nazirei« empfindet man als sprachliche Schluderei, im übrigen aber akzeptiert man das ungeglättete Deutsch als die Sprache dessen, den man in Analogie zum ungelernten Arbeiter den ungelernten Schriftsteller nennen kann.

Nirgendwo ist die wiedervergegenwärtigte Wirklichkeit von einem Goldton überzogen, vielmehr wird die Erinnerungsseligkeit der Redensart »Aber es waren schöne Zeiten« ständig dementiert. So erweitert sich eine Jugendgeschichte zur literarischen Soziographie einer Bergarbeitersiedlung. Das Atmosphärische der Jugendzeit hat sich umgesetzt in Melancholie, die aber gebrochen ist durch die kritische Distanz dessen, der Situations- und Klassenbewußtsein bei den Menschen dieser Siedlung vermißt.

Baroths Erzählsprache wirkt ihrem Gegenstand angemessen. Aber der Anspruch bestimmter Jugenderfahrungen auf Mitteilung scheint abgegolten. Will Baroth weiter als Erzähler schreiben, wird er anders schreiben müssen. Die eigentliche Bewährung des Schriftstellers steht noch aus.

(10. 8. 78)

Der Denkspieler Ernst Jünger
Sein Roman »Eumeswil«

»Wir finden und vergessen uns im anderen; wir sind nicht mehr allein.« Mit diesem Satz schließt Ernst Jüngers Roman »Die Zwille« von 1973. Wem bis dahin die kristallinen Welten Jüngers fremd geblieben waren, der mochte in dem Roman – einer Jugendgeschichte – zum erstenmal etwas wie zwischenmenschliche Wärme entdeckt haben. Wer aber den Satz als ein Hoffnungssignal las, dessen Erwartung wird von Jüngers neuem Roman nicht erfüllt. Der Held dieses Romans ist wieder auf sich allein gestellt. Ernst Jünger widerruft sich nicht.

Seine Bewunderer werden durch »Eumeswil« seine Geradlinigkeit und die Gegner seine Einseitigkeit bestätigt sehen, allen mag der Roman des Zweiundachtzigjährigen Respekt abnötigen – Respekt einem Autor gegenüber, den gerade seine Umstrittenheit zu einer der bedeutenden Gestalten in der Literaturgeschichte des letzten halben Jahrhunderts macht, weil in der Auseinandersetzung um ihn zugleich wesentliche Linien unserer Geistesgeschichte erkennbar werden.

Jüngers Anhängern bietet »Eumeswil« keine grundsätzlich neuen Offenbarungen, aber der Roman gleitet auch nirgendwo in jene etwas unkontrollierte Redseligkeit, die so manches literarische Alterswerk kennzeichnet. Der paradierende Intellekt Jüngers, das spielerische Verfügen über eine immense kultur- und naturgeschichtliche Bildung, die griffige, nie abstrakt werdende Sachlichkeit seiner Sätze, die funkelnden Einschübe bilder- und metaphernreicher Perioden, die Salven der Antithesen (sie treiben die Unterschiede zu Gegensätzen heraus), die reichlich verstreuten Maximen und Sentenzen fesseln und blenden den Leser wie eh und je. Der Sprach- und Gedankenzauberer ist noch immer der alte.

An Ernst Jünger die Elle des Mittelmaßes legen, hieße seinem Selbstverständnis widersprechen. Die offenen und verhüllten Appelle seiner Schriften – der Tagebücher, der Essays oder der Romane – sind an Eliten gerichtet, und seine Identifikationsfiguren haben durchaus das Sendungsbewußtsein des Auserlesenen. Sucht man nach literarischen Entsprechungen, so scheint mir Ernst Jünger in die Nähe Stefan Georges zu gehören; er übt eine ähnliche Anziehung und löst ähnliche Abwehrreaktionen aus, er ist in die Rolle getreten, die sich jener während der ersten Jahrzehnte unseres Jahrhunderts zumaß. Freilich stand Stefan George als »Meister« im Kreis seiner Schüler, und daß Ernst Jünger niemanden um sich geschart hat, ist bezeichnend für das Solitäre seines Persönlichkeitsentwurfs.

Jünger will nach literarischem Gardemaß beurteilt werden. Das heißt nicht, daß es keine andere Möglichkeit gäbe, als zu ihm aufzuschauen. Und so wäre zunächst festzustellen, daß er offensichtlich den drei Konzeptionen des Kriegers, des Arbeiters und des Waldgängers keine eigentlich neue hinzuzufügen hat. Der Anarch, dessen Umrisse »Eumeswil« entwirft, ist ein Zwillingsbruder des Waldgängers. Der Roman liest sich wie eine erweiterte erzählerische Version des Essays »Der Waldgang« (1950/51), in seinem utopischen Grundriß erinnert er am ehesten an »Heliopolis« (1949 und 1965), so daß wir in »Eumeswil« eine späte Synthese zweier Schriften der frühen Nachkriegszeit hätten, wobei jedoch die Entwicklung der Zwischenzeit dieser Synthese ihren Horizont setzt.

Eumeswil ist ein Stadtstaat, dessen Gebiet im Norden ans Meer grenzt und sich nach Süden hin in der Wüste verliert. Die Staatsform ist die einer gemäßigten Tyrannis, deren Machtzentrum die oberhalb der Stadt gelegene Kasbah bildet. Seinen Namen hat Eumeswil von Eumenes, einem der Diadochen, die das Reich Alexanders des Großen unter sich aufteilten. Eumenes, dem Griechen, wird eine geringere Verruchtheit als den übrigen Diadochen nachgesagt, und darin gleicht ihm der Tyrann von Eumeswil, der Condor, dem die Grausamkeit des Despoten zuwider ist.

Die Parallelität zur nachalexanderschen Zeit, auf die der Stadtname anspielt, besteht darin, daß die Siedlung – als »fellachoide Versumpfung auf alexandrinischer Grundlage« – eine Spätphase des Verfalls erreicht hat. Diese »Stadt der Epigonen« ist ein »Mischkessel« aus den Abkömmlingen der verschiedensten Nationen, ein Handelsplatz mit Zügen der Profitgesellschaft. Die Utopie, in einer Zeit nach dem einundzwanzigsten Jahrhundert anzusetzen, steckt voller geheimer Analogien zu Jüngers Bild unserer Gegenwart.

Der Ich-Erzähler beziehungsweise Tagebuchschreiber Martin (Manuel) Venator geht zwei Berufen nach: dem des Dozenten für Geschichte – und dem des Nachtstewards in der Bar der Kasbah.

Jüngers Vorliebe für die ausgefallene, gesuchte Kombination schafft sich auch hier, in der Paarung des Wissenschaftlers mit dem Kellner, der das Ohr an den Gesprächen der Mächtigen hat, ihr Spielfeld. Doch sind Jüngers utopische Romane – wie auch seine Essays – eben Denkspiele. Einen Denkspieler nannte man den Dramatiker Georg Kaiser. Keiner hat nach Kaiser das Denkspiel so sehr zu seiner künstlerisch-essayistischen Form gemacht wie Ernst Jünger.

Gegenstand des Denkspiels in »Eumeswil« ist der Anarch. Über die Konturen des Anarchen schieben sich aber die des Historikers (»Anarch ist mehr oder minder jeder geborene Historiker«). In den Selbstdefinitionen des Historikers kehren Vorstellungen und Grundsätze wieder, die von Anfang an bei Jünger anzutreffen sind: die Metaphorik der Bühne und die wertfreie Beobachtung des Lebens.

Der Historiker, so meint Venator, wiegt als »Totenrichter« die geschichtliche Tat nicht nur jenseits von Gut und Böse, er steht auch zu seinem Objekt wie der Schauspieler zu seiner Rolle: er identifiziert sich. Selbst eher Künstler als Wissenschaftler, bewegt er sich »in der Geschichte wie in einem Bildersaal«. Geschichte ist also lediglich Gegenstand eines ästhetischen Interesses.

Dem dient das sogenannte Luminar, eine Apparatur, die es erlaubt, ein gespeichertes enzyklopädisches Wissen nach Computerart abzurufen und zugleich zu versinnlichen: Personen und Vorgänge der Geschichte (aber auch der Literatur, beispielsweise des Romans »Die Insel Felsenburg«) werden räumlich vergegenwärtigt. Diese »Zeitmaschine, die zugleich die Zeit aufhebt«, läßt Geschichte wie ein Schauspiel erstehen.

Es scheint, als wolle Jünger mit diesem Luminar den Satz Nietzsches illustrieren, daß Dasein und Welt nur als ästhetische Phänomene ewig gerechtfertigt seien. Zur ganzen Botschaft Nietzsches freilich, die im Wunsch nach Identifikation mit immer anderen Figuren und Phasen der Geschichte vergessen wird, gehört auch der Satz, daß ein Übermaß an Historie dem Lebendigen schade.

Doch stimmt das ästhetische Genießen der Geschichte mit der Absicht des Anarchen überein, sich einer verachteten Gegenwartswirklichkeit zu entziehen. Der Mythos des Anarchen, den Jünger seinen Tagebuchschreiber Venator entwickeln läßt, gründet in der Annahme, daß die Weltgeschichte durch die Anarchie bewegt werde. Jüngers Neuinterpretation des berühmten Heraklit-Wortes lautet: »Wie der Krieg der Vater der Dinge, so ist die Anarchie ihre Mutter.«

Der Anarch – und hier wird ein unmittelbarer Bezug zu unserer Zeitgeschichte deutlich – grenzt sich gegen den Anarchisten ab, der bei aller Gesellschaftsfeindlichkeit doch Gruppenwesen sei. Der Anarch bleibt einsam, überzeugt von der »ungeheuren Macht des einzelnen«. Nicht zufällig steht in Venators Studien zum Anarchismus Max Stirners »Der Einzige und sein Eigentum« von 1845 im Zentrum: dem Anarchen ist Stirners Einziger schon ganz nahe. Der Anarch will sich die Gesellschaft »vom Leib halten«.

Deshalb baut sich Venator inmitten eines schwer zugänglichen Schilfgebiets einen verlassenen Bunker als Fluchtburg aus. Er bereitet alles für den Waldgang vor. Zum Unterschied aber zum Waldgänger des Essays von 1951, dem der Wald »Lebenshort« war, ist dem Anarchen der Wald nur der letzte Zufluchtsort. Wurde der Waldgänger aus der Gesellschaft herausgedrängt, so hat dagegen der Anarch »die Gesellschaft aus sich verdrängt«. Er kämpft allein, als Freier; »er fühlt sich als Gleicher auch unter Königen«. Sein Freiheitsbegriff schließt aber den Dienst unter einer Herrschaft nicht aus. »Nur von dem Schwur, dem Opfer, der letzten Hingabe hält er sich zurück.« Solche Theorie von Anpassung und innerem Vorbehalt ist nun freilich auch als eine subtile Ideologie des Mitläufertums benutzbar.

Der Anarch, der sich gegenüber der Geschichte ästhetisch verhält und sich – allergisch gegen »soziale und ökonomische Plattheiten« – der Gesellschaft verweigert (in einer Art, die übrigens von der Adornoschen Verweigerung so fern nicht ist), liefert sich den geschichtlichen Kräften seiner Zeit zu Handdiensten aus. Sieht man schärfer hin, so besteht die einzige Freiheit, die er dem verachteten »Epigonen« und »Fellachen« wirklich voraus hat, in der inneren Distanzierung von den Parteiungen innerhalb der Gesellschaft.

So ist die Freiheit des Jüngerschen Anarchen eine verinnerlichte Freiheit und seine Besonderheit eine des Selbstbewußtseins. Ob sich Anarchentum auch daneben realisieren kann, läßt Jünger offen. Wie auch sonst, rückt er seinen Helden in die Nähe tragischen Scheiterns. Zum Rückzug in die Fluchtburg kommt es nicht mehr; im Bunker findet man lediglich Venators Aufzeichnungen, die dann sein Bruder mit einem relativierenden Kommentar herausgibt. Der Anarch hat sich mit dem Condor und seinem Gefolge auf eine »Große Jagd« begeben und bleibt mit ihnen verschollen.

Jüngers Neutralität gegenüber dem Problem des Tötens wird schon in den »Stahlgewittern« von 1920 deutlich. So ist auch der Leser dieses späten Romans von ihr nicht überrascht. Der Kampf des Anarchen ist ein »Privatkrieg«, in dem er sich selbst als letzte verantwortliche Instanz sieht. Dennoch erschreckend der Satz, mit dem Venator seine Entschlossenheit bekundet, sich eines Mannes zu entledigen, der ihm »in die Quere kommen« und mit dem es »Scherereien geben« könnte: »Dann würde er umgelegt.«

Zu dem, was Zynismus genannt werden muß, steht auch in »Eumeswil« im Gegensatz, was man am erzählerischen Werk des späteren Jünger als »Grazie sehr männlicher Prägung« gerühmt hat. Doch bleibt zu fragen, welcher Preis für diese Art von männlicher Anmut gezahlt wird. Jüngers Konzeptionen des Kriegers, des Arbeiters sowie des Waldgängers und Anarchen sind Persönlichkeits- und Welt-Entwürfe, in denen Frauen als bloße Akzidenzien, als unentbehrlich, aber letztlich störend gedacht werden.

Das wirkt in »Eumeswil« bis in die Anordnungen des Condors hinein: Keine Frau – nicht einmal als Wäscherin oder Küchenhilfe – wird auf der Kasbah geduldet, weil sie Kabalen begünstigen könnte. Venator betrachtet die Dirne Latifah, die ihm als »Blitzableiter« dient, beim ersten Besuch »wie ein Sklavenhändler vor dem Zuschlag; da webt noch etwas von der Altzeit, vom frühen Persepolis«. Er steht aber auch zur Historikerin Ingrid, einer Kollegin, in engem Verhältnis. Ihre intime Beziehung beginnt mit einer ungewöhnlichen sexuellen Aufforderung. Ingrid überreicht ihm einen Zettel: »Bitte machen Sie keine Umstände.« Das Bett der ersten Vereinigung ist der Marmorflur. Dieses Geschlechterverhältnis hat wirklich die Marmorkühle des Denkspiels.

Selbstverständlich weiht Venator Ingrid nicht in das Geheimnis seiner Fluchtburg ein. Dem Waldgänger könnte »die Frau zum Verhängnis« werden. Aber es gibt auch keinen Freund, dem er sich anvertrauen könnte. Der Anarch erlangt Freiheit nur in einem mitmenschlichen Vakuum.

Der Roman über Staat und Gesellschaft in einer Spät- und Verfallszeit ist zu einem guten Teil aus der Beobachtung unserer Gegenwart hervorgegangen. Einen Gegenentwurf führt Jünger nicht aus. Doch wird eine Antwort mit der Gestalt des Anarchen gegeben. Den Schlüssel bietet eines der in sich geschlossenen erzählerischen Stücke des Romans, die Parabel vom »Totemtier« des jungen Venator, der Haselmaus, die sich ihre Höhle für die öde und kalte Jahreszeit baut. Was diese kleine Erzählung demonstriert, ist die Kunst des Überwinterns.

(3. 12. 77)

Es wird zuviel Papier geredet
Jost Noltes Roman »Schädliche Neigungen«

»Was trieb das Fotomodell Eva Krohn in den Selbstmord?« Diese
Frage leitet in Jost Noltes erstem Roman die Recherchen des Jour-
nalisten Henning Streitberg (der übrigens, auf seinem Reiterhof
nördlich von Kiel lebend, im zweiten Roman wieder auftaucht).
»Wie konnte es zum grausigen Mord des Schülers Frank Depensen an seiner Freundin, der Industriellentochter Sigrid Diepholz,
kommen?« so fragt sich mit dem Erzähler der Leser im neuen
Roman »Schädliche Neigungen«. Hier wie dort sind die Erzähler
den Motiven extremer Handlungen auf der Spur.

In einem Artikel im »Zeit«-Magazin hat Nolte bekannt, daß er
mit dem Stoff seines neuen Romans zunächst Schwierigkeiten
hatte. Sein erstes Konzept hielt sich an die Tat eines Studenten,
der seine Berliner Freundin mit mehr als hundert Stichen getötet
hatte, aber die Figur des schizophrenen Täters stellte ihn vor un-
überwindbare erzählerische und sprachliche Probleme. Erst der
Fall eines anderen Mannes, der seinen Nebenbuhler erschossen
hatte und vom Gericht freigesprochen wurde, verhalf ihm zu einer Lösung. Verschmolzen sind also im Roman, dessen Handlung
in Schleswig-Holstein spielt, Anregungen aus zwei bekannt gewordenen Gerichtsprozessen. Doch möchte Nolte auch in die Ge-
setzes-Diskussion und damit in die Gerichtspraxis zurückwirken:
durch seine Kritik am Begriff der »schädlichen Neigungen« im
Jugendgerichtsgesetz.

Nun hat es aber Nolte bei der juristischen und psychologischen
Problematik seines Falles nicht bewenden lassen, er wollte den
weiteren Umkreis der pädagogischen und philosophischen Fragen
ausmessen, und an diesem großen Vorhaben übernimmt sich und
scheitert letztlich der Roman. Wie Nolte in »Eva Krohn« Wirk-
lichkeitsdichte durch Häufung zu erreichen glaubte, so meint er
jetzt, durch eifriges Bemühen von Autoritäten der Geistesgeschichte den Roman auf kulturkritisches Niveau zu heben.

Dazu dienen ihm vor allem zwei Figuren: die beiden Lehrer
Frank Depensens, der Mittelschullehrer Nottebohm (zugleich
Ich-Erzähler) und der Gymnasiallehrer Doysen. Auch wer eine
hohe Meinung vom Bildungsstand heutiger Studienräte hat, wird
nicht behaupten wollen, daß sie unentwegt über die Antike und

die nordische Edda reden. Nolte aber verlangt seinen beiden Lehrern dauernd Hochleistungen ab. Platon, Machiavelli, Theodor Mommsen, Sartre oder Camus sind hier – in Gespräch und Reflexion – tägliches geistiges Pflichtpensum. Einmal lugt hinter dem Romanautor Nolte der Kritiker Nolte hervor; etwas wie Selbstironie des Autors blitzt auf in Frau Nottebohms Ausspruch: »Es ist gespenstisch für mich, daß wir hier sitzen, um Welträtsel zu lösen, während Frank . . .«

Für das ständige Schürfen nach tieferen Zusammenhängen ist der Fall des Jugendlichen Frank Depensen als Boden zu schmal. An diesem Widerspruch bricht der Roman auseinander. Es wird zuviel Papier geredet. Und man wird den Eindruck nicht los, daß aus Noltes Handbibliothek stammt, was die beiden Lehrer unermüdlich im Kopf bewegen.

In »Eva Krohn« grenzt die Spürlust des Rechercheurs an Manie. Auch in »Schädliche Neigungen« wirkt das Interesse der beiden Lehrer an dem Schüler, bevor sie von der Tat überrascht werden, konstruiert. Nicht einmal Schutzengel können sich so intensiv um die ihnen Anempfohlenen kümmern. Da wird der Lehrer sogar zum Psychiater (der verwirrte Frank, der seine Mutter beim Ehebruch ertappte, hat sich nachts ins Kinderhaus in Nottebohms Garten geschlichen und auf die Couch gelegt; Nottebohm entdeckt ihn und beginnt nun Therapieversuche). Die Eingangsszene des Romans, in der Nottebohm dem Jungen aus Besorgnis in den Wald folgt, steht merkwürdig beziehungslos im Ganzen. Sie soll den Jungen als Naturkind zeigen. »An dem Stamm lehnt er, als wollte er mit ihm verwachsen.« Das ist literarisches Kunstgewerbe.

Fesselnd wird der Roman immer dort, wo Nolte seine Tiefenbohrungen aufgibt und sozusagen zum erzählerischen Tagebau übergeht. Auch wenn es beispielsweise Dieter Wellershoff in seinem Roman »Die Schönheit des Schimpansen« besser gelingt, eine eigentlich motivlose Tat dennoch als folgerichtig zu suggerieren, so erzählt Nolte doch die fiktive Geschichte Frank Depensens überzeugend, sobald ihm Erfahrung und Anschauung, nämlich seine Kenntnis der Gerichtspraxis, zu Hilfe kommen.

Die Antwort auf die Frage, was die wirklichen Antriebe zur Tat waren, bleibt Nolte schuldig, will er auch schuldig bleiben. Hier begibt er sich nicht aufs Glatteis. Zwar kommt im Gerichtsprozeß ein vernünftiger Psychiater zu Wort; eine dubiose Rolle spielt der von Diepholz zur Kontrolle und Beeinflussung seiner Tochter verpflichtete Psychiater, vor allem mit seinen Versuchen, den Studienrat Doysen als einen linken Verführer der Jugend zu verdächtigen (die Figur dieses Dr. Niebuhr wäre freilich glaubhafter, hätte ihn Nolte nicht zu einem Ausbund an Widerlichkeit – mit einer »seltsam aufgestülpten Teufelsfratze« – gemacht). Im übrigen aber bleibt es bei der Feststellung, daß eine zielbewußte verbrecherische Handlung und damit die volle Verantwortlichkeit Frank Depensens nicht nachweisbar ist. Der Leser begrüßt Noltes Verzicht auf tiefenpsychologische Seiltänzerei.

Erzählerischer Höhepunkt des Romans ist der Schluß: die Gerichtsverhandlung mit dem Schlagabtausch der Argumente, endend in einem Freispruch, von dem sich der Autor Appellwirkung erhoffen mag. Hätten alle dreihundert Seiten dieses Format, ein guter Roman wäre anzuzeigen.

(17. 10. 78)

Die Droge Erinnerung
Herbert Rosendorfers Erzählungsband
»Eichkatzelried«

»Eichkatzelried ist Kitzbühel«, so beginnt das Nachwort zu den fünf autobiographischen Erzählungen, den fünf Erinnerungssequenzen, in denen Herbert Rosendorfer die Zeit zwischen seinem achten und vierzehnten Lebensjahr, die er während des Krieges und danach bei seinen Großeltern in Kitzbühel verbrachte, schreibend zurückruft. Wer heute in Kitzbühel zu Gast ist oder es auf dem Weg nach Südtirol und Kärnten durchfährt, lernt einen anderen Ort kennen als den hier beschriebenen.

Die Zeit, da die Stadt unentwegt, bis in die mageren Kriegsjahre hinein, vom Ruhm zehrte, den Prinzen von Wales beherbergt zu haben, ist endgültig vorüber. Das Aristokratische hat dem Sportler-Idol des Toni Sailer Platz machen müssen. Und die trotz einer gewissen Protzigkeit – »wie der Traum einer größenwahnsinnigen Sennerin« stand der Stilbau des Hotels Tyrol da – unversehrte Idylle ist längst vom Tourismus überrollt worden. »Diese Welt«, so sagt der Autor von »seinem« Kitzbühel, »gibt es nicht mehr.«

Das endgültige Versunkensein nicht nur der Kindheit, sondern auch ihrer Umwelt ist aber für Rosendorfer kein Gegenstand anhaltender Klagen. »Vergangenheitssüchtig« hat Hansjörg Graf in seiner Besprechung von Rosendorfers letztem Roman »Stephanie und das vorige Leben« (F.A.Z., 11. 10. 1977) den Autor genannt. Vergangenheitsberauscht ist Rosendorfer im neuen Erzählungsband. Keine wehmütige, eine selige Nostalgie gibt den Ton an. Das autobiographische Ich träumt sich nicht in das Kitzbühel der Jugendjahre hinein, es nimmt von ihm handfest Besitz. So sehr ist dies Vergangene mit Wünschbarem angefüllt, daß Rosendorfer, anders als in früheren Erzählwerken, auf die Einschmelzung des Phantastisch-Unglaublichen ins Wirkliche verzichten kann.

Dennoch sind diese autobiographischen Erzählungen von früheren Romanen nicht so grundsätzlich verschieden. Sie rücken die Wirklichkeit ins Wünschbare, Träumbare; nicht indem sie sie anreichern, sondern indem sie sie entschlacken. Kitzbühel und Kindheit verklären sich für den Erzähler ins Makellose und vermögen so für die Unvollkommenheiten der Erfahrungswirklichkeit zu entschädigen: »Die Erinnerung an meine Jugend ist so glücklich, daß mir auch das unwirtlichste Leben als Gnade erscheinen muß.« Die Zeit, hier wirkt sie weniger durch ihre Kraft zu heilen als durch ihre Fähigkeit zu retuschieren. Und begierig wird die Droge Erinnerung genossen. Den Gegensatz zwischen dem Kitzbühel des distanzierten Betrachters und dem des autobiographischen Erzählers macht das Nachwort deutlich. Eine »böse Alte« mit der »Tradition eines fast tausendjährigen Krämergeistes« sei die »alte Stadt«; sie verstecke »giftigen Neid hinter den Fassaden.« Nichts von alledem in den Erzählungen. Eichkatzelried ist eben doch nicht Kitzbühel, sondern Eichkatzelried – eine aus dem früheren Kitzbühel destillierte Welt.

Das Bemerkenswerte aber ist nun – so paradox es scheinen mag –, daß der Erzähler bei seinem Gang durch die Zeit der Poesie, als die er seine Kindheit versteht, immer mit beiden Füßen auf dem Boden Kitzbühels bleibt. Die längste der Erzählungen, »Mein Schulweg«, entwickelt sich auf diese Weise zu einer Topographie der Stadt. Das Leben und die Geschicke der Bewohner fügen sich zu einem Mosaik aus lauter Personengeschichten und -anekdoten. Bezeichnend für den humoristischen Erzählton Rosendorfers ist »Die Dichterlesung« (Lesern dieser Zeitung durch einen Vorabdruck bekannt).

Wie in der »Dichterlesung« hat auch in anderen Erzählungen das Schnurrige seinen Platz, seien es nun die Pläne des Jungen, deutscher Kaiser zu werden und eine Dynastie zu errichten, oder die kleinen Winkelzüge des listigen Pfarrers, der seiner Gemeinde predigend Angst einjagt, um das Geld für die Restaurierung der Kirche zu bekommen, sei es die Reimkunst des Schneiders Griebl oder (in »Die Reise nach Bad Gastein«) die große Fäulnis im feuchten Bad Gastein, die sogar die Noten von Schuberts »Gasteiner Symphonie« binnen einer Stunde dahingerafft haben soll.

Die Poesie der Kindheit und der Landschaft um Kitzbühel werden eins und setzen sich unmittelbar in poetische Prosa um in der Erzählung »Schlittenfahrt«. Aber der Krieg bleibt in der Erinnerung fast so gut wie ausgespart – und hier wird die Retusche problematisch. Von verwundeten Soldaten, die in den Hotels untergebracht waren, ist erst im Nachwort die Rede, von jungen Witwen und Müttern in Schwarz, die es während der letzten Kriegsjahre hundertfach gegeben haben muß, nicht einmal dort. Andererseits rechtfertigt den Autor ein psychologischer Hinweis:

die Nachricht vom Tod des – gefallenen – Vaters schmerzte den Jungen, aber der Vater war durch den Tod nicht viel weiter fortgerückt als ohnehin durch seine Abwesenheit während des Krieges; sein Tod war ein abstraktes Ereignis.

So bringen die Erzählungen auch im Weglassen eine Wahrheit zum Vorschein: daß in dieser Kindheit außer dem, was durch Phantasie erobert wird, nur das für den Jungen Konkrete zählt. Dem entspricht hier das anschauungsgesättigte Erzählen Rosendorfers. Und es ist ebendieses Erzählen, das der Tendenz zur verfälschenden Vergoldung entgegenwirkt.

(10. 4. 79)

Ein politischer Roman,
weil er Privates ganz ernst nimmt
Ruth Rehmanns Buch
»Der Mann auf der Kanzel«

In seinem Buch »Auf dem Weg zur vaterlosen Gesellschaft« beschreibt Alexander Mitscherlich einen sozialgeschichtlichen Prozeß, den er das »Erlöschen des Vaterbildes« nennt. Die Literatur der letzten Jahre hat auf diesen Prozeß in ihrer Weise geantwortet; sie zeigt eine ganze Reihe von Autoren auf der Suche nach dem verlorenen Vaterbild.

So gelingt in Paul Kerstens Erzählung »Der alltägliche Tod meines Vaters« dem Sohn die Annahme des Vaters erst in der Reflexion über seinen Tod; nicht aufzuheben aber ist die Entfremdung zum Kleinbürger mit seinen Klischees und seinem Standesstolz. In dem Fragment gebliebenen Romanessay »Die Reise« ruft Bernward Vesper, der zur radikalen Linken gestoßene »Abtrünnige«, das Bild seines autoritären Vaters Will Vesper, eines der unbelehrbaren Barden aus der Zeit des »Dritten Reichs«, zurück. Und auf dem schmalen Grat zwischen Begreifen und Verständnislosigkeit versucht Sigfried Gauch in »Vaterspuren« die Zone der Undurchsichtigkeit zu durchstoßen, die seinen Vater umgab: den Arzt und ehemaligen kulturpolitischen Adjutanten Heinrich Himmlers.

Dies sind Beispiele. Allen gemeinsam ist, daß von den Recherchen nach den Denk- und Empfindungsgewohnheiten und den Verhaltensmotiven des Vaters zugleich Aufhellung der unheilvollsten Phase deutscher Geschichte erhofft wird. In der Frage nach dem authentischen Bild des Vaters steckt immer die Frage: Wie konnte es geschehen, daß der Hitlerdiktatur so wenig Widerstand entgegengesetzt wurde? Das private Interesse ist immer zugleich ein historisches und politisches.

Nun hat sich auch Ruth Rehmann ans Spurenlesen gemacht. Im Roman »Der Mann auf der Kanzel« provozieren die Erinnerungen an die eigene Kindheit und Jugendzeit in einem Pfarrhaus immer wieder »Fragen an einen Vater«.

Ruth Rehmann hat als Romanautorin ihre Leser bisher nicht gerade verwöhnt. Im Abstand von fast zehn Jahren erschienen »Illusionen« und »Die Leute im Tal« (1959 und 1968), ein gutes weiteres Jahrzehnt ließ der neue Roman auf sich warten. Ruth

Rehmann entwirft hier kein erzählerisches Panorama; sie versucht gar nicht erst das unmöglich Gewordene: eine Epoche in ihrer »Totalität« episch zu vergegenwärtigen. Sie sieht die Weimarer Republik und das »Dritte Reich« aus der Perspektive eines protestantischen Pfarrhauses, beziehungsweise durch die Gestalt ihres Vaters hindurch. Aber ebendiese Begrenzung der Perspektive begründet auch ihre Zuverlässigkeit; die Erfahrung ist Bürge.

Was im Verlaufe des Erzählens herausmodelliert wird, ist ein Vaterporträt mit einem außerordentlichen Reichtum an Einzelzügen und sind Szenen des Pfarrhauslebens von großer Dichte. In einer Welt voller Einschränkungen groß werdend, fühlt sich das Mädchen doch in einer Wärme geborgen, die die übrige Welt kalt erscheinen läßt. Die Gestalt des Vaters wird konkret in dreierlei Art von Beziehungen: zu seiner Familie, zu seiner Gemeinde und zum Staat. Den Familienpatriarchen kennzeichnen Güte und Strenge zugleich, ein rührender Zug von Unbeholfenheit und selbstverständlich die Fähigkeit, für alle Situationen ein Bibelwort auf Lager zu haben. Sieht man vom Montag, dem »Pastorensonntag«, ab, so ist der Vater rastlos in seinem »Weinberg« tätig, im Dienst an seiner Gemeinde. Hätte dieser Seelsorger sein Amt noch in der Monarchie ausüben können, es wäre von nichts anderem zu erzählen gewesen als von der Harmonie eines erfüllten Pfarrerlebens. Aber der junge Pastor, der sich 1914 freiwillig als Feldgeistlicher meldet und den die Erlebnisse am Lager sterbender Verwundeter tief verstören, zieht aus seiner Erschütterung keine Konsequenzen.

Im Gegenteil, eine schon im Elternhaus, ebenfalls einem Pfarrhaus, selbstverständliche Mischung von Glauben und Patriotismus läßt die Kriegserfahrungen als groß und geheiligt in die Erinnerung eingehen.

Der aus dem Krieg heimgekehrte Pfarrer hält dem Gedanken der Einheit von Thron und Altar die Treue, Treue auch dem Kaiser im holländischen Doorn. Republik und Demokratie sind im Pfarrhaus ungeliebte Worte. Der traditionelle Grundsatz unbedingter Loyalität gegenüber der Obrigkeit läßt es jedoch in der Weimarer Republik nicht zu Konflikten kommen. Erst als nach Hitlers Machtergreifung politischer Druck den Kirchenkampf entfacht, sieht sich der Pfarrer vor Entscheidungen gestellt. Aber er weicht ihnen aus, wie er überhaupt im Laufe der Zeit eine gewisse Übung im »Wegschauen« erworben hat. Er lehnt die »Deutschen Christen« als Verfälscher des Evangeliums ab, aber verschließt sich auch der »Bekennenden Kirche«. Als sich in seinem »Weinberg« heimlich eine Bekenntnisgemeinde gebildet hat, hinterläßt die Enttäuschung eine innere Gebrochenheit, von der er sich nie mehr erholen wird.

Hat ihn sein seelsorgerischer Eifer oder seine Hilflosigkeit gegenüber schwierigen praktischen Situationen daran gehindert, im Februar 1933 einen politischen Mord der SS wahrzunehmen, der sich in seiner Gegenwart ereignete? Hat er gar bewußt geschwiegen? Das ist die beunruhigende Frage, die sich die Erzählerin auch am Ende nicht beantworten kann, wenngleich ihr Gefühl den Vater entlastet. Es ist die Frage nach einer konkreten Schuld.

Aber diese Frage lenkt nicht ab von etwas, was an Schuld heranreicht, von jener Reaktion des Wegschauens, die zunächst dem Selbstschutz, dann der Abwehr alles Unbequemen dient und schließlich zu einer Strategie des Selbstbetrugs werden kann. Denn der Vater hält sich nicht nur die religiöse Not der »bekennenden« Mitglieder seiner Gemeinde vom Leibe, sondern auch Nachrichten wie die über die Konzentrationslager oder die Tätigkeit des »Generalgouverneurs« im besetzten Polen.

Ruth Rehmanns Roman ist deshalb so überzeugend, weil hier weder Zorn noch Scham an den Fakten modeln, weil keine Rechtfertigungsabsicht am Werk ist, aber auch nichts vom Hochsitz historischen Besserwissens aus beobachtet und anvisiert wird. So paradox es klingen mag – die Liebe der Tochter sichert hier die Glaubwürdigkeit des Vaterbildes.

Aber nicht nur sie. Wäre da nicht die gleichzeitige Distanz der Tochter, die ihre (unsere) heutigen Fragen an die Erinnerung heranträgt, dieser Roman hätte sich mit dem begnügt, womit sich so manche der beliebt gewordenen autobiographischen Kindheitserzählungen zufrieden geben: mit dem nostalgischen Rückblick. »Der Mann auf der Kanzel« ist, gerade weil er Privates ganz ernst nimmt, ein politischer Roman. Er zeigt einen protestantischen Pfarrer in jener deutsch-nationalen Tradition des Denkens verwurzelt, die unter dem Regime Hitlers – obwohl man die »Braunen« als »proletenhaft« und »lästig« empfand – zur Verweigerung des gebotenen Widerstandes führte.

Was aber unser heutiges Verhältnis zur Vergangenheit so schwierig macht, spricht am Ende der Sohn der Erzählerin aus:

»Es gibt viele Geschichten dieser Art ... Sie werden im Ton der Wahrheit erzählt von Leuten, die man mag und achtet. Jede von ihnen dreht und wendet ein Stück Schuld, bis es menschlich verständlich, beinah schon sympathisch aussieht.« Diesem Dilemma nicht ausgewichen und doch in ihm nicht steckengeblieben zu sein, ist die Leistung Ruth Rehmanns.

(1. 9. 79)

Produktive Resignation
Paul Kerstens Erzählung
»Der alltägliche Tod meines Vaters«

Der Krebstod, schleichender Schrecken unserer Zivilisationsgesellschaft, gegen den man sich durch Wegsehen zur Wehr zu setzen pflegt, da die Medizin noch immer keine Hoffnungsperspektiven anzubieten hat, ist literarisch längst nicht mehr tabu. Es gibt kaum ein Thema, durch das sich Erfahrungen der menschlichen Grenzsituation heute verbindlicher vermitteln ließen. Enthüllt Alexander Solschenizyns »Krebsstation« das Verhalten Privilegierter angesichts des Unabwendbaren, so setzt in Günter Steffens' vor zwei Jahren erschienenem Roman (dessen Titel »Die Annäherung an das Glück« wie eine Blende vor das tatsächliche Geschehen gelegt ist) das langsame Sterben der geliebten Frau im Ich-Erzähler einen Prozeß der Persönlichkeitszerstörung in Gang. Die Literatur ist den anderen zwischenmenschlichen Kommunikationsformen voraus: sie durchbricht immer wieder die Mauern des kontrollierten Verschweigens.

Nicht zufällig wohl ist eine neue Erzählung zum Thema, Paul Kerstens »Der alltägliche Tod meines Vaters«, bei Kiepenheuer & Witsch erschienen, beim Verlag also, der – im Lektorat von Dieter Wellershoff – auch Steffens' Roman schon herausgebracht hat. Diese Nachbarschaft bringt für den 1943 geborenen, als Erzähler debütierenden Kersten, der – gerade zwanzigjährig – mit einem Band Gedichte hervortrat, nicht unbedingt Vorteile. Die Versuchung liegt nahe, die Erzählung schielend zu lesen: ein Auge ständig auf den schon bekannten Roman gerichtet.

Dabei fordert die Erzählung zum Vergleich nicht unbedingt heraus, so daß auch für ihren Wert nicht die Maßstäbe des Romans gelten können. Obwohl Kersten in einem geradezu klinischen Bericht, in der detaillierten Schilderung der fürchterlichen Krankheitssymptome, schonungsloser vorgeht als Steffen, ist doch seine Erzählung weitaus weniger provokant. Die Selbstenthüllungen des Romanerzählers übersteigen sogar das erträgliche Maß der Selbstzumutung fast. »So etwas schreibt einer, wenn er es überhaupt schreibt, nur einmal«, hieß es in der Rezension des Romans (F.A.Z., 16. 11. 1976). Kersten, da bin ich sicher, könnte auch noch anderes in der Art seiner Erzählung schreiben –

es sei denn, das Festhalten an einer autobiographischen Schreibweise ließe ihn einen ähnlichen Stoff nicht wiederfinden.

Der sich hinschleppende Krebstod des Vaters, die Besuche am Krankenbett, die zur qualvollen Zeugenschaft verurteilen, Alpträume und Visionen des eigenen Sterbens, die noch lange nach dem endgültigen Ableben des Vaters wiederkehren, sie sind für Kersten, das spürt man, ein machtvoller Antrieb zum Schreiben gewesen. Aber was im Verlauf des Erzählens geschieht, ist etwas Paradoxes: Erst das Schreiben aus Anlaß des Todes gibt dem Vater die Existenz zurück. Was sich so vollzieht, ist die Annahme des Vaters durch den Sohn.

Beileibe kein Einholen des Gestorbenen ins liebevolle, verklärende Andenken. Auch nicht das Gegenteil: kein erneutes Konkretwerden des Toten im Feindbild des Vater-Sohn-Konflikts. Die »Einholung« des Vaters besteht im Bewußtwerden, in der Annahme der unwiderruflichen Entfremdung als der einzigen Beziehung, die möglich war.

Erinnerungen an das Leben des Vaters, sofern sie zugleich Erinnerungen an die eigene Kindheit in einem kleinen Ort an der Weser südlich von Hannover sind, haben atmosphärische Dichte. Der nahezu lyrische Bericht über das Umherstreifen in der Weserniederung ist schlichtweg schön. Vergangenheit wird abrufbar durch Gerüche; in einem sprachlichen Crescendo stürzt eine Flut von Erinnerungen vorüber, die alle an bestimmten Gerüchen haften. Aber um die Gestalt des Vaters herum ist die farbige Welt der Kindheit grau (um die Mutter nicht minder, gegen ihre Demütigungsversuche nimmt der Sohn den Vater sogar in Schutz; aber die Mutter bleibt in dieser Erzählung Folie, Randfigur).

Was dem Sohn die Welt des Vaters immer fremder hat werden lassen, sind die Denk- und Verhaltensweisen eines in nationalistischer Tradition Aufgewachsenen, der wohl dem äußersten Gefolgschaftsanspruch der Nazis widerstand, nicht aber den Versuchungen der Klischees, zu dessen Vorurteilen über »den« Juden, »den« Schwulen, »den« Katholiken oder »den« Kommunisten die Kopf-ab-Mentalität paßt, für den die Bezeichnung »Kleinbürger« ein Ehrentitel ist, weil sie ihn vom Arbeiter abhebt, und dessen Berufsstolz nicht die Komik des Wortmonstrums »Bundesbahnbetriebskrankenkassenkontrolleur« wahrnimmt.

Zu einem Zusammenstoß kam es, nachdem der Sohn als Hamburger Student an Demonstrationen (offensichtlich der Außerparlamentarischen Opposition) teilgenommen hatte. Aber auch hier tritt der sich erinnernde Erzähler nicht in die Rolle ein, die ihm das Vorstellungs- (und das literarische) Modell des Vater-Sohn-Gegensatzes oder des Generationenkonflikts anbietet.

Und hier nun ist der Punkt, wo diese Erzählung die deutlichsten Spuren ihrer Entstehungszeit zeigt, wo diese Suche nach dem Bild des Vaters über den erzählten Einzelfall hinaus Bedeutung gewinnt. Auf ganz unprätentiöse Weise sagt die gedämpfte Aggressivität, die Zurücknahme des (auch politischen) Generationenkonflikts in die konstatierte Entfremdung etwas über die heutige Situation der ehemaligen Apo aus. Die Glaubwürdigkeit der Erzählung besteht gerade darin, daß dieses politische Moment einer – durchaus nicht unproduktiven – Resignation verschränkt ist mit existentiellen Erschütterungen, wie sie der Krebstod des Vaters auslöst, daß also kollektive und persönliche Erfahrungen untrennbar ineinandergreifen.

Wirkt die Erzählung hier und da wie eine Etüde, so nur deshalb, weil noch nichts zur Routine geworden ist. Die Talentprobe jedenfalls ist bestanden.

(29. 4. 78)

Die Literatur in der Grenzzone zwischen Leben und Tod
Neue Bücher von Paul Kersten und Walter Matthias Diggelmann

Mit einem Alarmruf, der Ankündigung eines Selbstmordes, beginnt Paul Kerstens neuer Roman »Absprung«. Auf dem Fährschiff zwischen Travemünde und Visby wirft Rolf Kaus (der Ich-Erzähler), Kulturredakteur einer deutschen Wochenzeitung, eine Postkarte ein, mit der er seinen Freund und Kollegen wissen läßt, daß er von der Reise auf die Insel Gotland nicht zurückkehren wird. Mit diesem Not- und Abschiedssignal setzt Kersten gleich an den Anfang des Romans ein starkes Spannungsmoment. Aber schon nach wenigen Seiten beginnt der Leser zu ahnen, daß alles bloß blinder Alarm ist.

Als falsch erweist sich der Alarm nicht nur, weil der durch Zufälle, eigene Unentschlossenheit und einen schwedischen Freund am Absprung vom Felsen gehinderte Selbstmordkandidat am Ende kleinlaut zu Frau und Kind und in die Redaktion zurückkehrt – das mag der Leser eher mit Erleichterung registrieren. Enttäuscht wird vor allem die Erwartung, es könne Kersten gelingen, einem der schwierigsten literarischen Themen, dem des Freitods, gerecht zu werden.

Kersten hat im vergangenen Jahr seine erste Erzählung, den autobiographischen Bericht »Der alltägliche Tod meines Vaters«, veröffentlicht. Der Versuch, durch Erinnerung und Reflexion Klarheit in das Verhältnis zum verstorbenen Vater zu bringen, konfrontiert ihn noch einmal mit den einzelnen Phasen und den Symptomen eines unheimlichen Krebstods. Die überzeugende literarische Formung eines Themas, das immer noch Berührungsängste auslöst, hat bei der Literaturkritik viel Zustimmung gefunden.

Diesen Aufwind nutzt Kersten nun, indem er der Erzählung einen Roman mit ähnlicher Thematik hinterherschickt: es ist vor allem der Krebsverdacht, der in »Absprung« den Selbstmordentschluß in Kaus reifen läßt. Aber Dubletten stehen selten unter einem guten Stern. Ihre Gefahr ist, daß sie das in der ersten Fassung literarisch Verdichtete nur in die Breite ziehen und verflachen.

Alles, was in der Erzählung tödlicher Ernst war, wird im Roman zur Seiltänzerei, bei der aber der Leser nie vergißt, daß immer das schützende Netz gespannt bleibt. Kersten vermag jene Verzweiflung, die den Freitod unausweichlich werden läßt, erzählerisch nicht glaubhaft zu machen. Gewiß, er versucht Kaus' Entschluß nicht nur aus der vermeintlichen Bedrohung durch die Krebskrankheit, sondern auch durch Eheschwierigkeiten und den Unmut über »die seelischen und geistigen Kastrationen« in der Kulturredaktion zu motivieren, aber all die Hypochondrien, Neurosen und Depressionen, die beschworen werden, bleiben blanke Rhetorik. Über Krebstod und Freitod läßt sich schließlich ebenso flüssig sprechen wie über das Schnapstrinken, mit dem der Selbstmordaspirant einen so wesentlichen Teil seiner Zeit verbringt. Das Thema der Erzählung, im Roman wird es zerredet.

Seine Stärken hat das Buch in den Erinnerungsreihen, den Bewußtseinsprotokollen oder der sprachlichen Vergegenwärtigung von Landschaftseindrücken. Kersten verfügt über eine bildkräftige Phantasie (so daß er seine Zuflucht nicht zu einem stupiden Sexualvokabular hätte nehmen müssen); weitaus stärker als im autobiographischen Bericht ist hier seine Fabulierlaune.

Aber schon entwickelt Kersten eine Behendigkeit des Schreibens, die leicht auf die Bahn der Routine geraten kann. Statt aus der Erfahrung schöpft er aus dem Reservoir der Gedanken und Themen, die in den Redaktionen und den Zirkeln des Kulturbetriebs *en vogue* sind. So kommt dieser Roman oft in die Nähe glatter Kunstgewerblichkeit – auch und gerade dort, wo er von letzten Dingen handelt.

Selbstverständlich kann der Anteil des Selbsterlebten kein Gradmesser für die literarische Qualität eines Romans sein, man wollte denn die Autobiographie zur epischen Mustergattung erheben. Was aber eigene Erfahrung eines Autors, der an der Grenzzone zwischen Leben und Tod gestanden hat, an Substanz in ein literarisches Werk einzubringen vermag, zeigt das mit Kerstens Roman gleichzeitig erschienene »Tagebuch einer Krankheit« von Walter Matthias Diggelmann.

Man kennt diesen Schweizer Schriftsteller aus seinen mehr denn fünfzehn Büchern als einen Erzähler, dem sich alle Motive und Gedanken zu Geschichten formen. Im Herbst des vergangenen Jahres nun sah sich Diggelmann in einer Situation, in der für gewöhnlich alle Lust am Erfinden von Geschichten erstirbt. Er wurde mit Lähmungserscheinungen in die Klinik eingeliefert; die Ärzte entdeckten einen Gehirntumor und überdies noch einen Tumor in der Lunge. So wurden nacheinander zwei schwere Operationen nötig. In den Wochen vor und nach den Operationen führte Diggelmann eine Art Tagebuch, das er nun unter dem Titel »Schatten« herausgegeben hat.

Dieses »Tagebuch einer Krankheit« ist in ein Diktaphon gesprochen worden. Offensichtlich zwingen Diktiergeräte den Schriftsteller, dessen Geschäft das Schreiben und nicht das Reden ist, an Krücken zu gehen. Manchmal hat die Sprache keinen Atem für einen längeren Gedankenzusammenhang. Und selbst die Geschichten, an denen sich Diggelmann trotz aller Ungunst der Umstände auch hier versucht, wollen – von einer Ausnahme vielleicht abgesehen – nicht recht in Schwung kommen. Die vorweihnachtliche Geschichte über den Tod, der bei ihm Herberge sucht, ist sogar hart am Rande des Erträglichen; sie erinnert an die Süßlichkeit von Devotionalienkitsch.

Andererseits mischt sich nicht die geringste Spur von falscher Pathetik in den Satz, mit dem gegen Ende des Tagebuchs die überstandene Situation resümiert wird: »Ich bin damals dem Tod begegnet.« Was in Kerstens Roman die forciertesten Motivierungsversuche nicht überzeugend machen, das wird hier mit einem Minimum an Sprachaufwand glaubhaft vermittelt. Und hier denkt der vom Tod wirklich Bedrohte nicht an den Freitod, schon gar nicht an einen effektvollen.

Schreiben, Literatur ermöglicht es Diggelmann, der Angst Herr zu werden und die Vorstellung von den unheimlichen Vorgängen in seinem Körper zu ertragen. Die Metapher schafft Distanz, vor allem die Pflanzenmetaphorik: die Todesblume wächst im Kopf; der Schädel ist ein Seegarten, in dem sich der Tumor wohl fühlt; Früchte (Metastasen) dürfen nicht vom Baum fallen und keimen. Solche Metaphorik mag vergleichsweise naiv anmuten, aber das dichterische Bild erhält hier etwas von der Magie des bannenden Zauberspruchs zurück.

Überhaupt kehren ins Bewußtsein des kranken Schriftstellers jene Zeiten zurück, in denen er noch ein ungebrochenes Verhältnis zu den Dingen und zu den Inhalten des Glaubens hatte: die Jahre, da er Hüterbub in den Bündner Alpen war, die Weihnachtszeit der Kinderjahre, da er noch an das Wunder von Bethlehem glaubte. Doch wird die existentielle Grenzsituation für

Diggelmann nicht zum Anlaß, »Fragen an die Ewigkeit« zu stellen. Er beläßt seine »Träume von der Unendlichkeit« in der Endlichkeit. Vorerst aber erlebt er, zumal nach den Operationen, mit ganzer Konsequenz die Verwundbarkeit seines Leibes: die Schmerzen und Angstträume im »Höllenloch« der Intensivstation. Er verliert das Interesse an sich – aber er gibt sich nicht auf, er nimmt seine neue Identität an.

Nirgendwo deutet sich in Diggelmanns »Schatten« jener weite kulturgeschichtliche Horizont des Todesproblems an, wie ihn Wolfdietrich Schnurres Aufzeichnungen »Der Schattenfotograf« umreißen. Aber auch nie spricht der Tagebuchschreiber über Krankheit und Tod mit solcher Zungenfertigkeit wie der Kulturredakteur in Kerstens Roman »Absprung«. Selbst wo die Sprache sie verschweigt, wird unmittelbare Betroffenheit spürbar. Diggelmanns »Tagebuch einer Krankheit« ist eine aktive Antwort auf die Situation, durch die es veranlaßt wurde. Literatur wird zum Mittel der Existenzbehauptung.

(6. 10. 79)

Die Geschichte einer bürgerlichen Familie
Christian Ferbers »Die Seidels«

Berühmte Familienromane der Weltliteratur, wie Emile Zolas »Les Rougon-Macquart«, John Galsworthys »Forsyte Saga« oder Thomas Manns »Buddenbrooks«, wirken in besonderem Maße authentisch, weil sie durch mehrere Generationen führen. Die Generationenfolge suggeriert einen Geschichtsverlauf, der Erzähler erscheint als Chronist wirklicher Familienschicksale, und im Bewußtsein – auch in der Erinnerung – des Lesers vertauschen die Figuren (die Forsytes, die Buddenbrooks) ihre rein literarische Existenz immer wieder mit der realen einer geschichtlichen Person.

Auf außergewöhnliche Weise kreuzen sich Roman und historische Darstellung in der »Geschichte einer bürgerlichen Familie«, mit der Georg Seidel, seit Jahrzehnten unter dem Pseudonym Christian Ferber bekannt, die Chronik seiner Familie geschrieben hat. Vorlage des Buches sind die Geschichte und die Literatur zugleich, nämlich drei oder – rechnet man den Autor selbst hinzu – vier Generationen einer Familie von Schriftstellern.

Der Leser tut gut daran, sich bei der Lektüre den Stammbaum der Familie vor Augen zu halten. Schon der Pfarrer Heinrich Alexander Seidel im mecklenburgischen Perlin fühlt sich nicht nur der Predigersprache, sondern auch des Sängerworts mächtig, und so wird der Gedichtband »Kreuz und Harfe« (1839) das erste Buch der Seidels. Zu wirklichem literarischen Ruhm aber gelangt die Familie erst durch den Sohn des Pfarrers, Heinrich, der später seinen Lebensweg in der Autobiographie »Von Perlin nach Berlin« (1894) beschreibt.

Heinrich Seidel, zunächst Ingenieur, wagt den Schritt in die freie Schriftstellerlaufbahn; er ist erfolgreich als Autor idyllischer Erzählungen. Für immer hat sich an seinen eigenen der Name seiner Romanfigur, Leberecht Hühnchen, geheftet. Aber wir wissen heute nicht recht, was uns mehr Achtung abnötigen soll, »Leberecht Hühnchen« oder Heinrich Seidels kühne Dachkonstruktion des Anhalter Bahnhofs in Berlin.

Zur Schriftsteller-Dynastie haben sich die Seidels spätestens in der nächsten Generation entwickelt. Heinrichs Sohn Heinrich Wolfgang bewegt sich in den Spuren seines Großvaters, vertauscht aber 1934 endgültig die Kanzel mit dem Schreibtisch. Als Erzähler bleibt er immer im Schatten Ina Seidels, seiner Frau, die zugleich seine Kusine (Tochter des Mediziners Seidel) ist. Inas Bruder, Willy Seidel, macht sich als Autor exotischer Erzählliteratur einen Namen, auch wenn der Bericht über ihn den Stoßseufzer aus Lessings Klopstock-Epigramm »Wir wollen weniger erhoben / Und fleißiger gelesen sein« nur abwandeln kann: »Es gab weit mehr Lob als Absatz.« Schließlich gehört halbwegs auch Inas Schwester, die Schauspielerin Annemarie Seidel, in diese Reihe: als die langjährige Ehefrau des Verlegers Peter Suhrkamp.

Um die Schriftsteller, die den Namen Seidel tragen, gruppieren sich die Familien der nächsten Verwandtschaft. Darunter ist Paul Seidel, in der Jugend »ein deutscher Jurastudent wie aus dem Buch, mit Schmissen, Schneid, Würde, Bart«, später Direktor des Hohenzollernmuseums und Berater Wilhelms II. Da ist aber auch Georg Ebers, der Professor jüdischer Abkunft, Ägyptologe und Autor historischer Romane.

Die Biographien sind zugleich Bruchstücke der politischen und der Kulturgeschichte des deutschen Bürgertums im 19. und 20. Jahrhundert. Bruchstücke bleiben sie schon deshalb, weil das Buch nur Schlaglichter auf die Familiengeschichte wirft. Christian Ferber verschmäht die biographisch-historische Darstellung, meidet aber auch das epische Familiengemälde, den großen Familienroman. Das Buch besteht aus lauter (biographischen) Miniaturen.

Diese Miniaturen, zumeist Aufnahmen prägnanter Augenblicke oder kleine Porträtskizzen, unterliegen nicht dem Gesetz der Chronologie. Mit seinen Vorblicken und Rückblenden erhält sich der Berichterstatter die Freiheit des Erzählers; andererseits gibt der Erzähler immer wieder das Wort an den dokumentierenden Berichterstatter ab, der seine Funde – Aufzeichnungen, Briefe oder Gedichttexte – vorlegt.

So ist ein Zwitter entstanden, der sowohl jene Leser enttäuschen muß, die sich einen fesselnden Roman erhoffen, wie auch die, deren Erwartungen wissenschaftlich bestimmt sind. Aber gerade darin liegt der besondere Reiz dieses Experiments. Das Buch breitet genug Faktenmaterial für den Literarhistoriker aus, unterläuft aber mit seinen Erzählepisoden jegliche Langeweile des Lesers. Die Abschnitte zum Prozeß um den – böswillig denunzierten und freiwillig aus dem Leben geschiedenen – Chirurgen Hermann Seidel lassen sogar etwas von der Spannung des Kriminalfalls aufkommen.

Gelegentlich entgeht Christian Ferber nicht dem sprachlichen Klischee pietätvoller Familienmemoiren: »Sie lebte an der Seite eines sehr fleißigen Mannes und . . . erwies sich als gute Hausfrau, ausgezeichnete Mutter und geschickte Gastgeberin.« Oder: »Ende September wurde ihr lieber Schwiegersohn . . . von seinen großen Schmerzen erlöst.« Manche Mitteilungen aus dem Familiennachlaß wären durchaus entbehrlich – etwa das dilettantische geistliche Kurzdrama des Pfarrers von Perlin oder die Kostproben aus einem Gästebuch. Unter den ausgewählten Aufzeichnungen sind, bei allem Informationswert, einige doch auch enthüllend; so zeigen die Aphorismen Heinrich Seidels, wo ein liebenswürdiger Erzähler an seine intellektuellen und formalen Grenzen stößt.

Ina Seidel, die Mutter des Autors, bleibt Bezugs- und Mittelpunkt der Familienchronik. Und das mit Recht. Der Vergleich ihrer Arbeitsnotizen und Aufzeichnungen mit denen anderer Seidels macht einen großen Abstand des Sprach- und Reflexionsniveaus deutlich. Ihre Anhänger haben in der Dichterin, deren Roman »Das Wunschkind« inzwischen die Millionenauflage überschritten hat, die bedeutendste protestantische Erzählerin gesehen und sie neben die Droste (als die große katholische Dichterin) gestellt.

Nicht schweigen durfte der Chronist über Ina Seidels Verhältnis zum Nationalsozialismus. Einmal, weil ein Huldigungsgedicht an den »Führer« zu dessen fünfzigstem Geburtstag (1939) und eine Treuekundgebung in Prosa ihr Einverständnis mit Hitler bezeugten. Zum anderen, weil sie offensichtlich später für mehr als drei Jahrzehnte ihr Schuldbewußtsein nicht zum Schweigen zu bringen vermochte. Der Sohn, der die Texte zitiert, entschuldigt nichts, sieht sich aber auch nicht berufen, über die Mutter den Stab zu brechen. Der Ton, in dem über diesen dunklen Punkt in der Biographie Ina Seidels gesprochen wird, bringt sachliche Schonungslosigkeit und Takt ins rechte Maß.

Daß Ina Seidel »für einige Zeit der Suggestion der nationalsozialistischen Parolen« erlag (nicht zuletzt dank der Einflüsterungen des Schwiegersohns, eines Reichsamtsleiters im Stab von Rudolf Heß), versucht Christian Ferber mit ihrem Wunschdenken zu erklären, das in Hitler zunächst einen Friedenshelden sah – einem Wunschdenken, in dem sich Wandervogel- oder Wunderglaube, ein aus der Jugend verbliebenes Interesse für Weltmythen sowie die Blindheit eines national gesinnten, politisch abstinenten deutschen Bildungsbürgertums trafen.

Die Frage weist zu sehr ins Zentrum der »Geschichte einer bürgerlichen Familie«, als daß man sich mit Ferbers Erklärungsversuch so ganz zufrieden geben könnte. Ist die Tradition, in der die Seidels standen, wirklich durch politische Abstinenz bestimmt? Der Pfarrer Heinrich Alexander Seidel war ein erklärter Gegner der bürgerlichen Revolution von 1848/49. Heinrich Seidel übertraf alle seine Mitstudenten »in der Hochachtung vor dem starren und strammen Ehrbegriff der Zeit«. Kaisertreue und Autoritätsgläubigkeit verstanden sich in der Familie von selbst. In Ina Seidels Tagebuch aus dem letzten Kriegsjahr 1918 wird eine versteckte Respektlosigkeit gegen den Telegrammstil Wilhelms II. sofort zurückgenommen durch die Klage »Ach, aber der arme Kaiser!« Ferber macht sich zu sehr einen Politikbegriff zu eigen, demzufolge als »politisch« – und zwar im negativen Sinne – immer nur die politische Opposition der »Demokraten« verstanden wurde.

Der Text des Huldigungsgedichts von 1939 hat aber noch andere Wurzeln als die der national-konservativen Tradition. Schon früh bestand eine Neigung zur sakralisierenden Sprache und zur mythisierenden Lebensschau; sie ist keineswegs die Folge von Ina Seidels Ehe mit einem Pfarrer. Der Wortschatz des Sakralen konnte fast bruchlos in den Führer-Hymnus übernommen werden, wie auch die starke Gefühlsbindung und das Glaubensbedürfnis Ina Seidels der Bereitschaft Vorschub leistete, sich von der Woge der Gläubigkeit mittragen zu lassen, die Hitler entgegenschlug.

Die Seidel-Saga ist weder nur die Geschichte einer bürgerlichen Familie noch nur die Chronik von drei Schriftsteller-Generationen. Sie erlangt den Rang des Exemplarischen dadurch, daß hier eine bestimmte Tradition des deutschen Bürgertums für anderthalb Jahrhunderte durch eine Schriftstellerfamilie vertreten wird, also unmittelbar in der Literatur manifest geworden ist.

(9. 10. 79)

Hinter der Stirn die lange Nacht
Wolfdietrich Schnurres Sammlung
»Kassiber und neue Gedichte«

Kassiber sind Botschaften in Geheimschrift, verschlüsselte Nachrichten an Gefangene. Als Wolfdietrich Schnurre 1956 seinem ersten Gedichtband den Titel »Kassiber« gab, umschrieb er damit nicht nur sein Verständnis der Gedichte, sondern auch der Welt, in die er sie hineinsprach. Und das starke Echo des Bandes zeigte, für wie viele Menschen das Gefängnis-Trauma über das Ende des Hitler-Regimes und über den Nullpunkt von 1945 hinaus andauerte, ja, vielleicht sich mischte mit dem Erschrecken über ein ganz anderes Verhältnis zur Vergangenheit und über eine Welterfahrung, die zur touristischen Neugier verflachte. »Nicht, der den Schlüssel trägt, / nicht der Belauscher / verbotener Empörung ist's, der uns ängstigt; / ärger als Wärterlist / sind die Besuche / der Reisebusgäste.«

Ist die Kassiber-Sprache Schnurres poetisches Zeichensystem überhaupt oder war sie nur der lyrische Kode des ersten Nachkriegsjahrzehnts? Auf diese Frage, die sich schon bei der 1964 erschienenen erweiterten Auflage des Bandes stellte, läßt nun die neue, um die Gedichte der Zeit zwischen 1965 und 1979 vermehrte Ausgabe eine klarere Antwort zu. Schnurre hat seine Geheimschrift nicht verlernt, er schmuggelt weiterhin seine »Kassiber« ein (eines unter den neueren Gedichten trägt sogar wieder diesen Titel). Aber der Zwang, sich in einer verschlüsselten Sprache auszudrücken, ist von ihm gewichen. Ein Zwang ist auch vom Leser genommen: Lesen ist nicht mehr nur Dechiffrierkunst. »Das Gedicht meint das Du«, sagt Schnurre jetzt in seinem Nachwort. Neue Verständigungsweisen ersetzen oder ergänzen die alten.

Alle frühen Gedichte Schnurres sind, um es mit einem seiner neueren Verse auszudrücken, »Sturz in die Zeit«. Aber bringen die Katarakte verrätselnder Bilder und Metaphern unmittelbar Erfahrung ins Wort? Mir kam beim Wiederlesen ein paarmal der Verdacht, Schnurre habe nicht das nächstliegende, sondern das gesuchteste Bild gewählt. Auch ist man hellhöriger geworden für das Abgegriffene von Genitivmetaphern, so daß selbst poetische Bilder wie »Löschblatt der Nacht«, »Schiefertafel der Nacht«

oder »Sandbank des Ungenügens« einiges von ihrem Glanz eingebüßt haben.

Viele Verse wirken manieristisch. Aber eben als manieristische Zeilen werden sie auch erklärlich. Nicht zufällig entdeckte Gustav René Hocke in der Nachkriegszeit wieder die gegenklassische Konstante in der europäischen Kunst und Literatur, die Ästhetik des Disharmonischen mit ihrer Neigung zum Verrätseln und Chiffrieren: den Manierismus. Schnurres frühe Lyrik ist der Versuch, die Hinterlassenschaft des Kriegs, die Angstträume seiner Generation in Bilder zu fassen, zu denen notgedrungen keine Welt des Ebenmaßes und des Wohlklangs, der Helle oder der Wärme den Vorwurf liefern konnte.

Dem Verhörten erscheinen die Fragen des Klägers als Fledermäuse. Rache leiht sich die Schwingen des Vampirs. Den Mittag verdüstert eine Staubwolke, am Nachthimmel ist der »Große Wagen« umgekippt. Arktische Luft durchweht manche Gedichte. Das Leben wird geträumt in einem »verdorrten Termitengehirn«. An die Küste treibt das »Walskelett der Gedanken«.

Die ersten Gedichte der Zeit zwischen 1957 und 1964 versprechen einen neuen Ton. Fast programmatisch steht am Anfang die Ansprache eines humanen »Vorortpolizisten während der Morgenrunde«. Erinnerung landet auf der »Insel der Kindheit«. Freilich nicht für lange. Das Gedicht »Befragung des Kalks« schließt mit der Vision einer offenen Grube, in der Juden betend ihre Hinrichtung erwarten. Die Schrecken, scheinbar für immer begraben, stehen wieder auf. Gedichte wie »Wissensdrang«, mit einer Sehnsucht nach den überschaubaren, einfach-natürlichen Verhältnissen, bleiben die Ausnahme. Einer Zeit, die im beginnenden Konsumrausch Vergessen suchte, hielt Schnurre sein Memento entgegen.

Zwischen dem Ende dieser Gedichtgruppe und dem Anfang der »Neuen Gedichte 1965-1979« liegt der Abstand der Pole. Ein langes Gedicht – »Der Aasvogel spricht« – beschwört noch einmal die »gefrorenen Schrecken« eines vergangenen Lebens und seine Ängste (»Schnecken« kriechen die Wände des »Traumschachts« hinauf), auch wenn Hoffnung das letzte Wort hat.

Mit dem ersten Gedicht der neuen Gruppe bricht eine neue, hellere, eine dem Augenblick abgewonnene, dem Gegenwärtigen zugewandte Bilderwelt auf. Etwas wie eine neue Zeitrechnung in Schnurres Lyrik beginnt. Das erste ist ein Liebesgedicht (denn

vorbei ist »die Zeit, da noch die Liebe mich mied«). Schnurre
nutzte bis dahin diese Form nur zu einem Gegenentwurf (»Du bist
eine Wespe«). Solchen Sarkasmus kennt das neue Gedicht
nicht:

> Die Heiterkeit
> deines Nasenrückens.
> Kolibriflügel
> sind deine Brauen.
> Finger, gemacht,
> um Tautropfen
> zu modellieren.
> Wo schläft
> dein Schatten?
> Ich lege mich zu ihm.

Das Schattenmotiv, Leitthema der im vergangenen Jahr erschienenen Aufzeichnungen »Der Schattenfotograf«, klingt an. Gewiß, es sind unter den neuen Gedichten auch einige, die sich aufs
engste mit jenen Reflexionen zum Todesproblem berühren, die so
sehr die Signatur der Aufzeichnungen bestimmen. Doch in diesem
Liebesgedicht ist der »Schatten« gerade umgekehrt Bürge des Lebendigen. Dem zweiten Gedicht wagt Schnurre sogar einen so
heiklen Titel wie »Glück« zu geben; in der Tierparabel versteckt
sich eine Familienidylle, ein klassisches Bild menschlicher Natur-
formen. Seine knappste Gestalt erhält das Liebesgedicht in »Ufer-
liebe«: »In der Mitte des Flusses / begegnen wir einander, / un-
terwegs zu des anderen / Ich. Im Nebel verhallt / das Geräusch
deiner Ruder.«
Das Lapidare des Fünfzeilers, Motive wie Fluß und Ruder – wer
wäre nicht an Brechts »Buckower Elegien« erinnert, an jene Form
des gedrängten Ausdrucks, mit der heute Lyriker allerdings nicht
mehr nur ihre Gedankenkraft bändigen, sondern auch ihre lyrische Kurzatmigkeit verdecken. Der Hinweis auf Brecht setzt
Schnurre nicht zum Epigonen herab, er deutet nur auf die gemeinsame Nähe zu ostasiatischen Meistern des Kurzgedichtes. China
kulturgeographisch verbunden bleibt sogar eine ganze Reihe der
neuen Gedichte. Die Anregungen verdichten sich – wie bei Brecht
beispielsweise in der Laotse-Ballade – in der Gestalt des Weisen,
die mehrfach abgewandelt erscheint. Gepriesen wird Gewaltlo-

sigkeit, geehrt ein Kaiser, der dreizehn Schlachten verloren und nur Tapetenentwürfe vorzuweisen hat: besser »Der Seidige« genannt zu werden als »Der Eiserne«.

Schnurres Aufzeichnungen über den Roman im Band »Der Schattenfotograf« schließen sich an Überlegungen Walter Benjamins an. Im Lyrikband finden sich Reflexe Benjaminscher Gedanken kaum, am ehesten noch im Gedicht »Inthronisierung«, das Geschichte als eine Geschichte der Regierenden enthüllt, von der die Unteren ausgeschlossen sind, und das Brechts »Fragen eines lesenden Arbeiters« in einer Parabel variiert.

An solchen Gedichten fallen außer der Kürze ein didaktischer Zug und der sparsame Gebrauch von Metaphern auf. Die Bilder bleiben auf den Gegenstand, auf Anschauung bezogen. Den direkten sprachlichen Zugriff des politischen Gedichts meidet Schnurre. Um Erkenntnisprozesse auszulösen, bedient er sich der Parabel, deren Großform er im Roman entwickelt hat. So sind die »chinesischen« Gedichte zum großen Teil Gleichnisse. Nur einmal zeigt ein Gedichttitel auf einen konkreten Ort und weckt im Leser genauere Assoziationen: im Kinderlied »aus der Gegend um Gorleben«. In einem Vorgriff auf die Zukunft wird das langsame Aufsteigen des lebensvernichtenden Elements aus der Tiefe angekündigt. Mit dem siebenfachen Refrain »Siebenschläfer, deine Tage / sind gezählt« bedrängt die Warnung des Gedichts den Leser.

Aber die Technik lyrischen Einhämmerns bleibt Schnurre grundsätzlich fremd. Sein Gedicht trumpft nicht auf, es »blickt sich um nach Antennen«, es trägt sich dem Leser an. Diese Offenheit für den entgegenkommenden Leser ist in den neuen Gedichten weitaus stärker als in den früheren, die nicht immer frei sind von Monomanie. Auch jetzt wird das Ich gelegentlich noch heimgesucht von beklemmenden Visionen. Die Gelöstheit der neuen Gedichte verdankt sich weder tändelnder Leichtigkeit noch selbstverordneter Heiterkeit. Der Daseinsernst, so eindrucksvoll in den Reflexionen des »Schattenfotografen«, durchdringt auch diese Lyrik. Noch gibt es sie: hinter der Stirn »die lange Nacht Hamlets«.

Doch was die Grundbewegung von der früheren zur neuen Lyrik ausmacht, bringt das letzte Gedicht des Bandes, die letzte Strophe noch einmal auf den Punkt: »Erwachend im Koma, / das sich / mit borstigem Rückgrat / röchelnd zurückzog, / erkannt ich / hinter fransigen Wimpern / den aufgegebenen Tag.«

Gewiß zeichnen sich in diesem Band – wenn auch nicht so prägnant wie in »Der Schattenfotograf« – die Spuren des Privaten, einer Biographie ab: die Erschütterungen des Heimgekehrten, die schwere Erkrankung oder das Beglückende einer neuen Ehe. Was aber die Gedichte über den biographischen Rahmen hinaushebt, ist, daß in diesen Spuren auch die Schritte einer Generation und der Gang von Jahrzehnten unserer Geschichte ihren Abdruck hinterlassen.

(4. 12. 79)

Ein literarisches Requiem
Hans Werner Richters Erzählung
»Die Flucht nach Abanon«

Hans Werner Richter hat dieses Buch Gertrud Kückelmann gewidmet, der Schauspielerin, die dem drohenden Krebstod durch ihren Freitod zuvorkam. Auch die Frau, mit der sich in der Erzählung ein Schriftsteller, der Ich-Erzähler, als Mietnachbar befreundet, ist eine Schauspielerin, die schließlich ihrem Leben selbst ein Ende setzt. Nach weiteren Parallelen zu suchen, verbietet sich wohl. Die kühle Berichtsweise des Erzählers beläßt die Figur und die gemeinsamen Gespräche in jener Distanz, die vagen Vermutungen den Boden entzieht.

Der erste Absatz kündigt die Erzählung als eine Geschichte an, »in der alles Geschehen schon hinter den beiden Beteiligten liegt: die kleinen und die großen Leidenschaften, die jahrelangen Zuneigungen, die Enttäuschungen« – Erfahrungen, die nicht ihre gemeinsamen sind. Nur die Peripherien ihres Daseins berühren sich. Zwar ist der ältere Schriftsteller von der Jugendlichkeit der (durchaus auch nicht mehr jungen) Schauspielerin bezaubert, aber hier fügt sich nichts zu einem honigsüßen »Altherrensommer«.

Innerhalb der Erzählprosa Hans Werner Richters trägt dieses Buch, weil es die Geschichte einer nicht mehr zustande kommenden Beziehung erzählt, den Stempel des Späten, aber eben nicht der »Spätlese«. Es ist die Alterselegie Hans Werner Richters – doch keine Elegie, die noch einmal den Charme des Mannes mit graumeliertem Kopf und elastisch gespanntem Körper spielen läßt, auch keine, die von Selbstmitleid trieft, und keine schließlich, die Resignation und Abschiedsstimmung vergoldet. Es ist – wenn man das heute, wo überall mißtrauische feministische Ohren mitlauschen, noch sagen darf – eine durchaus männliche Form des Abschieds, die hier gezeigt wird: ein Verzicht, der auf Distanz gehen heißt.

Daß dieses Auf-Distanz-Gehen in die Nähe der Abweisung gerät, begründet vielleicht etwas wie Schuld des Schriftstellers gegenüber der Frau, die ihm – zumal kurz vor ihrem Tod – mit weitaus mehr Offenheit entgegenkommt. Aber im Grunde sind die Fremdheit zwischen beiden und die Entfernung der Schauspielerin von ihrem inneren Gravitationspunkt so groß, daß sie überhaupt nicht mehr überbrückt werden können. Der Freitod der Schauspielerin ist nur die letzte Konsequenz ihrer Fluchtreisen in ein halb wirkliches, halb imaginäres italienisches »Abanon«.

Nicht Krankheit löst, wie die Widmung an Gertrud Kückelmann vermuten lassen könnte, den Entschluß zum Selbstmord aus. Nicht im Physischen, sondern im Sozialen liegen die Ursachen. Die erfolgreiche Schauspielerin, obwohl auf der Bühne vom Beifall des Publikums verwöhnt, leidet unter der Gleichgültigkeit der Mitmenschen, unter der zunehmenden Vereisung zwischenmenschlicher Beziehungen in der modernen Zivilisationsgesellschaft. Sie ist eine Schwester der Lotte aus Botho Strauß' Theaterstück »Groß und klein«.

Ihr Abgang von der Bühne des Lebens gleicht einem unmerklichen Beiseitetreten, hat nichts Theatralisches. Hans Werner Richter hat die Geschichte mit Verhaltenheit, oft mehr andeutend als darstellend, erzählt. Und merkwürdig ist, daß diese Erzählung eigentlich stärker wirkt in dem, was sie aussart oder verschweigt, als in dem, was sie sprachlich vermittelt. Da nämlich schmuggeln sich auch Klischees ein: da werden alle Bewegungen der Schauspielerin vom Verdacht begleitet, sie spiele nur eine Rolle und nun wieder eine neue; da befindet sich selbstverständlich ihr Gesicht in steter Wandlung. Aber Hans Werner Richter hat offensichtlich die Gefahr gespürt und sich auf keine physiognomische Detailmalerei eingelassen.

Die ungenügende psychologische Motivierung ließe sich bemängeln. Die Einsicht in die absolute Notwendigkeit des Freitods und seines Zeitpunkts bleibt dem Leser verwehrt. Doch ebendiese Technik der bloßen Andeutung entspricht dem Stil des Ganzen. Der Erzähler läßt die Frau, der alle mimischen Register zur Verfügung stehen, Gefühle und Gedanken zu äußern, nicht auch ihre eigenste tiefe Verzweiflung zu Markte tragen. So entsteht das Bild einer Bühnenkünstlerin, die gerade da das Menschliche am stärksten ausdrückt, wo sie sich ganz zurücknimmt und schweigt. – Ein literarisches Requiem für eine liebenswürdige Schauspielerin, und wohl auch etwas wie eine nachträgliche Liebeserklärung.

(29. 3. 80)

Imperator und Inquisitor
Alfred Anderschs letzte Erzählung
»Der Vater eines Mörders«

Die deutsche Literatur ist reich an »Schulgeschichten«, an Erzählungen wie an Erinnerungen, und oft sind sie Geschichten eines Martyriums: kleine Schüler-Tragödien, wenngleich nicht unbedingt vom selben Ausmaß wie Wedekinds »Frühlings Erwachen«.

Auch in der letzten, jetzt aus dem Nachlaß herausgegebenen Erzählung von Alfred Andersch, der am 21. Februar 1980 in Berzona (Schweiz) gestorben ist, ereignet sich eine kleine Katastrophe: Die Examination des Griechisch-Unterrichts durch den Direktor endet für den Untertertianer Kien mit einem Fiasko, das zu seiner Entlassung aus dem Gymnasium führt.

Das ist nicht der denkbar schlimmste Ausgang. Dennoch signalisiert der Titel der Erzählung, der auf den Direktor Bezug nimmt, ganz Außergewöhnliches. Kein »Traumulus« und auch kein »Professor Unrat« werden da angekündigt, sondern »Der Vater eines Mörders«. Die Erzählung handelt von einer Unterrichtsstunde am Wittelsbacher Gymnasium in München, im Mai des Jahres 1928, und der prüfende und richtende Direktor (der »Rex«) ist der Geheimrat Gebhard Himmler, Vater des späteren Reichsführers der SS Heinrich Himmler.

Eine von Andersch zuletzt bevorzugte, an »Die Kirschen der Freiheit« (1952) wieder anknüpfende Schreibtendenz bestimmt auch die Form dieser Erzählung: die autobiographische. Das heißt, sie bestimmt sie nicht ganz. Denn wie in fünf voraufgegangenen Geschichten objektiviert Andersch das autobiographische Ich in der erfundenen Figur des Franz Kien. Er erhofft sich von dieser distanzierenden Schreibweise, die sich allerdings hier den Denk- und Sprechweisen der Schüler von 1928 verpflichtet, den Abbau von Hemmungen, also größere Ehrlichkeit und Unbefangenheit sowie ein gewisses Maß an Freiheit des Erzählens.

Wegen dieser Freiheit ist Andersch in Leserbriefen an die »Süddeutsche Zeitung«, die einen Vorabdruck brachte, am 9. August 1980 von ehemaligen Mitschülern gescholten worden, zum Teil im Ton triumphierenden Besserwissens (auch philologischer Beckmesserei). Als ob Literatur, auch autobiographische, Archivare zu befriedigen hätte! Einen wirklich substantiellen Fehler nachzuweisen, ist keinem der Briefschreiber gelungen.

Das substantiierende Verfahren Anderschs besteht darin, eine Reihe von Erfahrungen seiner Schulzeit in die Raum-Zeit-Einheit einer einzigen Klassen-Unterrichtsstunde zusammenzuziehen – eine Methode, wie sie seit jeher in der Literatur möglich und, zumal in dramatischer, notwendig ist.

An Dramen erinnert die klare Konstellation von Protagonist und Gegenspieler und ihre Variation; so geht dem entscheidenden Zusammenstoß zwischen Kien und dem Direktor die Herausforderung des Examinators durch einen adligen Schüler voraus und läuft ihm der Streit des Direktors und des Klassenlehrers um den Wert griechischer Schulgrammatiken parallel. Immer mächtiger wächst die Gestalt eines Imperators und Inquisitors auf.

Aber es geschieht nichts, was sich nicht in vielen Gymnasien der Zeit zwischen Erstem Weltkrieg und Hitlers Machtübernahme hätte ereignen können. Gebhard Himmler, vorübergehend Prinzenerzieher im Hause Wittelsbach, erscheint in Anderschs Darstellung als Repräsentant und besondere Person zugleich: Anhänger der Bayerischen Volkspartei; deutschnational, aber nicht antisemitisch; mit dem Sohn Heinrich Himmler, dem »schwarzen Schaf« der Familie, seines politischen Extremismus wegen überworfen; den Schülern das griechisch-humanistische Erbe einpaukend, einhämmernd.

Die eigentliche Provokation dieser Schulgeschichte liegt in ihrem Titel. Von der Erzählung selbst her gesehen ist er eine Denunziation. Denn der Porträtierte hat mit den politischen Zielen seines Sohnes, der als »der größte Vernichter menschlichen Lebens« in die Geschichte eingehen wird, nichts gemein. Erst Anderschs Nachwort ruft die Zukunft von 1928 unmittelbar – als Vergangenheit von heute – ins Bewußtsein. Im Nachwort auch steht die entscheidende Frage: Heinrich Himmler ist aufgewachsen »in einer Familie aus altem, humanistisch fein gebildetem Bürgertum. Schützt Humanismus denn vor gar nichts?«

Dies ist eine von außen herangetragene Frage, auch wenn der Leser selbst sie sich so oder so ähnlich stellt. Damit enthüllt sich Anderschs Schulgeschichte als Beispiel einer Literatur, die nicht nur ihren Sinn, sondern auch ihr eigentliches Thema erst herausgibt, wenn der Leser Dargestelltes auf einen umfassenderen geschichtlichen Horizont projiziert.

Der denunziatorische Titel ist der Hebel, mit dem ein ganz wesentliches Moment dieser Erzählung erst ins Werk gesetzt wird, nämlich die nicht nur nachvollziehende, sondern produktive Eigenleistung des Lesers: Nachdenken über (nicht offen zutage liegende) politisch-historische und geistesgeschichtliche Zusammenhänge, Selbstbefragung.

Keine Literatur also für Leser, die vom Autor eine eindeutige Aussage, eine positive, verlangen. Keine Schulgeschichte, die Nachhilfe-Unterricht in deutscher Geschichte erteilt. Eine für Leser, die sich ihre »Lektionen« selbst wählen und selber geben.

(13. 9. 80)

Peter Rühmkorf als Märchenerzähler
Sein erstes Prosabuch
»Auf Wiedersehen in Kenilworth«

Manchen Schriftstellern wird von ihren Freunden nicht weniger zugesetzt als von den Rezensenten. Er sei, so hat Peter Rühmkorf einmal gesagt, mittlerweile daran gewöhnt, von Freunden aus der Zeit der Außerparlamentarischen Opposition mangelnder Bekennerfreude wegen gescholten zu werden. Diese Freunde werden auch diesmal enttäuscht sein: Nun kommt er uns mit einem Märchen – will er zurück zur Romantik?

Ein Stück romantischen Erbes ist gewiß im Spiel, wenn uns Rühmkorf, der seinen ersten größeren erzählerischen Text veröffentlicht, ausgerechnet mit einem Märchen überrascht. Aber was da als Vorbild in Frage käme, ist keine Romantik, die nach der »blauen Blume« sucht oder ihre Ideale im Mittelalter findet. Es ist eine Romantik, die den Spielraum geistiger und ästhetischer Wagnisse erkundet und Welt im Prisma der Ironie auffängt. Eine Romantik, die, wenn sie sich aufs Gebiet des Naiven begibt, den Kompaß heiterer Bewußtheit nicht vergißt. Eine Romantik, wie sie in den Sprachspielen einiger Märchen von Clemens Brentano aufblitzt. Eine Romantik schließlich, die schon dabei ist, sich von sich selbst zu verabschieden, wie bei Heinrich Heine.

Also ist auch Parodie beteiligt. Rühmkorf erzielt den parodistischen Effekt, indem er das Märchen aus dem Rahmen einer englischen Gespenstergeschichte hervortreten läßt, einer Gespenstergeschichte, die natürlich ihrerseits mit Augenzwinkern erzählt wird. Der Schloßgeist von Kenilworth, einem »spiritualmaterialistischen Offenbarungszwang« gehorchend, rafft sich aus langem Dahinsiechen auf. Den Kastellan und Fremdenführer McDamn, der unvorsichtigerweise den Beweis seines wirklichen Vorhandenseins verlangt, verwandelt er in einen Kater, die Katze des Kastellans in ein junges Mädchen. Mit dem Gestaltwandel geht ein Ortswechsel einher: Der Kater (Damnio) findet sich unter dem Katzenvolk von Rom wieder, das Mädchen in Indien, wo sie bald als Seiltänzerin Minnie Ghinga mit ihrer katzenhaften Balancierkunst das Publikum einer Zauberer-Truppe begeistert.

Beide leben in der neuen Gestalt mit Resten ihres früheren Bewußtseins und Körpergefühls (und die kolorierten Zeichnungen von Albert Schindehütte illustrieren gerade dieses Thema der Verbindung von Mensch und Tier). Daraus ergeben sich Brechungen und Doppelperspektiven, mit denen Dimensionen an Dingen wahrgenommen werden, die dem normalen Blick entgehen. Die Doppelperspektive eines zwar unverwandelten, aber vermenschlichten Tiers kennzeichnet auch die Katzen-Märchen, in deren Tradition sich Rühmkorfs Geschichte stellt. In Damnios und Minnies literarischem Stammbaum entdeckt man immerhin Berühmtheiten wie Ludwig Tiecks Gestiefelten Kater, E.T.A. Hoffmanns Kater Murr und Gottfried Kellers Kätzchen Spiegel.

Aber Damnio und Minnie sind eben ein Paar, wenn auch ein ungleiches, und Verwandlung, Rollentausch und Trennung bilden die Motive, die der Märchenhandlung ein Ziel setzen: das – wie der Titel andeutet – »Wiedersehen in Kenilworth«. Die Kapitel (und Abenteuer) alternieren zwischen den Schauplätzen Rom und Indien, bis sich schließlich das Paar an einem unheilvollen Ort in England wiedertrifft. Damnio ist in Rom mit fünfhundert anderen Katzen ergriffen und nach England in ein Laboratorium verschleppt worden. Minnie war Passagier auf dem Schiff, das die Tiere in Ostia an Bord nahm. Sie wird in der Versuchsanstalt Zeuge entsetzlicher Tierexperimente, sie zerstört die Geräte und befreit die Tiere. Dann macht sie sich mit Damnio auf den Weg nach Kenilworth, der Rückverwandlung entgegen. Also Ende gut – alles gut?

Das erwarten, hieße den Autor Rühmkorf schlecht kennen. Auf dem Marsch nach Kenilworth bleibt das Happy-End auf der Strecke. Immer weniger drängt es die beiden zur Rückkehr in die alten Verhältnisse. Am Ende wollen sie – gegen die Märchenregel – »verwunschen« bleiben, um sich »das verrückteste Leben von der Welt« zu machen. Also doch ein Happy-End?

Der Schluß läßt alles in der Schwebe. Der Erzähler führt sich selbst ein; »abgelegene Studien« wie die Erforschung des »Gespensterexorzierens« haben ihn nach England geführt. In einem Dorfgasthaus begegnet ihm ein seltsames Pärchen: eine schöne junge Frau mit einem wackersteingrauen Kater. Die Frau erzählt ihm eine Geschichte, die ganz wie die von ihm selbst erzählte beginnt. Die Zirkellinie des Märchens führt zu sich selbst zurück. Aber dann springt sie doch noch einmal aus der Bahn, weil am anderen Morgen die Grenzen zwischen Märchen und Wirklichkeit merkwürdig verschwimmen.

Rühmkorfs »Auf Wiedersehen in Kenilworth« ist eine mit Raffinement erzählte Geschichte, ein Feuerwerk der Phantasie. Den einzigen Einwand, der sich gegen ihre Form erheben ließe: daß das Märchen keine zeitgemäße Gattung mehr sei, widerlegen ihre zeitsatirischen Bezüge. In die Nirgendwo-Irgendwo-Welt des Märchens blinken Reflexe unseres Zeitalters der Technik, der Wissenschaft und des Tourismus. Zwischen dem Märchen als alter Form und dem modernen Leser vermittelt eine Ironie, deren Register heute in Deutschland niemand so virtuos zu ziehen versteht wie Peter Rühmkorf.

Der erzählerischen Artistik sitzt die sprachliche faltenlos an. Auch hier ein Feuerwerk, entzündet durch Wortspiel und ironische Bilder, durch den sich selbst belächelnden Kalauer. Da werden in Kenilworth Geschichten »von verbiesterten Zauberern und verzauberten Biestern« erzählt, da kommen Gespräche im Dorfgasthaus »vom Spiritismus unversehens zur Spirituosenkunde«. Während der Verwandlung des Kastellans und seiner Katze »hängten zwei couragierte Wolkenvetteln dem Mond ein paar gnädige Putzlumpen vors verschreckte Gesicht«, bei der Rückkehr »sichelte der Mond bereits im himmlischen Baumwollfeld«. So erhält selbst ein abgegriffenes literarisches Motiv wie der Mond wieder poetischen Glanz.

Der Kritiker soll seinem Leser kein Märchen auftischen. Das Märchen »Auf Wiedersehen in Kenilworth« aber wünscht er vielen Lesern auf den Tisch. Geteiltes Lesevergnügen ist doppeltes Lesevergnügen.

(27. 9. 80)

Arbeit an einem spröden Stoff

Adolf Muschgs China-Roman »Baiyun oder die Freundschaftsgesellschaft«

Was haben Reisebericht und Kriminalroman miteinander zu tun? Abgesehen von Zwischenformen jener Art, wo der Globetrotter oder Abenteurer die unfreiwillige Bekanntschaft des Kommissars macht, anscheinend wenig. Aber wann hätten sich die Erzähler schon an poetische Gebietsordnungen gehalten? Seit jeher gehört ein kräftiger anarchischer Trieb zum Wesen des Romans.

Als Reisebericht beginnt Adolf Muschgs neuer Roman »Baiyun oder die Freundschaftsgesellschaft«. Doch dann wird der Leser, mit dessen Ermüdungserscheinungen der Erzähler offensichtlich rechnet, durch die Spannung eines Kriminalfalls stimuliert. Eine Schweizer Delegation, bestehend aus einem berühmten Schriftsteller und einem Agronomieprofessor, einem Chemiker und einem Exportspezialisten, einem Buchhändler, einem Entwicklungshelfer und der Frau eines Handelskammerdirektors sowie einem Psychologen – dem Erzähler –, besucht auf Einladung einer »Freundschaftsgesellschaft« das neue China. Eines Morgens wird Professor Stappung tot im Zimmer des Gästehauses aufgefunden. Als Mörder kommt nur einer der Reiseteilnehmer in Frage.

Man erkennt hier eine der klassischen Konstellationen des Kriminalromans wieder: An einem isolierten Ort haben die Angehörigen einer Gruppe, einer »geschlossenen Gesellschaft«, unter sich den Täter zu suchen. Damit allerdings erschöpft sich die Gültigkeit des Modells. Für das Folgemotiv, den Serienmord und die Minimierung der Gruppe nach dem Muster der Geschichte von den zehn kleinen Negerlein, bestand hier kein Bedarf. Im übrigen erinnern die Durchsichtigkeit des Modells und der spielerische Umgang mit ihm immer an seine bloße Hilfsfunktion.

Doch habe ich mich bei der Lektüre lange Zeit gefragt, ob es überhaupt nötig war, zu dieser Krücke zu greifen. Gewiß, der Roman hat keine durchgehende »Fabel«, und so gibt ihm die Kriminalhandlung ein Skelett. Dennoch hat das Hilfsangebot des Kriminalfalls etwas von der Zudringlichkeit jener Beistandsversprechen, mit denen Invasionen gerechtfertigt werden. Und die Irritation des Lesers besteht ja nicht darin, aus bequemen Erwartungen aufgestört zu sein, sondern sich unterschätzt zu fühlen. Ich gestehe, daß ich eine Zeitlang verärgert war.

Das hieße nun allerdings die erzählerische Ökonomie des Romans unterschätzen, das psychologische und sozialpsychologische Interesse des Autors Muschg, das die Anleihen beim Kriminalroman gewinnbringend anlegt: Der ungeklärte Verdacht verändert die Beziehungen der Gruppenmitglieder zueinander, er bringt verborgene Aggressionen und Sympathien ans Licht; der Kriminalfall hilft die Unterschiede chinesischer und europäischer Lebenskultur veranschaulichen, denn wenn schließlich der Täter als Unschuldiger oder harmlos Schuldiger, der Mord als bloß fahrlässiger Umgang mit einem Medikament erkannt ist, wird der Fall zum symbolischen Fall für eine – den Chinesen unverständliche – Zivilisation, in der der hemmungslose Gebrauch von Medikamenten Formen der Selbstzerstörung annimmt.

Überall ist in die Beobachtungen und Reflexionen Kulturkritik eingelassen. Gerühmt wird der Versuch der Chinesen, »nicht nur von der Natur, sondern mit ihr zu leben«, sie nicht der Chemie auszuliefern, wie es in den Industriegesellschaften geschieht. Mehrfach beschrieben wird die Wirkung der Akupunktur, also einer mit der Naturheilkunde noch verbundenen Medizin. Durchaus beifällig konstatiert der Erzähler – der Psychologe, der daheim für 120 Franken pro Stunde die Klagen von Unternehmergattinnen anhört, die Probleme mit ihrem »privaten Unterbau« haben –, daß sich mit Psychotherapie in China kein Brot verdienen ließe.

So kehrt Muschg die Grundsituation einer Romanform um, die vor allem im 18. Jahrhundert beliebt wurde: Ein naiver Mensch aus einem exotischen Land wird nach Europa verschlagen, und an seinem Erstaunen offenbart sich die Widernatürlichkeit zivilisierten Lebens. »Baiyun oder die Freundschaftsgesellschaft« entwickelt die Zivilisationskritik aus der entgegengesetzten Perspektive: Der Kenner und »Arzt« von Spätfolgen der Zivilisation, von Depressionen und Neurosen, entdeckt in einem exotischen Land, aber einem Land von alter Kultur, die bewahrten Formen natürlichen Lebens. So gesehen, wird die Reise nach China zur Begegnung mit verspielten Möglichkeiten der eigenen Kultur.

Vor einseitigen Urteilen schützt die Skepsis gegenüber der propagandistischen Selbstdarstellung des neuen China. Gesehen werden die Widersprüche im Zusammenstoß einer ehrwürdigen kulturellen Tradition mit dem Fortschrittseifer eines Volkes, das –

relativ spät – ins industrielle Zeitalter aufgebrochen ist: die an Scham grenzende Unsicherheit, mit der über alte Ortskerne – das Entzücken der Besucher – hinweggezeigt wird, der naive Stolz, mit dem neben den Fabriken die monotonen neuen Wohnblocks präsentiert werden. Ein neuer Begriff von »Menschenwürdigkeit« enthüllt seine Problematik.

Aber auch das Aufgehobensein der alten chinesischen Humanität in der neuen Ideologie wird deutlich, der Abstand zwischen der russischen und der chinesischen Revolution. Wie wenig aus Mao ein Stalin hätte werden können, demonstrieren die – ironisch und humoristisch erzählten – Geschichten über den letzten, von den Japanern eingesetzten chinesischen Kaiser und seinen Bruder. Keine Hinrichtungspelotons erwarteten den Marionettenkaiser nach seiner Auslieferung. In einer abseitigen Provinz zum Gärtner umerzogen, schrieb er seine Memoiren und starb »in Frieden«. Sein Bruder gar brachte es zu Reichtum mit Hilfe seiner Frau, einer japanischen Prinzessin. Die nämlich verfaßte ein chinesisches Kochbuch, das in Japan großen Absatz fand.

Zu solchen Anekdoten im Gegensatz stehen Berichte über die Unerbittlichkeit der Kulturrevolution und der linksradikalen Bewegung, von der sich die jetzige Politik durch die »Warnsignale« negativer symbolischer Figuren, durch die Mythologie der »Viererbande« absetzt. Und tatsächlich nehmen die Besucher Zeichen einer vorsichtigen Liberalisierung wahr. In den bunten Kragen unter der Einheitsuniform meldet sich der Wunsch nach Rückkehr zur Vielfalt, der Mut zu einer bescheidenen Individualität.

Dennoch stößt das Wissensbedürfnis immer wieder an Grenzen – an Grenzen des Verstehens, weniger der vorenthaltenen Information. »Von den Chinesen weiß ich jeden Tag weniger«, schreibt der Erzähler. Muschg macht das Ungesicherte und Widerspruchsvolle der Erfahrung erzähltechnisch dadurch glaubhafter, daß er das Wirklichkeitsbild des Romans in vielen Perspektiven, das heißt, in den Beobachtungen und Urteilen der nach Beruf, Temperament und politischer Einstellung verschiedenen Delegationsmitgliedern und überdies den Auskünften chinesischer Offizieller, changieren läßt. Daß ein Psychologe die Rolle des Erzählers einnimmt, hat weitgehende Konsequenzen. Psychologie, Psychoanalyse und Psychotherapie erscheinen als die spezifischen Entwicklungsprodukte des europäisch-amerikanischen Kulturkreises, und so ist es europäisches Bewußtsein schlechthin, dessen

Vertreter hier den Zeugen der alten und den Zeichen der neuen chinesischen Kultur gegenübertritt.

Der gute Psychologe nimmt an anderen wahr, was ihm fehlt, notiert der Erzähler. Große Autoren, so sagte Muschg in einem Fernseh-Interview, machen uns aufmerksam auf das, was uns fehlt. Erkennbar wird die besondere Eignung des Psychologen für die Erzählerrolle. Andererseits aber warnt Muschg in seinen Frankfurter Poetik-Vorlesungen vor der Verwechslung von Kunst und Therapie; von Literatur lasse sich keine therapeutische Wirkung erwarten. Und so bringt sich folgerichtig im Roman der Psychologe, dessen Bemerkungen über den eigenen Beruf von vornherein durch Distanz bestimmt sind und der am Ende kurz und bündig erklärt »Ich mache keine Analysen mehr«, immer mehr in der Erzählerrolle zum Verschwinden.

»Baiyun« heißt »weiße Wolken« und ist auch der Name einer chinesischen Zigarettenmarke. Das neue Buch hat das Ostasien-Thema mit Muschgs erstem Roman, »Im Sommer des Hasen« (1965), gemeinsam. Aber gegenüber dem Japan-Roman verzichtet der China-Roman auf kompositorische Artistik. Wer sich seiner Mittel sicher geworden ist, braucht nicht mehr zu blenden.

Muschgs Prosa ist in diesem Roman von äußerster Dichte der Anschauung und der Gedanklichkeit; nirgendwo klaffen Leerstellen. Die Beschreibungen der Landschaften, der Menschen und ihrer Umwelt holen die Dinge genau ins Bild, meiden aber die unmittelbare Nähe. Sie suchen einen Riß von Fremdheit nicht durch einfühlende oder retuschierende Wortkunst zu überdekken.

Erzählerische Kabinettstücke sichern dem Roman die Lockerheit. So die Beschreibung einer chinesischen Foto-Gruppe. So die Szene des heimlichen, aber die Grenze der feinsten Andeutung nie überschreitenden erotischen Spiels zwischen der Dolmetscherin und dem Erzähler. So das Porträt des lächerlichen Schweizer Botschafters Folletête oder die Slapsticknummer der im Flugzeug erzählten Slapsticknummer aus dem chinesischen Restaurant, der Kehraus des Romans.

Aber im ganzen arbeitet sich der Erzähler an einem – wenigstens für einen Roman – spröden Stoff ab. Und hier wird ein allgemeineres Problem des Schriftstellers Muschg sichtbar. Als Theaterautor hat er sich mit seiner Bearbeitung eines Goetheschen Nebenprodukts (»Die Aufgeregten«) und seinem Gottfried-Keller-

Stück nicht recht durchsetzen können. Das Publikum, das er sich, mit Erzählungen mehr noch als mit Romanen, geschaffen hat, schätzt seine Intelligenz, den Variantenreichtum seiner Erzählkunst und die gehaltliche Konsistenz seiner Prosa. Dennoch ist ihm, so scheint mir, noch nicht alles gelungen, wozu ihn sein Talent befähigt. Ein Schriftsteller, ein Romanautor von ungewöhnlicher Substanz, hat noch nicht den großen, den glücklichen Stoff gefunden. Daß er ihn findet, erwarten wir, gerade nach diesem Roman.

(6. 9. 80)

Ein Großmeister kleiner Anliegen
Horst Krügers »Lob- und Klagelieder zur Zeit«

Als Schiller gegen Ende des Jahres 1801 mit seiner »Turandot«-Übertragung beschäftigt war, schrieb in einem Jenaer Brief Caroline Schlegel-Schelling, die faszinierendste Frau aus der romantischen Vorhut geistvoller weiblicher Emanzipation: »Schiller bearbeitet ein Stück von Gozzi. Seine Hand wird schwer drauf liegen.« Und zu Anfang des folgenden Jahres bestätigte Goethe im Rechenschaftsbericht über das Weimarische Theater die Vorhersage in dem verallgemeinernden Satz: »Der Deutsche ist überhaupt ernsthafter Natur und sein Ernst zeigt sich vorzüglich, wenn vom Spiele die Rede ist . . .«

Seine Hand wird schwer drauf liegen – die Zahl der deutschen Schriftsteller, von denen sich anderes sagen ließ und ließe, ist nicht sehr groß. Eine leichte Hand haben ist hierzulande fast ebenso verdächtig, wie lange Finger machen, und das literarische »Spiel« steht immer etwas im Geruch des Unmoralischen. Ähnlich ist es in der Philosophie. Kants steifleinener Stil habe, so klagt Heine, bei uns den Aberglauben entstehen lassen, daß man kein Philosoph sei, wenn man gut schreibe.

Durchaus etwas zu sagen wissen und es elegant, in lockerer und verlockender Weise servieren – diese Kunst versteht Heine selbst, der Düsseldorfer im Pariser Exil. Auch bei Fontane, dem märkischen Sproß einer aus Frankreich emigrierten Hugenottenfamilie, finden wir diese Kunst der geistvollen Causerie. Literarische Ahnenreihen zu konstruieren ist immer fragwürdig. Aber es läßt sich durch Namen wie Heine und Fontane doch die Gangart andeuten, mit der Horst Krüger in seinem neuen Buch die Wirklichkeit unserer Zeit angeht.

»Spötterdämmerung« ist, nach »Deutsche Augenblicke« (1969) und »Zeitgelächter« (1973), der dritte Band von Prosatexten, die man (im Unterschied zu Krügers autobiographischen und Reise-Erzählungen) als Situations- und Zeit-Aufnahmen bezeichnen kann. Hier beobachtet einer aus – oft ironischer – Distanz den German way of life in einer Wohlstandsgesellschaft, die Symptome des Selbstüberdrusses verrät. Hier werden die Supermärkte des Wirtschafts- und des Kulturlebens besichtigt; und ein Schriftsteller plaudert aus der Schule. Hier sitzt jemand auf der

Bank der Spötter, gewiß – aber doch nicht nur. Die Porträts von Schriftsteller-Kollegen, zumal verstorbenen, verzichten zumeist auf Satire.

Was man Krüger am allerletzten nachsagen könnte, wäre Neid. Nur einmal züngelt Bosheit hervor: als der frühere Bewunderer Friedrich Sieburgs von seiner erkalteten Liebe spricht. In »Zeitgelächter« konnte man Krügers Bekenntnis lesen, »daß er gern ein ›linker‹ Sieburg geworden wäre«. Nun empfindet die Ernüchterung des Sieburgianers Worte wie »gespreizte Attitüde«, »Mokanz und prätentiöse Stilisiertheit«.

Das ist nicht nur Kritik am hehren Meister, am – sagen wir – Stefan George des Feuilletons, es ist eher die Beschreibung dessen, was Krüger sich selbst nie verzeihen würde – und wogegen ihn das Berlinische Erbe in seiner Sprache immun gemacht hat. Das Stakkato der Sätze, die Trockenheit seiner Diktion, die zwischen Schnoddrigkeit und Gerührtheit genau die Balance hält, diese freche Unverblümtheit mit Herz, dieser Esprit mit einem Schuß von »Schnauze« – woher sollte er sie mitgebracht haben, wenn nicht aus dem Berlin seiner Jugendjahre. (Den Geschmack des Gourmets und die Parteilichkeit für das menschliche Recht auf Luxus gab ihm Baden-Baden mit, wo er fünfzehn Jahre lang dem Südwestfunk angehörte, bevor er sich als Schriftsteller am Ort der Buchmesse niederließ.)

In der Hauptstadt Preußens, daran ist zu erinnern, vermochte sich die deutsche Aufklärung am längsten zu halten. Aus dieser Zeit hat sich Berlin die Tradition eines ganz unverwechselbaren, ganz illusionslosen gesunden Menschenverstands bewahrt. Und was man – bis zur Stereotypie – an Krüger gelobt oder geschmäht hat: seine bürgerliche Liberalität, das hat in dieser Herkunft seinen Grund. Ja, Krügers Prosastücke sind geistvolle Manifeste des gesunden Menschenverstands.

Das setzt ihn zwischen alle Stühle, sprich: zwischen alle Dogmen. Der 1963 das Buch »Was ist heute links?« herausgab, sieht in der heutigen Welt kaum noch eine Möglichkeit, der politischen Wirklichkeit mit den Begriffen »links« und »rechts« beizukommen. Die Erkenntnis, daß sich die großen Utopien in der Geschichte nie ohne Scheiterhaufen oder Arbeitslager durchsetzen ließen, hat ihn immer einen skeptischen Realisten sein lassen. Er hält die Augen offen für die Widersprüche in den Erscheinungen; so sind seine Zeitdiagnosen voll des Paradoxen. Er erklärt, warum Wohlstandsgesellschaften Konfliktgesellschaften sind; er entlarvt den Snobismus in der Verachtung dessen, was man genießt.

An der jungen Generation fällt ihm ihre »keusche Verwilderung« auf, ihre Verletzlichkeit, aber auch eine Wehleidigkeit, die schlechte Laune zum guten Ton werden läßt. Ein Höhepunkt das Prosastück über die Jeans, Krügers Soziologie eines Kleidungsstücks, dessen Siegeszug alle Unterschiede zwischen Reich und Arm, zwischen West und Ost, zwischen dem Jugendfunktionär der CSU-nahen bayerischen Schüler-Union und dem Jugendfunktionär des DKP-nahen Spartakus mißachtet: ein Signal der Freiheit, ein Abschlag wenigstens auf die klassenlose Gesellschaft.

Es gibt neben solchen Glanznummern auch mattere Prosastücke, vor allem die Reise-Miniaturen, in denen der literarische Cicerone den spöttischen Diagnostiker ersetzt. Ausnahme und Gegenstück: die Satire »Auf Lesereise«, die den Schriftsteller mit seinen Manuskripten – wie einen Vertreter mit Musterkoffern – auf seinem Gang zu den Kunden zeigt und die der Traurigkeit von Provinzabenden ihre amüsante Seite abgewinnt.

Die Urteilskraft des gesunden Menschenverstands macht Krüger selbstverständlich zum Feind aller Vorurteile, zum Anwalt der Toleranz. So hält er seine Plädoyers für die zigeunernden Urlauber mit Campingwagen wie für die illustren Gäste von Schloß Bühlerhöhe im Schwarzwald, für die Raucher, die er ins Getto einer verfolgten Minderheit gedrängt sieht, wie für den Klatsch, der Aggressionen sozial, und zwar auf ungefährliche Weise, reguliert. Einen »Kleinmeister der großen Anliegen« nennt Krüger den deutschen Schriftsteller einmal. In diesen Prosatexten ist er selbst eher ein Großmeister der kleinen Anliegen.

Am erhellendsten wirken seine Berichte und Reflexionen immer dann, wenn er sie in die Pflicht aphoristischer Kürze nimmt. Dann schlagen die Gedanken geradezu Funken. Das Buch sei das wirkliche Zuhause des Schriftstellers, die Zeitung für ihn ein Joch, aber der Zwang zur gedrängten Mitteilung doch auch ein gutes Training. Der Schriftsteller als Zeitungsautor sei »der Zeit auf der Spur«, sein Wort »Wahrheit in den Tag gerufen«. Und wer grundsätzlich selber die Drangsal und Lust des Schreibens und damit die Wichtigkeit und Schwierigkeit des allerersten Satzes kennt, den frappiert die Treffsicherheit von Krügers Bild: den Faden durchs Nadelöhr kriegen.

Unsere Republik und unsere Literatur benötigen mehr Schriftsteller von der Art Horst Krügers. Unsere Republik, weil sie nicht nur Störenfriede braucht, die selbstgerechter demokratischer Zufriedenheit die Ruhekissen wegziehen, sondern auch solche, die es illusionärem Wunschdenken unbequem machen; unsere Literatur, damit die Verwechslung von leichtem Stil und leichter Muse aufhört.

Deshalb möchte ich auch den Titel des Bandes nicht als Menetekel, nicht resignativ verstehen. Tatsächlich ist der »Spötterdämmerung« nichts von der Untergangsstimmung einer Götterdämmerung anzumerken. Der Titel also als Verheißung: mit der Dämmerung fällt ja nicht nur die Nacht ein, sondern bricht auch der Morgen an.

(4. 4. 81)

Sprachverlust ist schon der halbe Tod
Siegfried Lenz' Roman »Der Verlust«

Es mögen die Vertriebsabteilungen in den Verlagen sein, die darauf drängen, daß Erzählwerke von mäßigem Umfang dennoch als Romane deklariert und dem Käufer angedient werden. Der Roman verspricht ein Lesevergnügen von einiger Dauer, als eine Art Langspielplatte der Literatur.

Nicht selten vollbringt die Drucktechnik wahre Wunder an Streckung dürftiger Textangebote. Aber lohnt sich wirklich der Etiketten- und Verpackungsschwindel? Max Frischs Erzählung »Montauk« hatte schon nach einem Jahr die Marke des hundertsten Tausend überschritten; die Auflagen von Martin Walsers Novelle »Ein fliehendes Pferd« übersteigen bei weitem die seiner Romane.

Loben wir die Erzähler, die das rechte ästhetische Maß besitzen, die nicht die schlanke epische Gestalt eines Entwurfs mit Polstern und Faltenwürfen in eine voluminöse Romanform zu bringen versuchen und damit die Substanz ihres epischen Vorwurfs verdünnen. Frisch hatte dieses Maß in »Montauk«, Walser in seiner Novelle. Hans Werner Richter hatte es, als er in »Die Flucht nach Abanon« für die Darstellung einer Liebe auf Distanz, für seine Alterselegie auf die Großform des Romans verzichtete, und Heinrich Böll, als er in der Erzählung »Die verlorene Ehre der Katharina Blum« einen Zeitstoff verdichtete, der in einem ausladenden Roman wahrscheinlich um seine Brisanz gebracht worden wäre.

Mir scheint, daß auch Siegfried Lenz' Roman »Der Verlust« von Entwurf und Anlage her kein Roman im strengsten Sinne ist. Immerhin ist auffallend, daß sich der neue Roman gegenüber den vorhergehenden (»Deutschstunde«, 1968, »Das Vorbild«, 1973, und »Heimatmuseum«, 1978) mit nicht einmal der Hälfte des Seitenumfangs recht schmächtig, um nicht zu sagen wie ein Kümmerling ausnimmt. Ist dies die Folge einer Abmagerungskur (einer vom Autor freiwillig vollzogenen, vielleicht vom Lektorat empfohlenen)? Oder strebte der Stoff von vornherein in diese gedrängte Form und ist Schmächtigkeit hier gerade Stärke? Mit anderen Worten: Ist der Roman gar kein »Kümmerling«, sondern seiner inneren und äußeren Form nach ein Kurzroman, beziehungsweise eine voll ausgewachsene, hier und da etwas aus der Fasson gehende Erzählung?

Romane tendieren auf die Darstellung eines Ganzen hin, auf das Ganze einer Persönlichkeitsentfaltung, einer Entzweiung von Individuum und Umwelt, eines gesellschaftlichen Zustandes, eines Epochenphänomens oder gar Epochenzusammenhangs. Lassen wir einmal den arg strapazierten Begriff der »Totalität« beiseite, so ist es doch ein repräsentativer Wirklichkeitsquerschnitt, auf den der Roman zumindest eine Perspektive öffnet. Selbst wo er die Zersplitterung des Ganzen feststellt, geht es ihm noch um die Zersplitterung als Ganzes. Der Roman vermag als eine epische Großform Weltfülle aufzunehmen, wobei »Welt« selbstverständlich auch die menschliche Innenwelt einschließt.

Siegfried Lenz' neue Erzählprosa hat nun zum Gegenstand gerade den Verlust von Welt. Ein Mann büßt plötzlich sein Sprechvermögen ein; er kann sich, obwohl weiterhin die Sprache verstehend, durch Sprache nicht mehr mitteilen, seine Kommunikation mit der Umwelt ist entscheidend gestört.

Hier wäre an einen Gedanken der Sprachphilosophie Wilhelm von Humboldts zu erinnern, der in der modernen Linguistik erneuert worden ist: daß sich der Mensch Wirklichkeit wesentlich durch Sprache erschließt. Tatsächlich nimmt im Roman diesen Gedanken in seiner Umkehrung der behandelnde Klinikarzt, der Neurologe, auf: »Sprachverlust, das ist nicht weniger als Weltverlust.« So scheint sich Lenz' Roman durch sein Thema als Roman aufzuheben.

Andererseits bringt der Verlust gerade das Verlorene ins Bewußtsein. Indem sich »Welt« entzieht, als Mangel erfahren wird, wird sie zum eigentlichen Bezugspunkt des Erzählens. Die Weltverengung bleibt immer projiziert auf Weltfülle. Insofern ist das Thema in der Romanform wohlaufgehoben.

Die besondere Kürze des Romans »Der Verlust« steht also offenbar in Zusammenhang mit seiner inneren Paradoxie, Gattungsbedingungen nicht gerecht zu werden und andererseits doch zu entsprechen. Solche – begründete – Unentschiedenheit hat aber auch problematische Nebenwirkungen.

So hat Lenz die Geschichte eines Schülers, der seit der Zeugnisübergabe vermißt, dann aber – gegen die allgemeine Annahme – als Opfer eines Mordes aufgefunden wird, nur mit Mühe in das Erzählganze eingebunden. Vielleicht soll diese Geschichte die Romanhandlung und den Wirklichkeitsrahmen auffüllen helfen, vielleicht ist sie nur der Restbestand eines ansonsten preisgegebenen Erzählstranges. Vielleicht auch dient sie einfach als Spannungsträger.

Denn spannend erzählt ist dieser Roman. Schon der erste Satz (der als Ereignissignal auch ein Gattungssignal der Novelle sein könnte), »Es traf ihn unvorbereitet«, versetzt den Leser in eine Erwartungshaltung, die fortwährend intensiviert wird.

Der Fremdenführer Ulrich Martens sieht plötzlich auf einer Omnibusrundfahrt durch die große Hafenstadt – offensichtlich Hamburg – einen Dreimaster doppelt. Während Fahrt und Informationsprogramm weitergehen, mehren sich die Vorzeichen eines Schlaganfalls, der dann die Aphasie auslösen wird: das Ausbleiben eines Worts, Drehschwindel, Handzucken; später, in der Wohnung der Freundin Nora, Erbrechen, Pupillenstarre, Streckkrampf im Arm, Verzerrung des Munds, Verhärtung der Zunge, endgültiger Zusammenbruch.

Während in der Klinik die Therapie beginnt, wird die Heilung gefährdet durch einen besonders harten »Verlust«: Vertrauen und Einverständnis zwischen Ulrich und Nora scheinen zerbrochen; Nora weigert sich lange, den dringend erwünschten Krankenbesuch zu machen. Lenz hat das Verhalten der Frau psychologisch nicht einleuchtend zu motivieren vermocht. Damit gerät in die Spannung, die sich auf die endliche Wiedervereinigung der Liebenden richtet und die durch einen verhängnisvollen Ausbruch Ulrichs aus dem Krankenhaus – die beiden verfehlen sich – noch einmal hingehalten wird, ein Moment der Künstlichkeit.

Der Erzähler in diesem Roman bleibt anonym; die Erzählperspektive wechselt zwischen der Außensicht und der – vor allem durch die Sprachlosigkeit der Hauptfigur motivierten – Innensicht. Lenz' Sprache ist auch hier von bekannter Distinguiertheit, sie führt den Leser taktvoll und erspart ihm Härten und Kanten (ein paar hätte man sich durchaus gefallen lassen). Er meidet den übermäßigen Gebrauch von schmückenden Beiwörtern, den ihm ein Kritiker des »Heimatmuseums« vorwarf, verirrt sich aber gelegentlich ins kunstgewerbliche und manierierte sprachliche Bild: »breitmäuliger Brotkasten«, »nur einige Spritzer (der Zitronenscheibe) fanden den Tee«, »und gab dem Toaströster den Vorsitz über den Frühstückstisch«.

Im Knüpfen des Netzes von Signalen und Verweisungen, im

Einbau von Vorausdeutungen, Entsprechungen und Kontrastierungen erweist sich Lenz erneut als versierter Erzähler. Vielfach spiegelt sich das Hauptthema des Sprachverlusts: in der Figur des ausländischen Arbeiters, der sich auf dem Polizeirevier in seiner Sprache nicht verständlich machen kann, im Vater des Taxifahrers, der an einer sonderbaren Lähmung leidet, in den beiden alten Ehepartnern auf der Hallig, die sich in unnachgiebigem Trotz schon neun Jahre anschweigen und nur über Notizzettel miteinander verkehren.

Das Thema des Romans muß sich an seiner Hauptfigur bewähren. Weder ein Analphabet noch ein Gelehrter hätten dafür getaugt. Lenz wählt sich einen Protagonisten, für den die Sprache Arbeitsinstrument ist, aber im Sinnlichen verwurzelt bleibt. Ulrich Martens gewinnt nicht nur Erfahrungen durch Sprache, er hat als Fremdenführer über die Sprache Anschauung von der historischen Wirklichkeitsfülle der Stadt an andere zu vermitteln. Sprachverlust ist hier potenzierter Verlust. Er ist es auch in dem Sinne, daß er einen Mann trifft, der sich im häufigen Berufswechsel für viele Möglichkeiten des Lebens offenhalten wollte, immer neue Formen der Kommunikation suchte. Für Ulrich ist Sprache Lebensäußerung schlechthin (»wenn er redete, dann lebte er«), ist Sprachverlust also schon der halbe Tod.

Was in seiner Grenzsituation doppelte Bedeutung bekommt, ist die Beziehung zu Nora. Sie wird für ihn geradezu eine Frage des Überlebens. Deshalb sein Ausbruch aus der Klinik, seine Suche nach Nora, die mit einem schweren Krankheitsrückfall endet. Ob eine neue Therapie gelingen oder wie weit sie gelingen wird, ob das endliche Sichfinden der Partner eine neue Art von Lebensgemeinschaft begründet oder aber nur eine letzte versöhnliche Geste des Lebens ist (zu der Noras Prospekt eines Fertighauses am See unter Kiefern noch eine schöne Fata Morgana liefert), bleibt ungewiß. Diese Offenheit des Schlusses wirkt prätentiös; zu kunstvoll ist alles in der Schwebe gehalten. Immerhin: Lenz beläßt auch am Ende den der Sprache Beraubten in seiner Grenzsituation.

Damit ist der Roman ein weiteres Beispiel für die Konstanz einer Problematik in Lenz' Werk, die noch in der existentialistischen Phase der europäischen Nachkriegsliteratur gründet. Die Helden sehen sich plötzlich in einer Prüfungssituation, deren Zwänge unausweichlich sind, die ihre Daseinslage entscheidend verändert und Bewährung angesichts von Ausweglosigkeit verlangt. Wand-

ten sich Romane wie »Deutschstunde« und »Heimatmuseum«
der Zeitgeschichte zu, so rückt Lenz im neuen Roman merklich
von ihr ab. Ob »Der Verlust« eine wirkliche Wende bedeutet,
wird freilich erst sein nächster Roman zeigen.

Auf den Sprachverlust, den die Diktatur der modernen Medien
und die Überflutung durch Information bewirken, würde »Der
Verlust« nur verweisen, wenn man den Roman als Parabel ver-
stünde (was er nicht ist). Aber es kann schließlich nicht die Aufgabe eines Erzählers sein, in eine Klage über die Massenmedien
einzufallen, die dank eben dieser Medien bereits in aller Munde
ist.

(29. 8. 81)

Ein Bewohner des Labyrinths
Friedrich Dürrenmatts Erzählungen »Stoffe I-III«

In seinem 1977 erschienenen Prosatext »Dramaturgie des Labyrinths« erzählt Friedrich Dürrenmatt kommentierend die mythische Geschichte von Minotauros nach, jenem Mischwesen mit dem Kopf eines Stiers und dem Körper eines Menschen, das in dem von Daidalos auf Kreta gebauten Labyrinth gefangengehalten wird und dem man alle neun Jahre sieben Jünglinge und sieben Jungfrauen opfert, bis es von Theseus getötet wird, der mit Hilfe des Fadens der Ariadne aus dem Gewirr der Gänge wieder herausfindet.

Natürlich will Dürrenmatt mit den Versuchen der Altertumswissenschaft, den Mythos auszulegen, nicht wetteifern. Ihn interessiert an der antiken Geschichte ihre Gleichniskraft für unseren Weltzustand. So hat die »Dramaturgie des Labyrinths« an der großen geistigen und künstlerischen Bemühung teil, die der Philosoph Hans Blumenberg »Arbeit am Mythos« nennt.

Dürrenmatt versteht das Labyrinth als ein Gefängnis, in dem für eine Schuld gebüßt wird, die außerhalb der Verantwortung des Bestraften liegt – wie eben die Schuld des Minotauros keine andere ist als die, er selbst zu sein, »eine Ungestalt, ein schuldig Unschuldiger«. Geradezu gebannt von dem Motiv war Dürrenmatt während der letzten Jahre des Zweiten Weltkrieges; er sah sich in eine Welt hineingeboren, für die er im rätselhaften mythischen Gefängnis des Labyrinths den angemessenen bildlichen Ausdruck fand, gegen die er aber auch durch die Identifizierung mit dem Labyrinthbewohner protestierte.

Nun sind weder Dürrenmatt noch – auf breiterer Ebene – andere Zeitgenossen die ersten, denen sich das Labyrinth-Gleichnis zur Daseinsdeutung aufdrängt. Gustav René Hocke beschreibt in seiner Geschichte des europäischen Manierismus (1957) das Labyrinth als eine Motivkonstante der neuzeitlichen Kunst (mit allerdings »explosionshafter« Häufung im 16. und 17. Jahrhundert sowie zwischen 1880 und 1950) und bestimmt die Romane Franz Kafkas geradezu als »Epen des Labyrinthischen«. Tatsächlich läßt sich das ausgeklügelte, aber undurchschaubare System des Labyrinths als Urbild für eine durchrationalisierte, total verwaltete Welt begreifen, die dem einzelnen als völlig undurchsichtig, irrational erscheinen muß.

Die »Dramaturgie des Labyrinths« taucht wieder als Bestandteil eines Buches auf, das Dürrenmatt jetzt unter dem abstrakten Titel »Stoffe I-III« veröffentlicht hat. Die ursprünglich vorgesehene Titelfassung, die alle drei Stoffe beim Namen nennt – »Der Winterkrieg in Tibet. Mondfinsternis. Der Rebell« –, war da konkreter, auf eine durchaus nicht unredliche Weise vielversprechend. Denn dieses Buch wartet mit einer Farbigkeit auf, die es einer originellen Verknüpfung von autobiographischem und novellistischem Erzählen verdankt. Dürrenmatt bettet die drei Erzählungen, deren Stoffe er lange Zeit unbewältigt in sich getragen hat, in seine Biographie ein. So durchdringen sich Lebensgeschichte, Erzählung und deren Entstehungsgeschichte.

Sicherlich schiebt Dürrenmatt dem Leser nicht unter, was ihm so manche dichterische Lebensbeschreibung verdächtig macht: »Falsche Bilanzen.« Aber er weiht ihn doch ein in eine Art von Buchführung, und zwar die doppelte, die nicht nur über Erfülltes und Gelungenes, sondern auch über Entbehrtes und Schuldiggebliebenes Rechenschaft gibt. Hier werden also keine Legenden aufgebaut, allerdings auch keine Beichten abgelegt, die insgeheim nach dem einträglichen Skandal schielen.

Der autobiographische Erzählstrang hält sich nicht streng an die Chronologie. Da Lebensgeschichte vor allem als Geschichte der künstlerischen Stoffe und damit der Spiegelungen des Denkens verstanden wird, kommt es immer wieder zu Vorgriffen und Nachträgen: Das Übergewicht liegt bei der Jugendgeschichte, und deren Schauplatz ist zunächst ein Dorf im Berner Land. Was stattet das Elternhaus als Wiege eines Dichters aus? Dem Vater ist die Literatur, abgesehen vom edlen, aber blassen Schiller-Epigonen Theodor Körner, fremd; immerhin erzählt er dem Sohn griechische Sagen. Und die Mutter gar kann die Erzählungen Jeremias Gotthelfs fast ebensogut aus dem Stegreif wiedergeben, wie sie der Dichter schrieb. Ansonsten aber bleibt das Buch der Bücher hier das einzige Buch. Denn der Vater ist Pfarrer. Übrigens hat der Sohn des Skeptikers Dürrenmatt wieder den Beruf des Großvaters gewählt. So bleibt Dürrenmatt sozusagen im Griff der Theologie. Wenn auch nicht zwischen den Propheten, so doch zwischen den Pfarrern »das Weltkind in der Mitten«!

Früh fesselt Astronomie die Wißbegier des Schülers, beschäftigen die Bewegungen der Gestirne seine Phantasie, vor allem die mächtigen, neue Zustände schaffenden kosmischen Katastrophen. Schon in seinem – allerdings immer noch nicht in die Endfassung gelangten – Theaterstück »Porträt eines Planeten« (1970) hat Dürrenmatt dem totalen Kollaps der Menschheit einen kosmischen Rahmen gegeben. Im neuen Buch zählt die Projektion der Weltgeschichte und der »Zeit« auf die raumzeitlichen Entfernungen des Andromedanebels, der Milchstraßen und der Quasare zu den hinreißenden Abschnitten. Das Ungeheuerliche wird, ohne Wortschwall und ohne apokalyptische Bildlichkeit, in spröd-klarer Sprache sagbar: »Würden die Vergangenheiten aufgehoben, stürzte das Weltall vom Rande her auf uns zu.«

Die Physik, notwendige Ergänzung zur Sternkunde, begann Dürrenmatt vor dem Schulabschluß, der Matura, zu faszinieren. Man weiß, wie sehr dem Schriftsteller – der ja nicht Naturwissenschaften, sondern Kunst- und Literaturgeschichte studierte – dieses Grundlagenwissen später zugute kam, zumal in der Komödie »Die Physiker« (1961), seiner Auseinandersetzung mit dem furchtbaren Dilemma, in dem sich die Physik seit dem Bestehen der Atombombe befindet. Daß Astronomie und Physik als Bildreservoir freilich auch ihre Grenzen haben, wird an den allzu bemühten Analogien deutlich, die der fiktive Erzähler des »Winterkrieges in Tibet« zwischen den physikalischen Vorgängen und Gesetzen der Sonne und den Entwicklungsgesetzen des Menschenstaates herstellt.

Goethe hat lange Zeit benötigt, um einzusehen, daß nicht die bildende Kunst, das Zeichnen, sondern die Dichtung seine eigentliche Domäne sei. Dürrenmatt, der sich seinen Platz an der Staffelei und nicht am Schreibtisch wünschte, kam zu der Einsicht früher, aber dafür nicht so entschieden. Malen blieb ihm eine Kunstform, die er zur Realisierung seiner schöpferischen Vorstellungen weiterhin brauchte. Eines seiner Ölbilder, »Katastrophe« (1968 entstanden), wird genauer beschrieben: Auf einer Brücke stoßen zwei überfüllte Eisenbahnzüge zusammen, fallen auf eine tiefergelegene Brücke, über die sich ein kommunistischer Umzug wälzt, und alles zusammen stürzt auf eine Wallfahrtskirche im Grunde der Schlucht und begräbt unzählige Pilger unter sich, während am Himmel zwei Sonnen zusammenkrachten und den Untergang unseres Planetensystems einleiten. Nehmen wir das planetarische Ereignis aus, so liegt dem Vorgang eine an sich komische Struktur zugrunde: ein Mißgeschick löst ein weiteres aus, dieses ein neues und so fort. Bezeichnend nun, daß Dürrenmatt das Komische einer Kettenreaktion ins Katastrophale ummünzt. Sichtbar wird ein Gesetz, dem auch seine Dramatik gehorcht: aus der Komödie wird das Tragische gewonnen.

Stärker indessen als das Tragische fällt beim Ölbild das Groteske ins Auge, das Zerbrechen unserer Orientierungsmuster, dieser Sturz ins Bodenlose, der ja auch am Grunde der Schlucht nicht aufgefangen wird, da er sich im kosmischen Raum fortsetzt. Nie zuvor ist mir so klargeworden wie bei dieser Bildbeschreibung, in welchem Maße das Groteske in den Theaterstücken Dürrenmatts aus der Bildgroteske hervorgeht, wie sehr der Maler dem Stückeschreiber die Hand geführt hat. Möglich ist dies, weil die Bühne mit ihren Mitteln der Versinnlichung die dramatische Welt wieder in Bilder verwandelt.

Aber hier deuten sich nun auch die Grenzen an, die einem aus der bildnerischen Phantasie gespeisten Grotesken in der Erzählprosa gezogen sein können. Die Erzählung »Der Winterkrieg in Tibet« befriedigt wohl deshalb so wenig, weil die Umsetzung von Erschautem in Erzähltes nicht restlos geglückt ist. Mit der utopischen Schreckensvision dieser lange Zeit fragmentarisch gebliebenen Erzählung beschwört Dürrenmatt die Ängste, die sein Denken während des Zweiten Weltkriegs bedrängten.

Ein dritter Weltkrieg hat die Menschheit heimgesucht; Europa – also auch die Schweiz, die sich diesmal nicht heraushalten konnte – ist vernichtet. Die Überlebenden der feindlichen Parteien haben sich in die Gebirge Tibets zurückgezogen und führen hier in einem Kampf aller gegen alle den absurd gewordenen Krieg weiter. Daß das Bewußtsein des Ich-Erzählers offensichtlich hinter den Ereignissen zurückhängt, daß schon wieder Touristen die Kampfplätze besichtigen, ist eine parodistische Pointe, wie sie bei Dürrenmatt nicht überrascht. Die Erzählung ist fingiert als Text von Felsinschriften, die der »Kommandant« hinterlassen hat.

Dieser Kommandant lebt, nein, vegetiert in einem System von Stollen und Gängen, deren Grundriß er nicht kennt, in einem Labyrinth also. Als ein »Weltgleichnis« hat Dürrenmatt den »Winterkrieg in Tibet« entworfen. Und gewiß gibt es in dieser Parabel Bilder von großer Eindringlichkeit, zumal in den – letztlich identischen – Gestalten des Söldners und des Kommandanten, die ihrer wesentlichen Gliedmaßen beraubt sind und deren Armprothese in eine Maschinenpistole übergeht – Sinnbilder des brutalen, zum Kriegswerkzeug mechanisierten Menschen sie beide. Doch es ist in diese Geschichte zu vieles hineinverschlüsselt. Wo Dürrenmatt sonst eine klare Fabel aufbaut – auch wenn es um die Darstellung von etwas eigentlich Unfaßlichem geht –, gelingt es ihm hier nicht, das Geröll der Gleichniselemente zu einer bündigen Handlung zu schichten. Die Erzählung hatte ihren Ursprung sicherlich in der Bildphantasie Dürrenmatts. Aber Erzählerphantasie und Sprache holen sie nicht ein.

Die zweite Erzählung, »Mondfinsternis«, ist eine Frühform des Stoffes, aus dem sich die tragische Komödie »Der Besuch der alten Dame« (1956) entwickelt hat. Trotz erzählerischer Glanznummern – etwa über das Motiv phantastischer männlicher Potenz – hält sie natürlich den Vergleich mit Dürrenmatts erfolgreichstem Theaterstück nicht aus. Als superreiches Wunderwesen kehrt hier von jenseits des Ozeans nicht eine Frau heim, sondern ein Mann, der Rache nimmt am Ehemann seiner ehemaligen ungetreuen Geliebten und der mit seinen Millionen die Moral der Bevölkerung in einem schweizerischen Bergdorf – einschließlich der mannbaren Mädchen – korrumpiert. Verkörpert sich die Verführungskraft des Geldes in der grotesken Komödie in einer Art von mythischem Ungeheuer, in der Multimilliardärin Claire Zachanassian, so präsentiert sie sich hier auf eine weit weniger dämonische Weise in einem alten Mann, den »einfach eine ungeheure Gier« überkommt, »noch einmal zu leben«. Zudem hebt am Schluß ein Millionenangebot der Regierung zur Errichtung eines großen Freizeitzentrums die Zwangslage der Dorfbewohner, die eine böse Tat rechtfertigen mußte, ironisch auf.

An innerer Geschlossenheit übertrifft die letzte Erzählung, »Der Rebell«, die beiden anderen. Ist »Der Winterkrieg in Tibet« letztlich dem Anspruch eines »Weltgleichnisses« künstlerisch nicht gewachsen und hält »Mondfinsternis« der Konkurrenz im eigenen Werk Dürrenmatts nicht stand, so ist allein schon die Absicht des Autors gewinnend, in »Der Rebell« seine eigene einstige Lage darzustellen. Gerade das Ernstnehmen des Persönlichen aber ermöglicht hier den Ausdruck von etwas Allgemeinem. Auch diese Erzählung ist Gleichnis: Demonstration eines eher aufgedrungenen als freiwilligen jugendlichen Rebellentums und seines Scheiterns. Aber wie die moderne Parabel seit Kafka geht die Gleichniserzählung in ihrer Übertragung auf einen Vergleichsbereich nicht auf, gehört ein Moment der Unausdeutbarkeit zu den Bedingungen des Textes selbst. Von besonderer Einprägsamkeit ist, wie Dürrenmatt hier ein Hauptmotiv des Buches abwandelt: Der junge Rebell endet als Gefangener in einem Spiegelsaal, in dem er sich tausendfach vervielfältigt sieht und als Erlöser einer Masse von Rebellen gegenüberzustehen glaubt. Er ist sich selbst das Labyrinth.

Im Anfangsteil des Buches steht ein Satz, den ebendieses Buch helfen kann richtigzustellen. Sein Kredit als Bühnenautor sei, sagt Dürrenmatt, »durch Lächerlichkeiten verspielt worden«. Von »Lächerlichkeiten« sind die »Stoffe I-III« frei. Autobiographische Wirklichkeit und Imagination pendeln ins Gleichgewicht. Eine der »großen Möglichkeiten, genau zu sein«, sei das Groteske, hieß es in der »Anmerkung zur Komödie« (1952). Nie ist Dürrenmatt ein Autor der zierlichen Feder gewesen. In manchen Teilen dieses Buches spürt man wieder seine Pranke.

Der Band enthält auch eine Reihe geschichts- und zeitdiagnostischer Bemerkungen: beispielsweise über Faschismus und Stalinismus als »ästhetische Richtungen«, über die Möglichkeiten von Kapitalismus und Sozialismus bei der »Demokratisierung der Demokratie« – Zündstoff für Diskussionen der Dürrenmatt-Kritik. Sein Weltbild scheint noch mehr von Skepsis geprägt: Illusionslose Klarsicht mögen's die einen, Pessimismus die anderen nennen. Aus dem »Welttheater, dessen Statisten wir alle sind«, sei eine »Weltschmiere« geworden. Als eine Weltkomödie, eine tragische, sah Dürrenmatt die Geschichte schon immer.

Er erkennt sich als einen Bewohner des Labyrinths, das er nicht verlassen, wohl aber bestehen zu können hofft. Er gibt nicht vor, den Faden der Ariadne zu haben. Und sein Mißtrauen richtet sich gegen alle, die mit solchem Versprechen ihre Geschäfte oder ihre Kriege betreiben.

(19. 9. 81)

Kindheit und Zeitgeschichte
Eva Zellers autobiographischer Roman
»Solange ich denken kann«

Was läßt das »Rüttelsieb Gedächtnis« durchfallen und was hält es fest? Andererseits: Was rückt die Erinnerung heraus, was nicht? Was läßt uns »die erinnerten Bilder ummünzen zur Legende Kindheit?« Solche Fragen, in Eva Zellers neuem Buch anfangs von der Ich-Erzählerin gestellt, bleiben offen. Aber sie zeigen an, mit welcher Intensität sich die Autorin ihrer Vergangenheit im Erzählen zu vergewissern sucht.

Denn überall in diesem »Roman einer Jugend« treten die autobiographischen Grundlinien hervor: Eva Zellers Stationen der Kindheit bei Mutter und Großmutter in dem Marktflecken Görzke am Fläming und – während der Sommerferien – beim Vater in Berlin, die Schuljahre an einer in »Staatliche Erziehungs- und Bildungsanstalt« umbenannten Evangelischen Oberschule in der Nähe von Zeitz und das Abitur im Jahre 1941.

Nur in einem erzählerischen Vorgriff stellt sich die Erzählerin als gerade immatrikulierte Studentin der Universität Greifswald vor; der eigentliche Bericht endet mit dem Erwachen der Achtzehnjährigen nach einer Operation, über deren endgültigen Erfolg sie erst mehrere Jahre später Gewißheit erlangen wird.

Wo sich Autobiographie und Roman scheiden, was Eva Zeller hier ihrer Erinnerung und was ihrer Phantasie verdankt, wer möchte das mit Sicherheit zu sagen – vermutlich nicht einmal die Autorin selbst. Aber daß hier alles geographisch und zeitlich lokalisierbar ist, trägt bei zur Genauigkeit und Dichte der Wahrnehmungen. Die kleine Welt zwischen Gut und Töpferei in Görzke erscheint groß und unerschöpflich, die große Welt der Reichshauptstadt dagegen arm an Erlebnismöglichkeiten. Die Strenge der Schulerziehung wird gemildert durch eine Mädchenfreundschaft, deren Poesie sich konkretisiert im Austausch selbstverfertigter Gedichte. Sobald die Erzählung einmal in Fluß geraten ist, entbindet die Einbildungskraft immer neue Erinnerungsschübe.

In die Physiognomie dieser Kindheit und Jugend kerben sich zeitgeschichtliche Erfahrungen ein: die Allgegenwart der Führer-Ideologie im »Dritten Reich«, der Konflikt zwischen Bekennender Kirche und Deutschen Christen, das Aufgehen des Königin-Luise-Bundes in den Jungmädelbund, das Ertüchtigungslager, die Vorbereitungen für den Reichsparteitag, die Mobilmachung, der Kriegsausbruch, die Einberufung zum weiblichen Reichsarbeitsdienst. Und immer wieder die narkotisierende Wirkung von Reden, Losungen und von Liedern wie etwa Rudolf Alexander Schröders »Heilig Vaterland in Gefahren«, immer wieder die Überwältigung der »wehrlosen Innerlichkeit«, die so viele Gutwillige zu Komplizen macht.

Wenn die Autobiographie hier und dort zur Kindheitslegende wird, so doch in einem Punkt nicht: sie schiebt dem gesinnungsfesten BDM-Mädel, das den Brief an den Vater mit einem strammen »Heil Hitler« beschließt, nicht solche Zweifel und Einsichten unter, mit denen sich später ein schlechtes Gewissen gern ein nachträgliches Alibi verschafft. Die beiden Perspektiven des Erzählens, die distanzierte der Rückschau und die des Mädchens von einst, bleiben immer unterscheidbar. Und es läßt sich voraussagen, daß Eva Zeller gerade mit dieser doppelten Optik, und das heißt, mit dieser zweifachen Ehrlichkeit, die Leser aus ihrer eigenen Generation überzeugen wird.

Dabei hat das Mädchen des Romans die Chance, rechtzeitig den Zauberdunst jener großen Worte und Phrasen zu durchstoßen, die sie erst am Ende als verdächtiges »Trallala« zu beargwöhnen beginnt. Denn ihr Vater ist von Anfang an ein Verächter der Nazis, nennt Hitler den wildgewordenen Gefreiten aus Braunau, Goebbels das Rumpelstilzchen oder den Giftzwerg und das nationalsozialistische Deutschland »zwei Silben Hysterie«.

Aber ebendieser Vater ist die Wunde in einer für das Mädchen sonst heilen Welt, die Ursache für ein Trauma, das die glückliche Kindheit verschattet. Auch dieser »Roman einer Jugend« also nimmt, wie so viele autobiographische Romane der letzten Jahre, die Auseinandersetzung mit dem Vaterbild auf.

Aber hier wird keine mächtige Vatergestalt durch ihre Nähe bedrückend, hier schafft eine − nicht nur räumliche − Ferne Fremdheit. Hier leidet ein Kind nicht an einem Übermaß väterlicher Präsenz, sondern an Vater-Entzug, an einem Vakuum, das sich das Mädchen ausgefüllt wünscht. Dieser Vater, ein bekannter Wissenschaftler, Autor erfolgreicher Bücher über die Geschichte der Technik und der Naturwissenschaften, ein Schwerenöter mit einem Gerhart-Hauptmann-Kopf, lebt mit seiner vierten Frau in Berlin, während die geschiedene Mutter mit dem Kind Zuflucht auf dem Gut der Großmutter gefunden hat. In der mütterlichen Familie schmäht man den Vater als kalt und monströs. Von Anfang an wird das Vaterbild des Kindes als Feindbild aufgebaut.

So begegnet das Mädchen dem Vater mit Vorurteilen, doch sprechen die Zeichen eines offensichtlich grenzenlosen Egoismus tatsächlich gegen ihn. Das aber hat Folgen für seinen Versuch, das politische Weltbild der Tochter zurechtzurücken, sie vom Unrechtscharakter des Hitlerregimes zu überzeugen – es macht ihn zugleich als »Lehrer« unglaubwürdig. Dieser Widerspruch, daß der politisch Einsichtige menschlich suspekt bleibt, löst sich für die Erzählerin auch im nachhinein nicht auf.

In den »Roman einer Jugend« eingelassen sind Fragmente eines Bildungsromans. Mit allen Mitteln versucht der Staat, die »wehrlose Innerlichkeit« der weiblichen Jugend zu einer – mit Thomas Mann zu sprechen – »machtgeschützten Innerlichkeit« zu machen. Aber auch in der Literatur der Zeit paart sich die wehrlose mit der wehrhaften Innerlichkeit. Und das Mädchen Eva kennt sie fast alle, die Dichter der einen und der anderen Art: Hermann Hesse, Hans Carossa, Ina Seidel und Ernst Wiechert wie Börries von Münchhausen, Lulu von Strauß und Torney, Paul Alverdes und Edwin Erich Dwinger.

Von einem gewissen Zeitpunkt an aber liest sie nur noch Romane von Erwin Guido Kolbenheyer. Und – hier unterminiert den »Bildungsroman« ungewollt Ironie – diese überspannte Kolbenheyer-Lektüre scheint die literarische Orientierung so sehr verwirrt zu haben, daß noch das Erinnerungsvermögen der erwachsenen Erzählerin darunter leidet – sonst hätte sie wohl Ernst Jüngers »In Stahlgewittern« nicht Dwinger zugeschrieben und im Bericht über die Weimarer Theaterfestspiele von 1940 die Szene, da der dramatische Held an dem für ihn bestimmten Grab »das heilige Gesetz des Krieges anerkennt«, nicht aus dem »Prinzen von Homburg« in den »Egmont« verlegt.

Eva Zeller experimentiert mit keiner neuen Erzählform. Der autobiographische Zug, die Retrospektive auf das »Dritte Reich« und das, was man den Vater-Komplex nennen kann, machen den Roman eher zum Nachzügler. Zweifel an der autobiographischen Wahrscheinlichkeit sind angebracht gegenüber einer kolportagehaften Geschichte im Schlußteil des Romans: Eva leistet bei einer nächtlichen Geburt auf der Latrine des Arbeitsdienstlagers Hilfe, verscharrt das tote Kind und flieht mit der Kindesmutter.

Andererseits gewinnt die Vergegenwärtigung von Vergangenheit einen hohen Grad an Authentizität. Wie sich der Gang einer Jugendgeschichte dem Gang einer zeitgeschichtlichen Bewegung fügt, die den Gleichschritt verlangte – das wird hier ohne Selbstschonung, aber auch ohne bekennerische Aufdringlichkeit beschrieben: unprätentiös, eindringlich.

(3.10.81)

Zwischen Schwejk und Felix Krull

Heinrich Bölls Geschichte seiner Schulzeit: »Was soll aus dem Jungen bloß werden?«

In Köln ist vieles anders. »Köln war noch eine erträgliche Stadt«, schreibt Böll im Bericht von jenen vier Jahren seiner Schulzeit (bis zum Abitur 1937), über die der Schatten des »Dritten Reiches« fiel. Es gab schlimme Tage auch hier, gleich im »Schreckensjahr 1933«, als der Mord an zwei Menschen zu sühnen war und sieben Mitglieder des Rotfrontkämpferbundes dafür unter das Handbeil kamen. Aber wirkliche Triumphe konnten die Nationalsozialisten in Köln nicht feiern. Und auch der Kölner Kommunismus war nicht der übliche, eher von italienischer Art: Einer der später Hingerichteten dankte noch aus der Todeszelle für das Kerzenopfer in der Kirche. In Köln war der Katholizismus ständig sinnliche Gegenwart. Hier kann man auch heute noch keine zehn Schritte tun, ohne mit dem Blick auf eine Kirche zu stoßen.

Daß aber dieser kölnisch-rheinische Katholizismus weder mit einem eifernden noch einem »verknuvten« Katholizismus zu verwechseln ist, wird in Bölls Erzählung bald deutlich. Der Vater, als Tischler und Bildhauer noch ein Künstler im Handwerkerstand, entwarf neben Möbeln auch Heiligenfiguren und Beichtstühle, Kanzeln und Altäre, so daß die Familie schon durch den Beruf des Vaters (und eines der Brüder) fest in der Praxis des Kirchenlebens stand. Das schloß nicht aus, daß im engeren, ausgelassenen Kreis kräftig über die Kirche gelästert und gelacht wurde. Aber eines blieb jenseits allen Zweifels: »*Katholisch*, das sollten und wollten wir doch bleiben.«

Den Leser, dessen Böll-Bild an den kritischen Auseinandersetzungen des Schriftstellers mit bestimmten Erscheinungsformen des Christentums, zumal des Katholizismus der Nachkriegszeit (etwa in »Ansichten eines Clowns«) orientiert ist, mag dieser autobiographische Jugendbericht verwirren. Der Katholizismus des Gymnasiasten Böll war noch unversehrt vom Biß des Zweifels oder gar von Ketzerei, aber er hatte auch nichts von heuchlerischer Anpassung. Bis 1933 Mitglied der marianischen Jugendkongregation, nahm Böll später demonstrativ an Bußwallfahrten Kölner Männer teil und trug die Fahne der Prozession. Sich als katholisch bekennen, hieß in dieser politischen Krisenzeit zugleich sich zur Opposition bekennen.

Und vielleicht liegt da der Drehpunkt für Bölls Abkehr von der Kirche. Daß nach dem Krieg in der Bundesrepublik der Katholizismus – auf jeden Fall symbolisch durch den ersten Kanzler, Adenauer, und große Teile seiner Partei – zu einer Art »Staatsreligion« wurde, mußte Böll zum Abtrünnigen machen, erschien ihm doch die Verbrüderung mit der materiellen Macht der Institutionen als Verrat am Christentum. Aber es ist doch auch wieder ein spezifisch kölnisches Erbe, das die frühere und die spätere Haltung verbindet: eine Abneigung, Autoritäten, seien es weltliche oder kirchliche, völlig ernst zu nehmen.

Dieser eingefleischten Unbotmäßigkeit entspricht die Liberalität des Gewährenlassens, des *laisser faire*. Bölls Bericht ist voller Beispiele. Kleine Schmuggeleien, die Korrektur des Stromzählers als ein *corriger la fortune* oder die Abmachungen zwischen den Lehrern und Schülern beim Abitur – alles wird mit dem Mantel der Nächstenliebe gedeckt. Daß man es mit den Grenzen der Legalität so ganz genau nicht nimmt, daß also alle heimlich miteinander verschworen sind, hat durchaus seine moralisch positive Wirkung: hier findet Denunziation keinen Boden.

Aber es muß auch von der Kehrseite gesprochen werden, die Böll verschweigt: vom Sichgehenlassen, von einer Unzuverlässigkeit und Nachlässigkeit, die manchmal in die Nähe des Schluderns gerät. Und mir scheint, daß sich etwas von solchem kölnischen *laisser aller* in diesem Buch selbst bezeugt. Mehr als einmal hat man den Eindruck, Böll habe diese Geschichte gar nicht geschrieben, sondern einem Gesprächspartner auf Tonband gesprochen. Es fehlt dem Text nicht an Lebendigkeit, aber manchmal an sprachlicher Konzentration. Es gibt Wiederholungen, Längen, die wohl auch nur ein kölnischer Lektor durchgehen lassen konnte.

Den Imperator und Inquisitor, als den Alfred Andersch seinen Münchner Gymnasialdirektor beschreibt, lernt Böll nicht kennen; er »mag« seinen Direktor. An den Turnstunden, die in Schulgeschichten der deutschen Literatur sensibleren Schülern so verhaßt sind, leidet auch Böll. Aber hier kommt es zu keiner Schülertragödie; als Heilmittel bietet sich eine vom Turnen befreiende Krankheit an: die chronische Stirnhöhlenvereiterung. Eine herbeigewünschte Krankheit? Böll, der kölnische Junge, eine Mischung aus Schwejk und Felix Krull?

Berlin liegt fern. Überall in der Altstadt ist die römische Vergangenheit näher als die preußische Gegenwart. (Vielleicht auch ist es der aus der Antike hängengebliebene Hauch von heidnischer Humanität, der diesen Katholizismus so liberal macht.) Der junge Böll besucht das humanistische Gymnasium, und Latein ist neben Geschichte und Mathematik sein Lieblingsfach. Aber zu seiner Lebensschule wird die »Straßenschule«, zumal im alten Severinsviertel.

Und immer wieder drängt dieses Leben der Stadt mit seiner Spannung zwischen dem Heiligen und dem Profansten, zwischen der Prozession und der Prostitution, sich in der Erinnerung vor. Der autobiographische Erzähler, von seiner eigentlichen Absicht abgelenkt, muß sich selbst immer wieder zum Thema zurückrufen.

Nur zum Teil also ist dieser Band eine Schulgeschichte. Böll verachtet nicht die Erziehung durch seine Lehrer; der übliche Groll der Schriftsteller gegen die »Pauker« wird hier nicht laut. Aber seine eigentliche Erziehung verdankt er doch dem Geist, der sich im Leben der Stadt verdichtet.

Freilich, auch Adenauer war Kölner, zudem der berühmteste Oberbürgermeister der Stadt. Die Gegensätze und die geheimen Übereinstimmungen zwischen den Antipoden Adenauer und Böll, dem pragmatischen Politiker und dem oppositionellen Schriftsteller kölnischen Geblüts: das wäre ein Thema für einen noch zu schreibenden späteren Abschnitt der Böllschen Autobiographie.

(17.10.81)

Die Narrenkappe als Tarnkappe
Eva Demskis Roman »Karneval«

Dieser Roman hat sich bereits auf dem Prüfstand einer Kritikergruppe behauptet. Ihm wurde der »Preis der Klagenfurter Jury 1981« zuerkannt. Der Rezensent war entschlossen, diesem Lobspruch zu mißtrauen. Aber er mußte sich beugen — weniger den Argumenten der Klagenfurter Jury als den Gründen, mit denen dieser Roman für sich selber spricht.

Man kann den Karneval ausschließlich von seiner flitternden Außenseite her nehmen, als den großen Jahrmarkt der Prunksitzungen und Umzüge, des närrischen Treibens und einer permanenten — für den Nichtbeteiligten so angestrengt wirkenden — Lustigkeit. Man kann ihn sozialpsychologisch in seiner Entlastungsfunktion würdigen. Aber man kann ihn auch als Bestandteil des individuellen und familiären, des geselligen und des gesellschaftlichen Lebens, im fortdauernden Wirkungszusammenhang wirtschaftlicher Interessen und als Spiegel anachronistischer Sehnsüchte des demokratischen Zeitalters sehen.

Ebendies geschieht in Eva Demskis zweitem Roman. In einer der Hochburgen des Karnevals — manche Anzeichen deuten auf eine Stadt wie Mainz — hat die Fastnachtsprinzessin während des letzten Balls der »Kampagne«, in der Nacht zum Aschermittwoch, auf eine der bekanntesten Persönlichkeiten der Stadt und der Karnevalsgesellschaft, auf den Universitätsprofessor und Chef der Hals-, Nasen- und Ohrenklinik, Elsbächer, geschossen, wobei die Kugel freilich in die Decke einer Garderobe schlug. Im Festsaal nur von wenigen bemerkt, hielt sich der Skandal in Grenzen. Schlimme Auswirkungen sind von dem Bauskandal zu befürchten, in den der Vater der achtzehnjährigen Täterin Losie, ein neureicher Unternehmer, verwickelt ist.

Losie befindet sich in einem Sanatorium, und Ziel des Erzählens ist es nun, durch Rückblenden (bis in die Kindheit des Mädchens), durch Beobachtungen und Reflexionen das Dunkel möglicher Tatmotive aufzuhellen. Was dabei zutage kommt, ist nicht die Vorgeschichte eines Kriminalfalls, sondern die Topographie der Honoratiorengesellschaft und die Geschichte einer besonderen Zweierbeziehung, der Bindungen zwischen Losie und der von ihren Eltern verpflichteten »Erzieherin«.

Diese »Erzieherin«, die im Sanatorium den Nebenraum be-
wohnt, ist auch die Erzählerin des Romans. Ihre Beobachtungen
und Gedanken wechseln zwischen drei Bereichen. Im nächstlie-
genden geht es um das Verhältnis zu Losie, im anderen um ihre
Stellung in der Familie, im Hause des Bauunternehmers, im weiteren um die wirtschaftlichen und politischen Interessen, denen
die Narrenkappe als Tarnkappe, und die erotischen Motive, denen die Feststätte als Freistatt willkommen ist. Alles aber wird
kontrastiert durch einen geschichtlichen und sozialen Hintergrund, den die Vergangenheit und Herkunft der Erzählerin setzt:
einer baltischen Adligen, deren Flucht 1945 in der Stadt am Rhein
endete.

In einem Punkt steht der Roman zunächst auf schwachen Füßen.
Man fragt sich, ob es eine Adlige mit ihrem Selbstbewußtsein
wirklich im Dienst des Mannes, der seine Karriere als Schrott-
schieber begann, im Dienst einer Frau, der sie im Innersten mit
Verachtung begegnet, gehalten hätte. Doch verstummt der Zweifel schließlich vor der Entwicklung ihrer Beziehung zu Losie. Früh
verwitwet und kinderlos, wächst sie aus der Rolle der Erzieherin
heraus und gerät durch Gefühle der Mütterlichkeit und der Eifersucht in eine hochempfindliche seelische Bindung an das Mädchen.

Der Roman zeigt dieses Verhältnis in seiner Krise. Losie, zu
»aristokratischem« Denken angehalten, das die kleinbürgerlich-
bäuerliche Herkunft der Eltern vergessen machen soll: zu Individualität, »Talent zu sich selbst« und einer gewissen Unbeschei-
denheit, entgleitet dem Einfluß ihrer Erzieherin und sucht Erfüllung in der bloß äußeren, in der kostümierten Besonderheit einer
Fastnachtsprinzessin. Ihre Desillusionierung und während der
»Kampagne« zunehmende Enttäuschung explodiert schließlich
im Anschlag auf Elsbächer, wobei allerdings auch das Motiv der
Empörung mitspielt, des Zorns gegen einen Mann, der seinen
Sohn in den Selbstmord trieb.

Die Beziehung zwischen Losie und ihrer mütterlichen Freundin
wird die Krise überdauern – wie, das deuten die letzten Sätze des
Romans, Losies Worte, an: »Eigentlich ist nichts passiert. Aber
alles ist anders geworden.« Undurchsichtiger bleibt die finanzielle
Situation des väterlichen Unternehmens nach dem Bauskandal.
Aber auch hier wird die Zeit vieles wieder ins Lot bringen. Der
Bauunternehmer hat sich zwar mit der adligen Erzieherin seiner

Tochter keine »Geschichte« kaufen, doch mit den erfolgreichen Praktiken des Aufsteigers einen Platz im Establishment der Stadt sichern können.

Man wird ihn die Sanktionen der Gesellschaft fühlen, nicht aber ihn fallen lassen. Denn auch diese Erwerbs- und Wohlstandsgesellschaft der Nachkriegszeit selbst, die den Karneval zu aufwendigen Selbstinszenierungen benutzt, ist letztlich »geschichtslos«: Die festlichen Rituale und das »hierarchische Getue« in den leer gewordenen Formen des »Ancien régime« sind eine »greuliche Maskerade«, mit der sich Demokraten noch etwas vom Prunk der vergangenen höfischen Gesellschaft zu borgen versuchen.

Die Sehnsucht der Zeit nach Symbolen, nach Mythen wird auch erkennbar in der magischen Kraft, die man in einem der benachbarten Weindörfer dem Pferd zuschreibt, das die Erzählerin als einziges Besitzstück vom baltischen Gut mitgebracht hat. Der inzwischen uralte Hengst, von einer Bauernfamilie gepflegt, genießt die Verehrung eines wundertätigen Wesens; vergebens kämpft der Dorfpfarrer gegen die Legenden, die der Aberglaube an ihn knüpft. Nicht zufällig heißt dieses Pferd Duke (Herzog); auch hier suchen die geheimen Wünsche der Heutigen Zuflucht bei einer noch »aristokratischen« Einzigartigkeit, die sie in der Wirklichkeit nicht mehr finden.

Es ist der Mangel unserer gegenwärtigen Gesellschaft an geschichtlicher Tiefe, und es sind die Versuche, diesen Mangel zu kompensieren, die Eva Demskis Roman unter der Geschäftigkeit des Geldverdienens und des Festefeierns entdeckt. Und dies alles wird nicht theoretisch oder ideologiekritisch erörtert, sondern an den Handlungen der Figuren und ihren wechselseitigen Beziehungen gezeigt. Allzu gestellt wirkt die Szene, in der sich die Erzählerin dem Stammtisch der Honoratioren nähert, die sie aushorchen will. Für solche Art von »Diplomatie« fehlt der Autorin die Anschauung oder die Phantasie. Aber wie dann – bei der Enthüllung der Tatmotive – die Berichte der Täterin und dessen, der mit dem Schrecken davonkam, fugenlos ineinander verzahnt werden, das ist ein erzählerisches Meisterstück.

Nach einem etwas hölzernen Eingang fließt die Sprache der Erzählerin ganz ohne Anstrengung dahin, ohne gesuchte Wortverbindungen, ohne rhetorisches oder grammatisches Hakenschlagen. Ein einziges Mal wird sie mit bildlicher Bedeutung überfrachtet: wenn die Erzählerin der »Spinne« Losie sich selbst als

»Vampir« gegenübergestellt und so in die Untiefen der Tiermetaphorik abgleitet. Aber sonst ist diese Sprache als Sprache kaum wahrzunehmen, so unmittelbar liegt sie den Gedanken an. Und von solcher rhythmischen Faszination ist sie, daß man sie nicht nur lesen, sondern immer zugleich sprechen möchte.

Ihrem ersten Roman, »Goldkind« (1979), glaubte Eva Demski noch mit dem Unfalltod der Hauptfigur einen kräftigen Abschluß geben zu müssen. In ihrem neuen Roman braucht sie nicht mehr das definitive Ereignis, um eine Geschichte zu beenden. Der offene Schluß ist Zeichen für die gestärkte Sicherheit des Erzählens.

(17.11.81)

Der Satellit Goethes
Zu Martin Walsers Eckermann-Szenen

Eckermann ist nicht nur ein Name, er ist längst zum Begriff für eine Funktion geworden. Vom Papagei Goethes sprach Heinrich Heine. Ein witziges, aber ungerechtes Wort. Denn das Werk, das Eckermann wahrhaft unsterblich gemacht hat, seine »Gespräche mit Goethe«, ist ja keineswegs nur die Protokollsammlung eines Sekretärs. Eckermann war der Gesprächspartner, der durch Fragen anregte, der Goethe forderte und herausforderte, vieles erst aus ihm herausholte. Darin war er geistig ebenbürtig.

Eine besondere Art von »Dank« an Eckermann hat jetzt Martin Walser abgestattet in zehn »Szenen aus dem 19. Jahrhundert« unter dem Titel »In Goethes Hand« (erschienen im Suhrkamp Verlag). Die Uraufführung des Stückes, am Wiener Burgtheater, ist für den Herbst vorgesehen. Eine dreiteilige Hörspielfassung in der Regie von Hans Lietzau sendet das III. Hörfunkprogramm des WDR am 23.3., 30.3. und 6.4., jeweils um 21 Uhr.

Was hat Martin Walser gerade an der Gestalt Eckermanns gereizt? Offensichtlich eine Variante jenes Abhängigkeitsverhältnisses, dessen moderne Spielarten er schon im Theaterstück »Überlebensgroß Herr Krott« (1963) am Verhältnis zwischen dem Unternehmer Krott und dem Kellner Ludwig und im Roman »Seelenarbeit« (1979) an der Beziehung des Fabrikanten Gleitze und des Chauffeurs Zürn skizziert hat. Auffällig der Wechsel aus der Welt der Wirtschaft in die Welt der Geistes- und Literaturgeschichte.

Hartnäckig besteht Walser immer wieder auf seiner Frage nach den materiellen Voraussetzungen der Eckermannschen Existenz. Schon in der ersten Szene, im Dialog zwischen Eckermann und seiner Verlobten Hannchen (in der Hörspielinszenierung von Franziska Walser, der Tochter des Autors, gesprochen), ist sie beherrschend. Sechs Jahre nach Eckermanns Übersiedlung nach Weimar fehlt die Grundlage für eine Heirat noch immer; über Geld kann er mit Goethe nicht reden. Er verdient seinen Unterhalt mit Deutschstunden für Engländer und Amerikaner. Die letzten Szenen, aus dem Jahre 1848, zeigen den Sechsundfünfzigjährigen »von Armut und Krankheit gezeichnet«.

Hier schwärzt Walser die soziale Lage der historischen Person doch etwas ein. Eckermann, seit 1838 großherzoglicher Hofrat und Bibliothekar der Großherzogin, lebte wahrlich nicht in luxuriösen Umständen, aber er zählte auch nicht zu den völlig Mittellosen der Residenzstadt Weimar. Walser weicht von der äußerlichen historischen Richtigkeit ab, um ein Grundverhältnis zu verdeutlichen. Protest im Namen des Kleinen gegen den Großen war sein Antrieb.

Und dieser Antrieb gewann, wie Walser in einem kommentierenden Gespräch berichtete, eine unerwartete Aktualität bei einem Besuch im heutigen Weimar. Er fand, ganz in der Nähe des glanzvoll konservierten Goetheschen Hauses am Frauenplan, das Eckermannsche Häuschen in einem verrotteten Zustand. Vielleicht wird sein Befremden über den Widerspruch zwischen diesem Tatbestand und der offiziellen gesellschaftlichen Ideologie, aufgegriffen von Zeitungen der DDR, zum Anlaß einer Rehabilitierung Eckermanns im Stadtbild Weimars.

Er habe den Protest, den Eckermann selbst nicht erhob, nachliefern wollen, sagt Walser. Aber offensichtlich sträubte sich der geschichtliche Stoff dagegen, diesen Protest in die Konzeption der Figur selbst aufzunehmen. Im übrigen lag Walser nicht daran, Goethe zu verdächtigen und in unbilliger Weise herabzusetzen. Seine Schwierigkeiten mit dem Stoff lösten sich erst auf, als er das Motiv für Eckermanns selbstlosen Dienst am Goetheschen Werk entdeckt zu haben glaubte: Liebe.

So entschädigt nun in Walsers Eckermann-Stück die Liebe zum großen Vorbild für alle Entbehrungen und für den Verzicht auf das eigene Künstlertum. Dieser Entwurf ist überzeugend, weil nur so Eckermanns restlose Hingabe an Goethes Persönlichkeit und Werk erklärlich wird. Aus der Distanz zu verehren ist leicht; Verehrung aus nächster Nähe läßt sich nur durchhalten mittels Liebe.

Trotz aller Schwierigkeiten mit der Figur Eckermanns – das eigentliche Problem Walsers lag in der Figur Goethes. Nur indem er sich ihm vom Interesse für einen anderen her nähert und ihn in seinem Verhältnis zu diesem anderen darstellt, bleibt das Wagnis überhaupt kalkulierbar. Walser zeigt nicht den Goethe der »Gespräche mit Goethe«, keinen Geistreichen, keinen Erhabenen, nicht den Mann, der seiner Epoche den Stempel aufdrückte. Er holt den »Olympier« herunter von dem Kothurn, auf den er sich selbst, auf den ihn vor allem seine Mit- und Nachwelt, nicht zuletzt Eckermann, stellte. Er läßt den fast Fünfundsiebzigjährigen, der gerade aus Böhmen von seiner Marienbader Liebe Ulrike von Levetzow zurückkommt, auf einen einfachen Trick, auf das Lockmittel einer roten Mädchenbluse hereinfallen; er enthüllt seine körperlichen Mängel, Schwerhörigkeit und Kurzsichtigkeit; er präsentiert einen Genießer und einen – nicht unsympathischen – Egoisten, der Eckermann ganz ohne schlechtes Gewissen ausnutzt. Dieser Goethe, im Hörspiel von Hans-Christian Blech mit frischer Bonhomie gesprochen, ist ein ebenso listiger wie naiver Alter.

Da geht vom überlieferten Goethebild nicht nur der Lack ab, da geht auch Substanz verloren. Der Goetheschen Persönlichkeit werden diese Szenen nicht gerecht, dafür ist die Figur zu eindimensional. Aber noch einmal: Nicht eigentlich von Goethe, sondern von Eckermanns Verhältnis zu ihm handelt Walsers Stück. Im übrigen wollte Walser offensichtlich dem heutigen Publikum eben nicht ein Denkmal oder eine Gipsfigur, sondern eine fleischliche, lebende Person vorstellen. Aber jeder Regisseur wäre schlecht beraten, der auch nur ein einziges Mittel des Schwanks zu Hilfe holte.

Mit Zitaten war der Dialog nicht zu bestreiten, sieht man von einigen Gedichten ab. »Ausgetrocknet« nennt Walser die Sprache seiner Goethefigur. Als salopp – allzu salopp – mögen sensible Goetheverehrer sie empfinden; aber die Goethediktion, die sie wünschen, ist im Theaterstück und auf der Bühne des 20. Jahrhunderts nur um den Preis der unfreiwilligen Parodie zu haben. Vom Goethegestus in den Dialogreden seiner Figur spricht Walser. Das stimmt nur zur Hälfte. Getroffen ist der Sprachgestus dessen, der in Eckermann eine billige Ergänzung seiner selbst, sozusagen seine dritte Hand, gefunden hat und einen Partner, dessen Geist gefügig ist wie Wachs (hervorragend in der Hörspielrolle Hans-Peter Korff).

»In Goethes Hand« – die assoziative Nähe des Titels zu »in Gottes Hand« ist kein Zufall. Als seinen »göttlichen Goethe« verteidigt Eckermann den Dichter gegenüber seiner Verlobten, die allen Grund zur Eifersucht hat und sich im Stück als die verbitterte, weil hilflose Gegenspielerin Goethes abmüht. Aber Eckermann läßt sich allzu gern in die Satellitenbahn hineinzwingen, gibt sich selbst in Goethes Hand. Daß er davon profitiert, daß der Ruhm des Großen auf ihn ausstrahlt, daß man, auch wenn er am finanziellen Erlös nur den allergeringsten Anteil hat, seiner Hand ein wesentliches Erbe anvertraut – dieser Aspekt interessiert Walser wenig.

Kein Zweifel, Walser hat der Figur einen Schuß Knechtseligkeit injiziert. Sie wird gestisch sinnfällig am Schluß des Stücks, wenn sich Eckermann von Ottilie von Goethe den vornehmen Handkuß eindrillen läßt. Dieser dritte Teil spielt im Jahre der Revolution, genauer zur Zeit der scheiternden Revolution von 1848. Walser läßt den demokratischen Dichter Ferdinand Freiligrath bei Eckermann in Weimar Besuch machen. Eckermann, obwohl mit der Revolution sympathisierend, bleibt taub gegenüber dem politischen Ansinnen des Besuchers. Freiligrath geht es »nicht um Poesie«, sondern um ein Interview für die »Neue Rheinische Zeitung«, für Karl Marx, dessen »Geschichtsautomaten«, nach dem die »Geschichte funktioniert wie Mathematik«, er selbst freilich nicht vertraut. Eckermann hat nur seinen schönen Traum von Goethe anzubieten.

Der dritte Teil trägt in das Verhältnis Eckermanns zu Goethe schon die Auseinandersetzung Heines und Börnes, der jungdeutschen, der Vormärz- und Revolutionsdichter mit der Goetheschen »Kunstperiode« hinein. Auf solche Weise geraten auch Eckermanns poetisches Schönheitsprogramm und seine Idealisierung Goethes unmittelbar in eine kritische Beleuchtung.

In der Hörspielfassung schließen die drei Teile jeweils mit einem Chorgesang ab, mit zeitgenössischen Liedern der Huldigung an Goethe. So wird eine andere Dimension der Wirkung Goethes sichtbar. Schon hat der Autor einen neuen Zusatz angekündigt. Das Stück ist noch nicht fertig, und Walser weiß es.

(23. 3. 1982)

Die Berliner Mauer im Kopf
Peter Schneiders Erzählung über ein nationales Trauma:
»Der Mauerspringer«

Berlin eine »siamesische Stadt«? Deutschland vielleicht ein siamesisches Land, dessen beide Zwillingshälften für sich leben und doch nicht ohne einander zu denken sind, die zu trennen eine blutige Operation erfordern würde? Oder das Vaterland der Deutschen nur noch in der deutschen Muttersprache existent? Die Deutschen also wieder »beim Anfang ihrer Geschichte angelangt«?

Solche Fragen stellt und provoziert in seinem neuen Buch »Der Mauerspringer« Peter Schneider, für den die »deutsche Frage« nun schon seit »dreißig Jahren Speck angesetzt« hat und der dennoch mit jeder Seite beweist, daß sie weder totzureden noch totzuschweigen ist. Was Schneider »Erzählung« nennt, ist ein lockerer, mit Reflexionen durchsetzter erzählerischer Rahmen, in den sich episodische Geschichten einbetten, deren Thema das »Mauerspringen« ist.

Die »Mauerspringer« finden sich mit der Realität der betonierten und verminten Grenze zwischen der DDR und der Bundesrepublik, im engeren Sinne mit der Berliner Mauer nicht ab. Sie bauen auf die Erfahrung, daß es in jedem System eine Lücke gibt. Aber Schneiders Mauerspringer-Geschichten machen auch einen kräftigen Satz ins Phantastische. Das muß nicht immer ein Widerspruch sein. Manchmal hat ja die künstlerische Erfindung Mühe, der Phantastik des Wirklichen zu folgen.

Ein unbekehrbarer Grenzspringer ist der Sozialhilfeempfänger Kabe, der sich vom Westen über die Mauer schwingt und im Osten in einer psychiatrischen Klinik beobachten und durchfüttern läßt, der – nach dem Westen abgeschoben – sehr bald wieder springt, überhaupt mit seinem »zügellosen Trieb, die Mauer zu überwinden«, zum vielfachen Rückfalltäter und »zu einer ernsten Belastung für die deutsch-deutschen Beziehungen« wird. Fast behindert Kabe bei seinem fünfzehnten Mauersprung die von Osten her sich herüberschleichenden jungen »Kinogänger«, die gerade zum zwölften Mal auf ihrem freitäglichen Weg ins Kurfürstendamm-Kino sind.

In einen Dschungel gerät beim Hin- und Herüberwechseln Walter Bolle, der »auf eigene Faust Krieg gegen die DDR führen wollte« und sich dabei in den Schlingarmen der östlichen und westlichen Nachrichtendienste verfängt, der nicht nur als Doppel-, sondern als Vielfachagent tätig wird, so daß am Ende gar nicht mehr auszumachen ist, in wessen Auftrag er eigentlich handelt. »Walter Bolle war in eine Lage geraten, in der er sich selbst am treuesten blieb, wenn er im Dienst beider deutscher Staaten beide aneinander verriet.«

Man sieht, die Mauerspringer-Geschichten sind mit Ironie erzählt; sie spielen mit einem Thema, dessen fatalen politischen Ernst jeder, ob nun auf östlicher oder westlicher Seite, kennt. Die Ironie schafft Abstand, soll Entlastung von einem nationalen Trauma bringen. Es läßt sich sogar an ihr ein utopisches Moment erkennen: Das ironische Erzählen greift einem Zustand vor, in dem die Mauer tatsächlich leicht zu überspringen, zu überfliegen, also in Wirklichkeit nicht mehr existent ist.

Doch birgt diese Ironie auch einen problematischen Kern: Sie läßt an eine Utopie glauben, die vorerst bloße Fata Morgana ist. Die Mauerspringer-Geschichten sind nämlich gleichnishafte Spiegelungen der Haltung des Autors selbst, der von West-Berlin aus mehrfach nach Ost-Berlin und in die DDR aufbricht, die Mauer auf gefahrlose Weise mit einem Passierschein »überspringt« und in der Geschichte »eines Mannes, der sein Ich verliert«, seine eigene sieht: »Je öfter er aber zwischen beiden Hälften der Stadt hin- und hergeht, desto absurder erscheint ihm die Wahl. Mißtrauisch geworden gegen die hastig ergriffene Identität, die ihm die beiden Staaten anbieten, findet er seinen Ort nur noch auf der Grenze.« Absurd werden kann eine Wahl erst dem, der sie hat. Wie rasch diese Freiheit der Wahl widerrufen werden kann, wie rasch die Mauer wieder unübersteigbar wird, erfährt der Autor am Ende, als die Grenzposten ihm eine weitere Einreise nach Ost-Berlin ohne Angabe von Gründen verweigern.

Der Ort »auf der Grenze« kennzeichnet genau die Position der obdachlos gewordenen westdeutschen Linken, zu der man Peter Schneider rechnen darf. Die Veteranen der Studentenbewegung, soweit sie nicht im einst verhaßten Establishment untergetaucht sind, klammern sich nach dem Schiffbruch ihrer revolutionären Hoffnungen an die Vorstellung von einem Sozialismus, der im Westen nicht realisierbar und im Osten verraten worden ist. Ihr Ort ist das Niemandsland zwischen zwei ungeliebten gesellschaftlichen Ordnungen, an deren keine sie sich binden lassen wollen. In einem tieferen Sinne sind die Niemandslandbewohner und die Mauerspringer identisch.

Und hier verknüpfen sich und verschärfen sich wechselseitig die gesellschaftspolitische und die nationale Frage. Wie den beiden Staats- und Gesellschaftssystemen mißtraut der Autor auch ihrem Begriff der Nation und damit der Forderung nach Wiedervereinigung hier und dem Gedanken von der eigenständigen sozialistischen Nation dort. Er fühlt sich einem Volk zugehörig, »das keine staatliche Identität mehr besitzt. Damit behaupte ich aber gleichzeitig, daß meine nationale Identität nicht an meine Zugehörigkeit zu einem der beiden deutschen Staaten gebunden ist.« Es ist eine ganz neue Art von (innerem) Exil, in das sich ein Teil der westdeutschen Linken begeben hat.

Gerade solche Heimatlosigkeit aber ermöglicht genaues Beobachten und Analysieren gruppentypischer Haltungen und Reaktionen diesseits und jenseits der Mauer. Schneiders Geschichten und Reflexionen zum deutsch-deutschen Verhältnis werden zur Erkundung der Irritationen, denen heute die Schriftsteller der Linken ausgesetzt sind. Seine Erfahrung: Immer wieder geraten die Gespräche mit den Schriftstellerfreunden in Ost und West in einen Mechanismus der schiefen Argumente, der in Sackgassen führt.

Da ist das unaufhörliche wechselseitige Aufrechnen von Mißständen. Da gilt Wirkungslosigkeit als Preis für die Freiheit des Schriftstellers im Westen und seine Überwachung oder Unterdrückung im Osten als Zeichen dafür, daß er ernst genommen wird. Da verdient der aus der DDR nach West-Berlin gegangene Schriftsteller nun knirschend sein Brot beim Klassenfeind, im westlichen Sumpf, und führt – von den Erfahrungen in der DDR geprägt – jede Regung in der Gesellschaft, sogar die Studentenbewegung der endsechziger Jahre, auf einen Plan, auf eine Verschwörung der »Bosse« zurück, während der aus der Studentenbewegung hervorgegangene Autor überall nur Spontaneität und Eigeninitiative am Werke sieht. Da will eine westliche Schriftstellerin im Osten an ihre Freiheit im Westen nicht erinnert werden und kehrt doch mit entwaffnender Selbstverständlichkeit in die schlechteste der Welten zurück. Da fallen die bösesten Worte über Wolf Biermann bei Schriftstellern der DDR, die gegen seine Ausbürgerung protestierten, für die Biermann aber bei seinem berühmten ersten Auftritt in Köln »den Gruppenkonsens des begrenzten Risikos verletzte« und die eigene Aussicht auf eine Westreise schmälerte.

Es ist eine merkwürdige Bewußtseinsspaltung, die Schneider bei seinen Freunden (und sich selbst) registriert – ebenjene Spaltung, die als eine historische Folge der deutschen Teilung und des – im Osten wie im Westen – gescheiterten Sozialismus erscheint. Die Deutschen können, meint Schneider, so weit sich auch ihre Wünsche von ihren Staaten entfernen, nicht miteinander reden, ohne daß einer der beiden Staaten aus ihnen spricht. Treffend nennt er diese Bewußtseinsspaltung die »Mauer im Kopf«, und seine melancholisch-pessimistische Voraussage lautet: »Die Mauer im Kopf einzureißen wird länger dauern, als irgendein Abrißunternehmen für die sichtbare Mauer braucht.«

Die Frauenfigur Lena weckt Erinnerungen an die Freundin L. in Schneiders bekannter Erzählung »Lenz« (1973). Aber die Liebe bleibt im neuen Buch ein Randthema, wird gegenwärtig nur als ein abgelebtes Gefühl. Mit zunehmendem Abstand von der Studentenrevolte ist die Erotik, als gäbe es einen geheimen Zusammenhang zwischen ihr und der Revolution, stumpfer geworden. Verändert hat sich auch die Sprache Schneiders. Das Staccato der Sätze in »Lenz«, Ausdruck einer nicht zur Ruhe kommenden Verstörung, schien getrieben von den in Georg Büchners Novellenfragment »Lenz« nicht zu Ende genutzten Energien. In der neuen Erzählung werden die Irritationen Gegenstand einer klärenden Sprache, Gegenstand der Reflexion und des gleichnishaften Erzählens, einer – nicht nur im einschränkenden Sinne – ausgeglühten Sprache.

Ich sehe Peter Schneiders Erzählung über die Mauer im Kopf als Gegenstück zu dem Essayband seines Bruders Michael »Den Kopf verkehrt aufgesetzt oder Die melancholische Linke« (1981). Kritische Bestandsaufnahmen sind beide Bücher. Die beste Analyse der Linken bleibt vorerst ihre Selbstanalyse. Aber das heißt auch: Die obdachlose Linke beschäftigt sich zur Zeit weniger mit ihren Gegnern als mit sich selbst.

(6.4.82)

Von der Überflüssigkeit des Ästhetischen
Hermann Brochs »Briefe 1913-1951«

Schriftsteller wie James Joyce, Thomas Mann und Hermann Broch Romanciers auf dem »Plüschsofa«? Wer könnte den Verdacht, »künstlerisches« Schreiben sei geschichtlich überholt, so weit treiben, wenn nicht eben einer dieser Autoren selbst. Hin- und hergerissen zwischen Philosophie und Poesie, betrieb Hermann Broch die Schriftstellerei mit ständigem schlechten Gewissen. Wenn »das sogenannt Künstlerische mich einfach überwältigt«, kommt es vor, »daß ich tagelang an einem einzigen Satz oder an einem architektonischen Aufbau knete, freilich auch in der Überzeugung, daß jeder Ausdrucksmangel, sei er auch nur ein stilistischer, auf eine Unreinheit des Gedankens zurückzuführen ist«.

Wie seine Skepsis gegenüber dem Roman durch die politischen Ereignisse nach 1933 bestärkt und doch in der schriftstellerischen Praxis immer wieder unterdrückt wird, läßt sich in den drei Bänden der Briefe Brochs verfolgen, die jetzt ihm Rahmen der von Paul Michael Lützeler herausgegebenen und kommentierten Werkausgabe erschienen sind.

Hermann Broch, 1886 in Wien geboren, zählt nicht zu den Schriftstellern, deren Bestimmung früh – von ihnen selbst wie von anderen – erkannt wurde und deren Weg zu Wirkung und Erfolg von vornherein geebnet schien. Als Sohn eines aus ärmlichen Verhältnissen kommenden jüdischen Textilindustriellen beendete er ein Studium als Textilingenieur und trat als Direktor in die väterliche Spinnfabrik ein, die er etwa zwei Jahrzehnte später verkaufte. Er nahm philosophische, mathematische und physikalische Studien wieder auf und wandte sich literarischen Arbeiten zu. Als sein erster Roman, »Die Schlafwandler«, herauskam, war er bereits ein Mittvierziger.

Gerade begann sich dieser Roman in der Öffentlichkeit durchzusetzen, da wurde mit dem Sieg Hitlers jener »große Umbruch« Wirklichkeit, den Broch als einen endgültigen Zerfall der Wertvorstellungen hatte kommen sehen. Was nun bevorstand, nannte er den »Durchmarsch durch das Nichts«. Nach dem »Anschluß« Österreichs durch eine vorübergehende Gefängnishaft gewarnt, floh er zunächst nach England und dann nach den USA. Empfeh-

173

lungen für das amerikanische Visum schrieben Albert Einstein und Thomas Mann.

Aber Brochs Rettung – die Mutter kam im Konzentrationslager Theresienstadt ums Leben – erledigte keine der schriftstellerischen Schwierigkeiten. Das Exil verschärfte sein Dilemma. Er lebte in Princeton von einem mehrjährigen Stipendium für seine Arbeit an einer Massenwahntheorie, die aber zu seinen Lebzeiten nicht erschien, und er bekräftigte in seinen Briefen immer wieder die Absicht, eine Erkenntnistheorie abzuschließen. Die Romane »Der Tod des Vergil« und »Die Verzauberung« mußte er seiner Überzeugung vom Vorrang der Wissenschaft abtrotzen. Andererseits ließ ihm eben sein Künstlertum für seine philosophischen und sozialpsychologischen Untersuchungen die nötige Freiheit nicht.

Broch hat seine geschichtsphilosophische Methode als hegelianisch verstanden. Man muß da Vorbehalte anmelden. Erkennbar aber wird sein Rückgriff auf Hegels Gedanken vom »Ende der Kunst«, auf eine Theorie, nach der zwar Kunst weiterhin möglich ist, nicht aber mehr – wie in der Antike – dem höchsten Bedürfnis des menschlichen Geistes entspricht, vielmehr diesen Vorzug an die Philosophie hat abtreten müssen. Durch Brochs Briefe zieht sich das Thema von der zum Anachronismus gewordenen Kunst wie ein Leitmotiv. Schon 1932 heißt es: »Wir müssen uns ja darüber klar sein, daß die Zeit für den Schriftsteller vorüber ist, weil die Zeit eben mit Kunst nichts zu tun hat.«

Die Frage, ob denn Dichten, Romaneschreiben überhaupt noch »eine legitime Lebensäußerung« sei, gewinnt eine ganz andere Dringlichkeit und Schärfe angesichts des nationalsozialistischen Terrors. In einem Brief an Einstein aus dem Jahre 1939 spricht Broch von »der Überflüssigkeit des Ästhetischen, besonders des Schriftstellerischen in Grauensepochen«. Und wiederum später spitzt sich das Problem noch einmal zu: »Das Spielerische des Kunstwerks ist in einer Zeit der Gaskammern unstatthaft.« Unüberhörbar ist da die Nähe zu Theodor W. Adornos berühmtem und umstrittenem Diktum, nach Auschwitz noch Lyrik zu schreiben, sei barbarisch.

Glücklicherweise hat sich Broch nicht selbst beim Wort genommen und letztlich doch der Literatur die Kraft zugetraut, gegen die Inhumanität Humanes zu setzen. Aber ihm genügte die bloß ästhetische Opposition nicht mehr. Schon 1935 entwarf er in der sogenannten Völkerbund-Resolution ein Gesetz »Zum Schutz der Menschenwürde« und ein entsprechendes Erziehungsprogramm. Immer erneut kreiste sein Denken um politische, soziale und ethische Probleme der Demokratie. Was aber humanes Handeln konkret heißt, bewies er nach dem Kriege gegenüber seinen in Europa verbliebenen Freunden und allen, die wohl seine finanziellen Mittel, nicht aber seine Hilfsbereitschaft überschätzten.

Schon im Jahre 1945 beschäftigte ihn der Ost-West-Konflikt, dessen Spannungen und Krisenherde gerade erst erahnbar wurden. Sein Brief an Paul Federn, mit dem er früher einmal die Gründung eines Forschungsinstitutes für politische Psychologie erörtert hatte, könnte auch als ein Beitrag zur heutigen Friedensdiskussion gelesen werden: »Natürlich weiß ich, daß die russische Regierung totalitär nach innen und imperialistisch nach außen handelt. Aber . . . heute . . . darf nicht vergessen werden, daß der Weltfrieden ebenso auf Rußland wie auf den Demokratien ruht.« Die Demokratien müssen sich »zu einer *starken Humanität* entwickeln, ebensowohl aus Gründen der Stärke wie aus denen der Humanität«. Da aber »der Dauerfriede von dem Willen zur Benützung der Atom-Energie abhängt, also von einer moralischen Haltung«, scheint eine »Angleichung zwischen demokratischer und Sowjetmoral« »nicht die schlechteste Diplomatie zu sein«, weil »es beide mit der Angst zu tun haben, also mit der Angst vor dem Todestrieb der Menschheit. Es geht also um eine moralische Stärkung des Lebenstriebes.«

Ein Großteil der Briefe – an Verleger und Übersetzer, an Freunde und Kollegen, an Korrespondenzpartner wie Einstein oder Thomas Mann, Erich von Kahler oder Hannah Arendt, Dolf Sternberger oder Wilhelm Emrich – hat die Form des Kurzessays. Persönliches bleibt am Rande: Mahnungen an den Sohn, später dann Zuspruch, Sorge um die Mutter, kurze entschuldigende Hinweise auf Krankenhausaufenthalt oder Nahen des Alters. Selbst die Briefe an seine zweite, in Frankreich lebende Frau gehen über Sachliches kaum hinaus. Was sich in diesen Briefen bezeugt, ist Denken, nicht aber gelebtes Leben.

Zu den ersten literarischen Arbeiten Brochs gehörten Rezensionen. Literaturkritische Bemerkungen streuen sich selbstverständlich auch überall in die Briefe ein. Seine Bewunderung für den Landsmann Robert Musil hält sich in den Grenzen, die das Bewußtsein der Rivalität zieht. Früh entdeckt und empfohlen wird

Elias Canetti, der dann jenen Nobelpreis erhalten wird, den Broch für sich selbst erwartete und für den ihn auch 1950, ein Jahr vor seinem Tod, der österreichische PEN-Klub vorschlug. Thomas Mann wird – trotz eines Einwandes gegen die »Kostümhistorik« – neidlos anerkannt. Aus Solidarität lehnt Broch die Aufnahme in die Deutsche Akademie für Sprache und Dichtung ab, solange nicht Thomas Mann ihr Mitglied ist.

Der innere Abstand zu den deutschen Autoren der älteren Generation wächst im Verlauf der Exilzeit. Am Erhabenen, an der »Dichterfürstlichkeit« Gerhart Hauptmanns und seiner Altersgenossen nimmt er nur noch das Lächerliche wahr. Bei der Vorbereitung einer amerikanischen Hofmannsthal-Ausgabe wird ihm die Lektüre immer langweiliger – sein philosophisches wie sein künstlerisches Interesse bleiben unbefriedigt. Hofmannsthal »hat nicht Theater-, sondern Librettoblut«.

Über Stefan George spricht Broch unverblümter, polemischer. An der »Grenze des politischen Verbrechens« stünden Verse wie »Zehntausend muß die heilige Seuche raffen, Zehntausende der heilige Krieg«. George »war für vieles in Deutschland verantwortlich, weit mehr als Nietzsche, dessen gesunde Skepsis ihm gefehlt hat. Er hat sich an Monumentalworten berauscht und damit auch die andern«.

Die Urteile über Hofmannsthal und George erklären sich aus Brochs Abwehrhaltung gegen die »ästhetisierenden Menschen«. Hier schlägt offensichtlich ein Kierkegaardsches Erbe, dessen Kritik am ästhetischen Dasein durch. Und es bleibt auch der Kierkegaardsche Ansatz sichtbar, wenn sich Broch eine Erneuerung der Ethik, die Rehumanisierung, nur von einer religiösen Humanität erhofft.

Die Briefe der letzten Jahre sind gefüllt mit Klagen über die Arbeitslast, zumal der zeitraubenden Korrespondenz. Das gewichtige Briefwerk wäre nicht zustande gekommen ohne Brochs Schonungslosigkeit gegen sich selbst, die er mit einem Herzversagen im fünfundsechzigsten Lebensjahr büßte. Aber es wird auch offenbar, ein wie unentbehrliches Lebenselement ihm diese Art des zwischenmenschlichen Verkehrs gewesen ist. So dokumentiert sich in seinen Briefen denn doch gelebtes Leben.

(28.4.82)

III Kritische Essays

Aphorismus statt Roman
Wolfdietrich Schnurres Kehrtwendung

Wenn sich ein Schriftsteller in bestimmten literarischen Gattungen ein Renommee erschrieben hat und in die Jahre gekommen ist, dann erwartet man von ihm keinen ungestümen Experimentierdrang mehr. Man versteht, daß er das Gütezeichen, das er mit einer Produktmarke erworben hat, nicht unnötig aufs Spiel setzt. Ist doch eine Art Standgericht-Kritik mit Urteilen wie: der Autor habe sich übernommen und wäre besser bei seinem Leisten geblieben, nur allzu rasch bei der Hand.

Hin und wieder freilich gibt es Schriftsteller, die plötzlich aus dem eingefahrenen Wechselspiel von Lesererwartung und Erwartungserfüllung ausscheren und in neue literarische Provinzen aufbrechen. Manche finden erst hier ihren eigentlichen Ort. So Theodor Fontane, der von der zeitgenössichen Kritik schon fest als »Meister« der Ballade, des Reiseberichts und sogar der Kriegsberichterstattung registriert war, bevor er – als fast Sechzigjähriger – Romane zu schreiben, also jene literarische Gattung für sich zu entdecken begann, in der er erst seine bedeutenden und überdauernden Werke hervorbrachte.

Ist der Fall des Wolfdietrich Schnurre ein vergleichbarer Fall? Prognosen über den Nachruhm von Gegenwartsautoren zu stellen, ist immer problematisch. Lassen wir aber das ungewisse Urteil der Nachwelt aus dem Spiel, so gehört Schnurre durchaus in diese Reihe. Der fast sechzigjährige Autor überraschte seine Leser und die Kritik im vergangenen Jahr – nun, nicht mit dem Roman, den mancher insgeheim noch immer von ihm erwarten mag und den er selbst wohl gern geschrieben hätte, sondern mit einem Band, dem er die Widmungen an Montaigne und Lichtenberg, die sich auf Seite 84 und 184 finden, auch als Motto hätte voranstellen können.

Schnurre ist einer der produktivsten deutschen Schriftsteller der Nachkriegszeit, als Autor von Gedichten, Hörspielen und Fernsehspielen, auch Kinderbüchern und vor allem von Kurzgeschichten. In der Chronik der Kurzgeschichte seit 1945 behauptet er seinen Platz neben Wolfgang Borchert und Heinrich Böll. Mit Kurzgeschichten ist er in die Schullesebücher eingegangen. Die »Aufzeichnungen« »Der Schattenfotograf« (1978) aber enthüllen ihn plötzlich als einen Aphoristiker.

Wer noch überrascht zu werden erwartete, der gewärtigte einen Roman. Dabei hatte sich Schnurre in dieser Gattung durchaus schon versucht, und zwar zumindest dreimal: in dem »Roman in Geschichten« »Als Vaters Bart noch rot war« (1958), in der »Chronik« »Das Los unserer Stadt« (1959) und in dem »Kurzroman einer Epoche« »Richard kehrt zurück« (1970). Aber die einschränkenden Untertitel verraten die Unsicherheit des Autors selbst. Und tatsächlich sind alle drei Werke, wenn man den Roman nicht so allgemein definiert, daß der Begriff – als eine Art Dietrich – für jegliche Erzählprosa von einigem Umfang paßt, lediglich Annäherungen an den Roman.

»Als Vaters Bart noch rot war« knüpft an die Jahre nach der ›zweiten Geburt‹ an. (Dreimal, sagte Schnurre später, sei er zur Welt gekommen: zum erstenmal in Frankfurt am Main, dann mit seiner und seines Vaters Übersiedlung nach Berlin im Jahre 1928, und schließlich mit dem Ende des Krieges.) Der Band ist eine Sammlung von Jugendgeschichten, die ihre Einheit durch das sich erinnernde Ich erhalten. Schon die Sätze des ersten Absatzes führen in die Atmosphäre der Stadt Berlin ein: »Es war Ende März . . ., und überall auf den Höfen bellten die geprügelten Teppiche los, und das S-Bahn-Geräusch kam viel klarer vom Hochbahnhof rüber als sonst, und auch in der Stimme des Lumpensammlers, der auf der Straße nach Altpapier schrie, lag es drin . . .«

Bietet »Als Vaters Bart noch rot war« autobiographische Bruchstücke zu einem Roman, so geht in der Chronik »Das Los unserer Stadt« die Figur des Ich-Erzählers in größtmögliche Distanz zum autobiographischen Ich. Die Absage an die Chronologie, an das Nacheinander der Zeiten, macht überhaupt eine historische Lokalisierung des Geschehens unmöglich. Gegenwart, Mittelalter und andere Epochen verschränken sich unauflöslich. Aber die Satire, etwa Kritik an Militarismus und politischer Korruption, wird dadurch so sehr ins Parabelhafte hinein verrätselt, daß sie sich oft ins Unverbindliche verflüchtigt. Und was der Erzähler in den Anmerkungen zu seiner »Archivarbeit« als Dienst nicht an »Chronos«, sondern an der »Wahrheit« kommentiert, zerlegt die Wahrheit in lauter Einzelwahrheiten.

Dabei gelingt Schnurre die Versinnlichung solcher Wahrheiten in Parabeln von äußerster Dichte. Unmittelbarer als das berühmte

Gleichnis von der Hinrichtung der Zeit wirkt auf uns heute die Parabel vom Knappwerden der Luft, die der Stadt von den regierenden »Dicken« entzogen und heimlich unter dem Rathaus in Preßluftflaschen gehortet wird, bis mit ihrer Entdeckung zugleich die Herrschaft der »Dicken« zu Ende geht.

Schnurres ganze Verlegenheit gegenüber der Gattung Roman zeigt sich nun darin, daß ebendiese Parabel und andere Geschichten der Stadt-Chronik wie Versatzstücke in den Kurzroman »Richard kehrt zurück« übernommen werden. Ja, letztlich ist der »Kurzroman einer Epoche« nichts als die Konzentration und Abwandlung der Chronik, wobei lediglich die satirischen Bezüge zur Zeitgeschichte, zur Nachkriegspolitik deutlicher werden.

Der ›Roman‹ scheint das literarische Trauma Schnurres zu bleiben. Und neuerdings sucht Reflexion das Leiden an der unbefriedigenden Praxis zu lindern und das Scheitern zu rechtfertigen. Im letzten Buch, »Der Schattenfotograf«, wagt sich die Polemik gegen den Roman hervor. Schnurre zitiert aus einem Brief seines Verlags, der von ihm einen »schönen Roman« erwartet, und kontert mit der Notiz: »Sätze, wie 1850 gesprochen«. Dann folgt ein Trommelfeuer von Schmähungen: »Was ist denn in so einem Roman schon Entscheidendes unterzubringen? Reißbrettkonstruktionen. Breitgewalzte Unterhaltungseffekte. Schnieke Stimmungen. Steile Entwicklungsprozesse. Knorrige Charakteristika. Hüpfende Zeitströmungsbojen. Schicksalsaufrisse bis ins achtzehnte Glied. Selbstschußanlagen für Leuchtspurplatzpatronengeschosse ins Samtherz der Modebewußten.«

Freilich begleitet ein Augenzwinkern diese Schmährede, denn sogleich läßt Schnurre sein ironisches anderes Ich, den Pudel Ali, sagen: »Merken Sie was? –: Der Fuchs verkauft uns viertelpfundweise die saueren Trauben, die ihm zu hoch hängen.« Aber die Einschränkung wird ihrerseits doch wieder eingeschränkt durch Schnurres Klagen über die »dickleibigen Folgen« der »Epischen Krankheit«.

An anderer Stelle des »Schattenfotografen« nimmt Schnurre das Thema wieder auf, indem er nun als Autorität Walter Benjamin zitiert. Das Zitat ist Benjamins Essay »Der Erzähler. Betrachtungen zum Werk Nikolai Lesskows« entnommen und bietet, aus dem Zusammenhang gerissen, treffliche Argumentationshilfe. Vom Romancier unterschieden wird nämlich der Erzähler, der aus der Erfahrung schöpfe und Erfahrung vermittle, während der

Romancier (da die »Geburtskammer des Romans« das Individuum in seiner Einsamkeit sei) selbst unberaten bleibe und keinen Rat geben könne, also die »tiefe Ratlosigkeit des Lebenden« bekunde. Schnurre identifiziert mit dem ›Erzähler‹ nun sich selbst als »Geschichtenverfertiger«, dem an Kommunikation, an Mitteilung gelegen sei. »Ich weiß schon, warum ich keinen Roman veröffentlicht habe: Ich bin nicht ratlos genug.«

Lassen wir die kleine Beschönigung, das Hinweggehen über die vergeblichen Bemühungen um die Romanform, außer acht. Was das ausgewählte Benjamin-Zitat und seine Anwendung verschweigen, ist, daß für Benjamin noch ein unmittelbarer Zusammenhang zwischen dem mündlichen Erzählen und der Kunst des Erzählens besteht und die Krise des Erzählers nicht von der Erfindung der Buchdruckerkunst zu trennen ist, durch die erst die Ausbreitung des Romans möglich wird. »Das mündlich Tradierbare, das Gut der Epik, ist von anderer Beschaffenheit als das, was den Bestand des Romans ausmacht.« Benjamins historisches Denken verbietet es, den modernen »Geschichtenverfertiger«, den Autor von Kurzgeschichten, mit Selbstverständlichkeit auch als moderne Inkarnation des ›Erzählers‹ zu sehen, zumal dieser in unserem Jahrhundert noch einmal weiteren Boden eingebüßt hat: »Mit dem Weltkrieg begann ein Vorgang offenkundig zu werden, der seither nicht zum Stillstand gekommen ist. Hatte man nicht bei Kriegsende bemerkt, daß die Leute verstummt aus dem Felde kamen? nicht reicher – ärmer an mitteilbarer Erfahrung.« Im übrigen hat der Buchdruck ganz allgemein das ursprüngliche Verhältnis von mündlicher Überlieferung und Erzähler gestört, nicht nur beim Roman. »Wir haben«, sagt Benjamin an anderer Stelle seines Essays, »das Werden der short story erlebt, die sich der mündlichen Tradition entzogen hat . . .«

Schnurre überhört diesen ihn selbst als ›Erzähler‹ in Frage stellenden Satz geflissentlich. Aus verständlichen Gründen. Nur zeigt sich eben, daß es nicht der Autor von Kurzgeschichten ist, den Benjamin mit Argumenten gegen den Roman ausstattet.

Andererseits kann sich Schnurre nicht auf die Kritik der Autoren experimenteller Prosa berufen, die den Roman verdächtigten, eine in der Wirklichkeit längst nicht mehr vorhandene Ordnung und eine längst nicht mehr mögliche Übersicht vorzutäuschen (und damit jene »Totalität«, die Georg Lukács' Romantheorie, sogar gegen Hegels Ästhetik, noch einmal für den Roman zu ret-

ten versucht hatte). Denn mit dieser Kritik verbindet sich der –
alle Bestsellerlisten von Romanen kühn ignorierende – Vorwurf,
das »Geschichtenerzählen« überhaupt sei anachronistisch geworden. Schnurre aber ist ein Geschichtenerzähler par excellence.

Ins Zentrum des Schnurreschen Dilemmas führt deshalb der
Satz, mit dem er sein problematisches Verhältnis zum Roman auf
eine Kurzformel bringt: »Ich diszipliniere meine Phantasie . . . lieber.« Diese Begründung ist richtig und irrig zugleich. Richtig,
wenn man die Kurzgeschichte als das Ergebnis einer gezügelten,
auf den Punkt konzentrierten Phantasie und den Roman als das
Spielfeld einer aus- und umherschweifenden Phantasie betrachtet.
Falsch, wenn man umgekehrt gerade den Roman als eine Form
versteht, in der die Phantasie zwar über Spielraum verfügt, aber
sich differenzierteren Kompositionsgesetzen zu unterwerfen hat,
wogegen ein dem Umfang nach vergleichbarer Band Erzählungen
und Kurzgeschichten als ein Tummelplatz für die unterschiedlichsten Kapriolen der Phantasie erscheinen kann. Ja, viele von
Schnurres Geschichten, nämlich jene, an denen das Groteske einen starken Anteil hat, sind schon für sich kleine Treibhäuser der
Phantasie. Und zumindest zwei seiner Romanexperimente scheitern nicht an seiner disziplinierten, sondern an seiner üppig-
bizarren, die Romanform sprengenden und die Erfahrungswirklichkeit zu sehr verfremdenden Phantasie.

Nein, alle Versuche, sich vom Roman zu distanzieren – sei es
durch Polemik, sei es durch Selbstrechtfertigung des »Geschich-
tenverfertigers«, bestätigen nur die unglückliche Liebe zum Roman. Aber besteht so gar keine Aussicht, daß Schnurre von ihr
geheilt wird? Ich meine, ja. Und die Lösung wird wohl nicht im
endlichen Lohn für langes Werben zu finden sein. Schnurres letz-
tes Werk deutet diese Lösung an. Daß »Der Schattenfotograf«
nicht nur exzellente, sondern zum Teil überschwengliche Kritiken
bekommen hat und in der »Bestenliste« ganz nach oben geklettert
ist, könnte für Schnurre Anlaß sein, den Roman in Zukunft auf
sich beruhen zu lassen und jegliches Ressentiment enttäuschter
Liebe zu vergessen. Er sollte mit seinem neuen Buch in einer neuen
literarischen Provinz nicht nur zu Gast gewesen sein.

»Der Schattenfotograf« ist in seiner Fülle verschiedenartigster
»Aufzeichnungen« nur scheinbar ein literarisches Quodlibet,
denn die auseinanderstrebenden Formen werden zusammenge-
halten durch das autobiographische Ich, das sich erinnert und auf

seine derzeitige Situation reflektiert, das historische Erfahrungen, Beobachtungen und Pläne mitteilt, das immer wieder die Begegnung mit Büchern und Autoren sowohl der Gegenwart wie der Vergangenheit sucht und sich so in einen großen Kulturzusammenhang stellt. Die Erzählphantasie Schnurres schafft sich Raum in kleinen Geschichten, die scheinbar mühelos hinfabuliert werden.

Das Buch hat einen Grundakkord, den der Titel präludiert. Schatten haben sich dem erinnernden und erlebenden Ich stärker eingeprägt als Helle. An der Erinnerung hängt das Gewicht der Leidenserfahrungen. Auch für die Gesamtkonzeption des Bandes scheint Walter Benjamin – in diesem Buch neben Franz Kafka und Ernst Bloch die große geistige Vaterfigur Schnurres – Anstöße gegeben zu haben. »Der Tod«, heißt es in Benjamins Lesskow-Essay, »ist die Sanktion von allem, was der Erzähler berichten kann. Vom Tode hat er seine Autorität geliehen.« Die autobiographische Lesart Schnurres lautet: »Es geht ... um den *lebendigen* Tod. Um den, der mich von Geburt an als schwarzer Zwillingsbruder, als getreuer Schatten begleitet.«

So bilden die Antworten auf Montaignes Essays, genauer auf dessen Überlegungen zum Sterben, einen der Mittelpunkte des Buches, wenn nicht sein Zentrum überhaupt: Schnurres zwanzig »Anmerkungen über das Sterben«. Diese Anmerkungen sind nun freilich keine Klageliteratur, sondern – der Obertitel »Vom Wert und Nutzen der Philosophie« kündigt es an – Beispiele praktischer Lebensphilosophie, Zeugnisse eher des ernsten Humors als der Verzweiflung. So die Anmerkungen 12 und 13, die Aufschluß über Schnurres Haltung nicht nur zum Gegenstand, sondern auch zur Form geben. »Das Sterben eines Siebzigjährigen zeitigt einen merkwürdigen Nebeneffekt. Es belebt die Gleichaltrigen.« Oder: »Was ihn so fit gehalten habe, wurde der Hundertjährige gefragt. Schmatzend verzog er den zahnlosen Mund. ›Die Todesfälle Jüngerer.‹«

Die beiden Anmerkungen beschreiben denselben Sachverhalt aus jeweils anderer Perspektive. Sie sind Variationen eines einzigen Themas, es geht jeweils nur um eine andere (witzige) Pointierung. So verbindet der vermittelte Erkenntnisvorgang das Improvisatorische mit der Präzision: er seziert mit zweifach geschärfter Klinge. Das aber sind die Spontaneität und intellektuelle Genauigkeit, die den Aphorismus kennzeichnen.

Die Kurzgeschichte war das Übungsfeld für den Aphoristiker Schnurre. In einem seiner Essays, »Kritik und Waffe« (1961), versucht er den mächtigen Auftrieb, den die Kurzgeschichte nach dem Kriege erhielt, aus der »Überfülle an peinigenden Erlebnissen« der Kriegsjahre zu erklären, aus Motiven, die »zu keiner durchkomponierten oder gar episch gegliederten«, sondern »zu einer atemlos heruntergeschriebenen, keuchend kurzen, mißtrauisch kargen Mitteilungsform« drängten. So richtig die Situation der Nachkriegs-Kurzgeschichte hier immer skizziert sein mag, so offenkundig ist es doch auch, daß dem Ausdruckszwang ein spezifisches Ausdrucksvermögen Schnurres entsprach.

Blickt man unter der Optik des »Schattenfotografen« auf frühere Schriften zurück, entdeckt man bereits dort versteckt Aphoristisches, vor allem in den »Aufzeichnungen des Pudels Ali« (1953/62) und dem »Tagebuch eines Sanftmütigen« »Die Blumen des Herrn Albin« (1955), also dort, wo ein reflektierender Zug überwiegt. Aber auch der programmatische Kernsatz im Essay »Schriftsteller und Engagement« (1963), »L'art pour l'homme also, nicht l'art pour l'art«, hat schon das Schlagende des Aphorismus.

Die Aufzeichnungen des ›Schattenfotografen« bestehen ja nicht nur aus Aphorismen. Das Buch sammelt Fragmente von Autobiographie und Tagebuch, Geschichtschronik und Ästhetik; es vereinigt Kommentare, Maximen und Reflexionen und ist ein Magazin für Geschichten und Romanfragmente. Aber in den Aphorismen-Reihen erhalten die Aufzeichnungen ihre kristalline Form. Die »Fünfzehn Thesen zum Thema Angewandte Schriftstellerei«, dem Göttinger Professor Georg Christoph Lichtenberg verehrt, spielen unmißverständlich auf die Wahlverwandtschaft des Schattenfotografen Schnurre mit dem Autor der »Sudelbücher« an. Unter ihnen ein Aphorismus, der ins Stammbuch der derzeitigen Rezeptionsästhetik geschrieben sein könnte: »Ist der Leser mein Partner? – Warum so geschäftlich. Der Leser ist mehr. Er ist meine Hoffnung. Ohne ihn bin ich verloren. Nur er kann mich aus meinem Ich-Gehäuse erlösen: Gelesen bin ich gerettet.« Der Kurzgeschichtenautor und Vater eines fünfjährigen Jungen zieht gegen das Märchen zu Felde in seinen vierundzwanzig ketzerischen, den Brüdern Grimm zugedachten »kurzweiligen Thesen« zum »Märchenschatz«. Und wenn es noch des Beweises bedürfte, wie sehr das Buch von der Form des Aphorismus her konzipiert ist, dann geben ihn die zwanzig Aphorismen über den Aphorismus – ein Stück Selbstreflexion des Buches. Der 18. lautet: »Der Aphorismus versucht der Wahrheit so nahe wie möglich zu kommen. Dicht vor ihr jedoch macht er halt. Ginge er weiter, müßte er auf die Pointe verzichten. Denn die Wahrheit hat nun mal keine.«

Bedeutet »Der Schattenfotograf« das Ende von Schnurres Ambitionen auf den Roman? Jedenfalls ist Schnurre jetzt den umgekehrten Weg gegangen: von der Kurzgeschichte nicht zur epischen Großform, sondern zur literarischen Lapidarform. Gewiß, ein Schriftsteller ist für (weitere) Überraschungen gut, solange er schreibt. Aber man möchte Schnurre doch das robuste Selbstbewußtsein von Sportlern wünschen: nämlich des Sprinters, der gar nicht auf den Gedanken kommt, er müßte mit dem Langstreckenläufer konkurrieren. Loben wir also den neuen Meister des Aphorismus.

Die Krone auf dem Haupt Germanias
Der Kölner Dom und die deutschen Dichter

»Drei Zeichen hat uns Gott bestellt, / Daß wir die Herren dieser Welt, / Sie soll'n uns heilig sein: / Des deutschen Weines goldner Saft, / Der Vater Rhein voll Mut und Kraft, / Der Dom zu Köln am Rhein.« Diese Zeilen schrieb kein Allerweltsreimer und kein Barde aus jener Zeit, da der Gesang »Denn heute gehört uns Deutschland / Und morgen die ganze Welt« vom Marschtritt brauner Kolonnen skandiert wurde. Das Gedicht »Die drei Zeichen« entstand im Jahre 1842. Aber es ist nicht der Seher und lyrische Herold des zweiten Deutschen Reiches, der die Botschaft der drei Zeichen überbringt, nicht der national-konservative Emanuel Geibel, dessen Verse »Und es mag am deutschen Wesen / Einmal noch die Welt genesen« eine so fatale Wirkungsgeschichte haben sollten. Nein, dieses Zeugnis eines vom Kölner Dom, dem Rhein und dem Wein inspirierten deutschen Überlegenheitsgefühls ist das frühe Manifest eines »Linken«, eines Autors, der später mit seltener Klarsicht nationalistische Großmannssucht diagnostizierte und den Deutschen »reinen Wein« einschenken wollte: Georg Herwegh.

Das Beispiel zeigt, in wieviele Fallen ein Lyriker stolpern kann, wenn er sich zum Mitläufer einer gerade populären Bewegung macht, wenn er sich von einem törichten Enthusiasmus anstecken und als Sprachrohr gebrauchen läßt. Denn nur politische Infantilität kann mit einem Getränk, einem Strom und einer unfertigen Kathedrale – der Kölner Dom war ja noch ein Torso – den Anspruch einer Nation, die erste in der Welt zu sein, begründen wollen.

Über die literarischen Äußerungen des Nationalgefühls im 19. Jahrhundert läßt sich gewiß nur vernünftig urteilen, wenn man den historisch verständlichen Wunsch nach nationaler Einheit der Deutschen ernst nimmt und bedenkt, wieviel die Literatur ohnehin einer zögernden Politik vorwegnimmt (vor der politischen gab es die Einheit der Sprache und der Kultur). Aber wir haben die Folgen jenes Prozesses mitzutragen, der nationales Selbstbewußtsein zu nationalem Machttrieb und schließlich zu nationaler Hybris sich entwickeln ließ. So können wir die Anfangsstrophe von Herweghs Gedicht nicht mehr mit derselben

Unbefangenheit lesen wie die Zeitgenossen von 1842, wir kennen die blutigen Konsequenzen des Denkschemas von den Deutschen als »Herren dieser Welt«.

Anlaß zu solchen Überlegungen gibt die hundertjährige Wiederkehr der Vollendung des Kölner Doms, die in diesen Monaten in Köln mit einer Fülle von Veranstaltungen gefeiert wird. Den Hunger eines neuerwachten historischen Interesses suchen die verschiedenen Fachwissenschaften mit einem großen Angebot an Informationen zu befriedigen. Über das Echo des Dombaus in der Literatur der letzten zwei Jahrhunderte unterrichten Jochen Stremmel und Horst-Johs Tümmers.

Die im 19. und 20. Jahrhundert unter Titeln wie »Der Kölner Dom in der deutschen Dichtung« herausgegebenen Anthologien machen deutlich, wie früh das – noch unvollendete – Bauwerk, seiner religiösen Bestimmung entfremdet, zu einem nationalen Symbol wird.

Von Anfang an ist das Interesse der Schriftsteller am Kölner Dom, genauer an dem fertiggestellten Chor, von der sakralen Funktion weggelenkt. Was Georg Forster, der seine Eindrücke in den »Ansichten vom Niederrhein« (1791) beschreibt, von seinen Besuchen im »herrlichen Tempel« erwartet, sind zwar noch »die Schauer des Erhabenen«, aber was ihn hinreißt, ist die Analogie der architektonischen Formen zur Natur, zur Gestalt des Waldes mit seinen Bäumen und Kronen. Dieses Erlebnis scheint freilich auch literarisch vermittelt zu sein. Denn schon der junge Goethe hatte in seinem Prosa-Dithyrambus auf das Straßburger Münster und den Baumeister Erwin von Steinbach (»Von deutscher Baukunst«, 1773) das Bild vom »Baume Gottes« verwandt und das Münster den »Werken der ewigen Natur« an die Seite gestellt.

Goethes Begeisterungsfähigkeit ist offensichtlich bei seinen Besuchen in Köln bereits erschöpft. Da vermag auch die Werbung von Sulpiz Boisserée, dem unermüdlichen Förderer des Dombau-Gedankens, eine letzte Reserve nicht zu beseitigen. Goethe begibt sich im Jahre 1813 »mit vorbereitetem Erstaunen« in den Dom und spricht später vom »unharmonischen Effekt« des unfertigen Ganzen und vom freudigen Erschrecken beim Betreten des Chors. Die steifen Ehrenbezeugungen verraten die Vorbehalte der klassischen Kunstauffassung.

Auf diese Weise erhält sich Goethe den Abstand zu einer Betrachtungsweise, zu der er selbst mit seinem Aufsatz »Von deutscher Baukunst« Anstöße gegeben hat und die mit zunehmender Einseitigkeit die gotische Baukunst als Originalleistung für die Deutschen reklamiert. Für diese Bewegung nun wird, spätestens seit Joseph Görres' Manifest aus dem Jahre 1814, der Kölner Dom zum Doppelsymbol: zum Symbol des nationalen Zustands und der nationalen Aufgabe, zum Symbol der Unfertigkeit und der dringlichen Vollendung des Deutschen Reiches.

Was bis zur Wiederaufnahme des Dombaus, bis zur Grundsteinlegung durch Friedrich Wilhelm IV. von Preußen im Jahre 1842 und vor und zu der Einweihung des Doms durch Kaiser Wilhelm I. an lyrischen Aufrufen sowie an Preis- und Jubelliedern die erzdeutschen Verseschmieden verließ, ist sicherlich noch gar nicht restlos erfaßt. Der unvollendete Dom als königlicher Bettler am Rhein (Levin Schücking), die Deutschen als ein Volk von Werkgesellen und von Meistern (Fr. Thiersch), der Kölner Dom als Krone auf dem Haupt Germanias (Ferdinand Freiligrath) oder der deutsche Dom als »heil'ger Himmelsthron« (Helene Görcke) – die Dichter leisten ihren Beitrag zum Dombau im Wettstreit um die erhabensten Bilder.

Die Veranstaltungen zur Vollendung des Doms im Jahre 1880 bestätigen auf demonstrative Weise den Gang der Entwicklung, den die Literatur spiegelt. Gewiß fallen noch die Schatten des Kulturkampfes zwischen Staat und katholischer Kirche auf die Feiern. Aber ohnehin drängt das nationalpolitische das kirchliche Ereignis ganz in den Hintergrund.

Natürlich fehlt in der Dom-Lyrik das religiöse Element nicht ganz. In den beiden Gedichten Max von Schenkendorfs allerdings verhüllt die biblische Bildlichkeit den nationalen Appell nur notdürftig. Und in die Schlußwendung von Heinrich Heines Gedicht über »das große, heilige Köln« und Lochners Altarbild im Dom schmuggelt sich ein blasphemischer Nebenton: »Es schweben Blumen und Englein/ Um unsre liebe Frau;/ Die Augen, die Lippen, die Wänglein,/ Die gleichen der Liebsten genau.« Aber ungebrochen ist der religiöse Ernst in einer Reihe von Andachtsgedichten. Weit hinter sich läßt solche Erbauungslyrik der Text, mit dem Annette von Droste-Hülshoff zum Dombau Stellung nimmt: nicht die Ballade »Meister Gerhard von Köln«, in der das Bild der unfertigen Kathedrale aus Kulissen der alten Gespensterballade ersteht und in der noch für den Ausbau des Doms geworben wird, sondern der Widerruf, das Gedicht »Die Stadt und der Dom«.

Hier meldet sich wortgewaltig die Enttäuschung darüber, daß die Dombauidee ganz von der Nationalidee annektiert worden ist. »Man meint, ein Volk von Heil'gen sei/ Herabgestiegen über Nacht,/ In ihrem Eichensarg aufs neu/ Die alte deutsche Treu erwacht.« In Wahrheit beginne man einen zweiten Turmbau zu Babel. (Die Wendung vom »Turm zu Babel« benutzt schon Goethe im Jahre 1810, aber nicht im eigentlich biblischen Sinne.) Eine zweite Tempelreinigung scheint nötig: »Die deutsche Stadt, der deutsche Dom,/ Ein Monument, ein Handelsstift,/ Und drüber sah wie ein Phantom/ Verlösche ich Jehovas Schrift.«

Ein ähnliches Beispiel von alttestamentlicher Sprache des Zorns findet sich in der kritischen Literatur zum Dombau nicht wieder, obwohl die Warnbilder an Schroffheit noch übertroffen werden von Heines Vision eines zum Pferdestall degradierten Doms (in »Deutschland. Ein Wintermärchen«, 1844). Heine hat mit der Droste – wie auch mit Herwegh – den radikalen Wechsel der Position gemeinsam. Im Jahre 1842 noch Mitunterzeichner des Gründungsaufrufs für einen Pariser Dombau-Hilfsverein, erkennt er rasch den Mißbrauch eines Patriotismus, der durch die Drohung Frankreichs, durch die sogenannte Rheinkrise im Jahre 1840, auch von außen mit neuem Antrieb versehen worden war. Im übrigen sieht Heine, Verehrer Luthers und überzeugt von Deutschlands »protestantischer Sendung«, im Dom eine »Zwingburg« des Katholizismus. Vor allem wittert er im Dombau-Unternehmen ein wohlinszeniertes nationales Spektakel, das die Bürger von ihren Freiheitsforderungen ablenkt und die Fürsten von ihren Versprechen entlastet (denn »Königsworte, das sind Schätze,/ Wie tief im Rhein der Niblungshort«). Diesen Verdacht teilen andere Autoren, wie Ludwig Seeger: jeder Stein für den Kölner Dom sei dem »Freiheitsdom« gestohlen.

Die Kathedrale als Kompensation für vorenthaltene Freiheit – Bedenken solcher Art gehen endgültig unter im Begeisterungstaumel des Deutsch-Französischen Kriegs und der Reichsgründung von 1871. Mit dem Akt von Versailles ist die nationalpolitische Wirklichkeit dem Symbol voraus; erst mit der Vollendung des Doms, ein Jahrzehnt später, werden sie einander wieder kongruent. Nun erhebt sich, wie der Eingangsvers in Martin Greifs Gedicht zu den Einweihungsfeiern sagt, der Dom als das »Mal der Eintracht deutscher Stämme«.

Aber für die Literatur bringt die Vollendung des Doms einen

Einschnitt. Denn wie das Werk der Bauleute und Steinmetze scheint auch das Werk der Dichter nun getan. Weder bedarf es weiterhin zündender Aufrufe, noch lassen sich die auf den Dombau gerichteten Kräfte auf andere Ziele lenken. Das nationale Dichtersymposion löst sich auf, und wenn die Großen die Tafel geräumt haben, setzt sich das Volk zu Tisch. Die Kölner nehmen ihren Dom literarisch in Besitz, in populären Liedern, die keine Befangenheit vor Autoritäten kennen, auch nicht vor der Majestät der Kathedrale. Sie nehmen den Dom als eine Art Mitbürger der Stadt, und das ist gewiß nicht die schlechteste Art, sich ihm zu nähern.

Immer bleibt er Gegenstand auch erhabener Assoziationen, aber nach dem Ersten Weltkrieg doch mit wesentlich anderen Akzenten. Das Nationale wird zum Heroischen neutralisiert bei Börries von Münchhausen, dem Konservator der Ritter- und Heldenballade, der in einem Dom-Gedicht von 1920 seine Eindrücke zu Bildern gewaltiger Gebirgsmassive mit Klippen und Klüften stilisiert. Nach dem Zweiten Weltkrieg ist es der beschädigte, in einem Trümmermeer aber stehengebliebene Dom, dessen Schicksal Elisabeth Langgässer in der »Kölnischen Elegie« (1948) mit dem Pathos der Klage beschwört.

Die Bombenangriffe brachten auf verhängnisvolle Weise in großen Dimensionen, was man schon vorher als einen architektonischen Fehlgriff beklagt hatte: den Abriß der unmittelbar um den Dom herum lagernden Häuser, die Aussperrung des Doms aus dem natürlichen Lebensraum. In einem Gedicht von 1922 geht Ernst Bertram mit strenger, von seinem Lehrer und Vorbild Stefan George in Zucht genommener Sprache mit den Verantwortlichen ins Gericht: »Ihr rißt ihn aus dem Dämmer, das ihn barg./ Das kleine Leben, dem er groß entblühte,/ Ihr schlugt es nieder: gläsern wie ein Sarg/ Umschließt ihn eine Leere, kahl und karg.« Doch protestiert Bertram, der gewiß für die heutige Domplatte aus Beton nur Verachtung übrig hätte, nicht im Namen des »kleinen Lebens« (das ihm eines Gedichtes wohl kaum würdig erschienen wäre). Er vermißt den »Sockel« des »alten Dächerbogens«, weil erst etwas Kleines das Große »unbegreiflich« groß sein läßt. Es ist das Symbol herausragender Einzigartigkeit, das Bertram wiederhergestellt wünscht.

Aber inzwischen hat längst eine andere Macht vom Dom Besitz ergriffen: der Massentourismus, und noch ist nicht ausgemacht, ob nicht die neue Zweckentfremdung folgenreicher sein wird als die vorhergehende: in Form einer inneren Korrosion, die der äußeren, von den Schadstoffen der Luft bewirkten, nicht nachsteht. Schon Yvan Golls Dom-Gedicht von 1924 macht das Problem sinnfällig. Goll entwickelt zunächst jene Vorstellung weiter, der man einen Augenblick nachgibt, wenn man vom Ostufer mit der Eisenbahn über den Rhein kommt, aber auch, wenn man sich im großen Bogen von Westen und Norden nähert: die Vorstellung, mitten in den Dom hineinzufahren. Die Motive Bahnhof, Kathedrale und Tourismus verbinden sich zu einer Collage: »Wir kamen von Frankreich/ Über den Bahnhof hinaus fuhr unser Zug in den Kölner Dom/ Die Lokomotive hielt vor dem Allerheiligsten/ Und kniete sanft/ Zehn Tote kamen direkt ins Paradies/ Petrus, »English spoken« auf dem Ärmel,/ Bekam ein gutes Trinkgeld/ Die glasgemalten Engel telephonierten/ Und flogen hinüber zur Cox-Bank/ Rosa Dollarschecks einzulösen/ Gegen Mittag wurde ein neuer Zug gen Warschau gebildet«. Der Dom als Ort eines kurzen touristischen Zwischenaufenthalts. Die Blasphemie ist hier nicht ein Moment der lyrischen Sprache, sondern der Erscheinung, die sie beschreibt (Annette von Droste-Hülshoffs Bild vom »Handelsstift« ruft sich in Erinnerung).

Für zeitgenössische Kölner Autoren scheint der Dom mit zuviel fragwürdiger Geschichte und verwüstender Modernität belastet zu sein. Von einem Platz, der »vollgekotzt mit Beton«, von einem »Platz für die Platzangst«, vom »Terror der Öde« sieht Jürgen Becker das »neogotische Gebirge« umgeben (»Kölner Fernseh-Gedicht«, 1972). Und Heinrich Böll kann der Versuchung nicht widerstehen, sich einen Vorgang auszumalen, der die ganze leidige Geschichte des Dombaus rückgängig machen würde: »Die Türme des Kölner Doms werden nun doch abgetragen. Beuys – als Bildungsbeauftragter des Landes NRW zuständig – beteiligt daran die Kölner Bevölkerung. Er läßt, von Breughels ›Turmbau zu Babel‹ inspiriert, stabile, spiralenförmige Rampen bauen, auf denen man ungefährdet bis zu den Turmspitzen vordringen, mit je zwei Steinbrocken heruntersteigen kann. Einen Stein darf jeder als Andenken behalten, der zweite dient zum Aufbau eines ›freikatholischen Seminars zur Ergänzung der Theologie und Abschaffung der Dogmen‹. Es bildet sich ein ›Verein zum Wiederaufbau des Domes‹. Man wittert Klüngel.« (»Deutsche Utopien 1«) Dies ist ein Stück konzentrierter ironischer Satire, zu der auch ein Schuß Resignation gehört: Geschichte läßt sich nicht löschen; sie würde sich nur wiederholen. In Bölls Text ist etwas vom Geist der populären kölnischen Dom-Lieder mit aufgehoben.

Warum erscheinen uns die distanzierten, unpathetischen Texte, warum die kritischen Verse Heines und der Droste soviel annehmbarer als die Dom-Hymnen? Nur weil uns der nationale Überschwang fremd geworden ist und uns der bombastische Zungenschlag der Lieder vom »deutschen« Dom nicht mehr erhebt, sondern peinlich berührt? Mir scheint unser Unbehagen noch etwas tiefer zu liegen.

Es fällt auf, daß der hymnische Ton in religiösen Dom-Gedichten selbst da, wo diese Gedichte nicht frei von Dilettantismus sind, einen hohen Grad von Angemessenheit erreicht, nämlich als eine dem Transzendenten gegenüber gemäße sprachliche Form der Verehrung. Wo der Dom als nationales Monument gefeiert wird, leiht sich die Sprache entweder die Autorität des Sakralen oder benutzt die Muster des alten Herrscherlobs, wobei nun die Nation und ihr Denkmal die Stelle der Fürsten einnehmen. Aber ebendiese Form panegyrischen Sprechens tritt in Spannung zu einem demokratischen Element, das in der nationalen Dombau-Bewegung keine unwesentliche Rolle spielt. Schon in der Literatur der Aufklärung bemerkt man an der unreflektierten Preis-Dichtung Züge des Überholten. Wir finden die Zeit Friedrichs II., das Charisma des großen Königs in Lessings Komödie »Minna von Barnhelm« gültiger erfaßt als durch Gleims Friedrich-Lob in den »Preußischen Kriegsliedern ... von einem Grenadier«. Also nicht erst die Kaiser-Gedichte des 19. Jahrhunderts und die Extrembeispiele der unsäglich geschmacklosen Hitler- und Stalin-Hymnen belehren darüber, daß der lyrische Ausdruck grenzenlosen Enthusiasmus' inmitten einer demokratischer denkenden Welt anachronistisch geworden ist. In vielen Dom-Gedichten setzt sich das nationale Symbol als blind verehrte Autorität nur an die Stelle früherer Autoritäten.

Vielleicht deshalb liest man Dieter Wellershoffs Beitrag zum Dom-Jubiläum, seine Prosaskizze »Der Dom als Vatergestalt«, zunächst mit Zurückhaltung. Am Dom ist Wellershoff »das Gefühl des Absoluten aufgegangen«. Für den Jungen war der Dom in der »unbewußten Bildsprache der Seele« eine »Vatergestalt«: der »Übervater«, zu dessen Füßen, mythischen Tieren vergleichbar, die Bahnhofshalle und die Hohenzollernbrücke lagern. Diese psychologische Deutung ist in der Dom-Literatur absolut neu. Aber muß man wirklich gleich wieder Zuflucht bei einem Über-Ich suchen? Mir liegt da die andere, fast als Alternative angebotene Deutung Wellershoffs näher. Angesichts des Bombenhagels, den er überstand, und angesichts der »Giftschwaden und Säureregen«, die ihn bedrohen, ist der Kölner Dom ein Symbol des Überdauerns, ein »Symbol unseres Überlebens«.

(25.10.80)

Odysseus als Jedermann
Zum hundertsten Geburtstag von James Joyce

Ist zum hundersten Geburtstag von James Joyce die Situation für den deutschen Leser noch ebenso trostlos, wie sie vor etwa einem Vierteljahrhundert in einer Ausgabe dieser Zeitung Arno Schmidt beschrieb, der große Teile der »Ulysses«-Übersetzung von Georg Goyert als Satire auf das großartige Original abstempelte? Gewiß nicht. Das Werk und die Briefe liegen inzwischen – bei Suhrkamp – in neuen Übersetzungen und in einer Breite vor, von der Arno Schmidt damals vermutlich kaum zu träumen wagte.

Ein Kapitel des für unübersetzbar gehaltenen epischen Spätwerks »Finnegans Wake« wird jetzt, unter dem Titel »Anna Livia Plurabelle«, in einer Doppelübersetzung und im Paralleldruck geboten, so daß der Leser nicht nur zum Vergleich von Original und Übertragung, sondern auch der deutschen Fassungen von Wolfgang Hildesheimer und Hans Wollschläger eingeladen ist.

Zu Sprache geronnene Träume glaubte man in »Finnegans Wake« zu erkennen, und Aussagen des Autors selbst rechtfertigen die Deutung. Joyces Leben freilich war nicht aus dem Stoff von Träumen. Als Elfjähriger erlebt James Joyce den wirtschaftlichen Ruin des Vaters. Mit 22 Jahren geht er aus Irland in die freiwillige Verbannung, über Paris und Zürich nach Italien, wo er sich als Sprachlehrer für Englisch an der Berlitz School und als Bankangestellter durchschlägt. Seine Tochter Lucia kommt im Armensaal eines Triester Krankenhauses zur Welt. Früh machen ihm Sehstörungen zu schaffen, die – trotz späterer Operationen – schließlich zur fast völligen Erblindung führen. Früh auch suchen ihn Anfälle von Trunksucht heim; eines Tages wird er in Rom, im Zustand der Volltrunkenheit und beraubt, von der Straße aufgelesen. Versuche, sich mit seiner Heimat, seiner Nation wiederauszusöhnen, scheitern. Seit seinem Besuch von 1912 ist er nie mehr nach Irland zurückgekehrt.

Während des Ersten Weltkriegs übersiedelt er nach Zürich; nach dem Krieg wohnt er in Paris, ohne aus den üblichen finanziellen Schwierigkeiten herauszukommen. Im Zweiten Weltkrieg zwingt ihn die Besetzung Frankreichs durch deutsche Truppen zur Flucht. In Zürich stirbt er im Monat nach seiner Ankunft, am

13. Januar 1941, an den Folgen eines durchgebrochenen Zwölffingerdarmgeschwürs. Von allem Familienunglück hat ihn das seiner Tocher Lucia, ihre zunehmende geistige Umnachtung und ihre Unterbringung in der Heilanstalt, am stärksten mitgenommen.

Von seiner äußeren und mehr noch von seiner inneren Lebensgeschichte ist vieles ins Werk eingegangen. Am wenigsten paradoxerweise in die Lyrik, die bei anderen Autoren poetischer Umschlagplatz des Privaten, der individuellen Erfahrung ist. Die Gedichte seines Bandes »Kammermusik« (1907), diese Etüden im Stil von Liedern des elisabethanischen Zeitalters, verharren in merkwürdiger Konventionalität, sind aber als Sprachkompositionen von berückendem Klangreiz. Auch in der Sammlung von 1927 überwiegt das Liebesthema.

In ganz anderem Maße sind erzählerische Werke als versteckte Autobiographien zu lesen. Das große Thema seines Werks, Gegenstand der immer erneuten Anziehung und Abstoßung, ist die Stadt, der er so früh den Rücken kehrte: Dublin. Joyce hat Dublin zu einem der großen Schauplätze der Weltliteratur gemacht.

Wäre es bei den »Dubliners«, der Sammlung von fünfzehn frühen Novellen, geblieben, Dublin läge noch heute in der weltliterarischen Provinz. Ich kann das Entzücken mancher Kritiker über diese zwar an Henry James' Technik geschulten und vom Bewußtsein der Figuren her erzählten, aber heute recht brav anmutenden Geschichten nicht teilen. Mit solchen literarisch-kritischen Einwohnerporträts und Stadtansichten können mittlerweile viele Regionen und Metropolen aufwarten. Interessanter fast als dieser Erzählungsband selbst ist die Geschichte seiner Drucklegung, genauer die Geschichte der Verhinderung des Drucks.

Von allgemeinen kommerziellen Gesichtspunkten einmal abgesehen, sind die »Dubliners« acht Jahre lang das Opfer einer Instanz, die selbst gar nicht in Erscheinung tritt. Die Zensurbehörden geben die Exekution an die Selbstzensur der Verleger und Drucker ab. Und es ist – bis in den letzten Einwand der Verleger hinein – die Zensur speziell der viktorianischen Epoche, die das Buch von der Öffentlichkeit fernhält. Das Herausfordernde der Joyceschen Dichtung wird zur Provokation vor allem als Herausforderung der viktorianischen Tabus (die ja die Queen Victoria noch überleben), und das gilt für sein Werk allgemein. Den »Dubliners« jedenfalls ist heute mit dem Wegfall von Tabus ein Teil der unmittelbaren Wirkung genommen, und literarische Qualitäten schaffen hier kein volles Gegengewicht.

Da ist das »Porträt des Künstlers als junger Mann«, in Buchform 1916 erschienen, von anderem Format. Die zweite, sehr veränderte Fassung des nur fragmentarisch erhaltenen »Stephen Hero« wird zur entscheidenden Station vor dem »Ulysses«. Fünf exemplarische Abschnitte aus dem Leben des Stephen Dedalus, einer Figur, die Joyce vom Grundriß seiner eigenen Biographie her entwirft, vergegenwärtigen fünf verschiedene Erlebnis- und Bewußtseinsstufen. Dedalus ist die Namensumschrift von Daidalos, dem berühmten Kunsthandwerker der Antike, dem der Mythos die Erfindung eines Schwertes, das den Träger unbesiegbar macht, den Bau des Labyrinths von Knossos, die Erfindung der Flügel, mit denen er und sein Sohn Ikaros fliegend von Kreta entkommen, und andere Wunderwerke zuschreibt. Es ist also der Urvater der Künstler-Erfinder, eine Art antiker Leonardo da Vinci, unter dessen Namenszeichen Joyce sein Spiegel-Ich, den jungen Künstler, stellt.

Die Sprache gibt der jeweiligen Lebens- und Bewußtseinsstufe gedanklich-sinnliche Schlüssigkeit, am zwingendsten wohl im IV. Abschnitt. Hier wird im Bericht über Stephen die innere Zerrissenheit des jungen Joyce, des Schülers im Jesuiten-College, wieder gegenwärtig, eine psychische Verfassung, die sich ständig haarscharf an jener Exaltation vorbeibewegt, vor deren Gefahren die Patres warnen. Unerbittlich unterzieht sich Stephen den Anstrengungen der Exerzitien. Unablässig ist er mit der Abtötung der Sinne beschäftigt, mit der Abtötung der Augen (er meidet jede Begegnung mit den Augen von Frauen), des Gehörs, des Geruchssinns und – am beharrlichsten – mit der Abtötung des Gefühls. Was er einzig anspornt, ist das Gefühl von Schuld, das schlechte Gewissen. So erledigt er mit Inbrunst sein Demutstraining und sein Pensum ausgeklügelter Frömmigkeit.

Aber alle Exerzitien und alles Fasten und Beten lösen nur das Empfinden spiritueller Trockenheit aus. Und als ihn der Priester fragt, ob nicht auch er Priester werden wolle, wird ihm klar, daß es Frostigkeit ist, die ihn an der Ordnung dieses Lebens abstößt. So entsagt er der Hoffnung auf die Würden der Priesterweihe. Und so ist es für ihn eine Befreiung zu sich selbst, als ihn am Strand beim Anblick eines anmutigen Mädchens weltliche Freude überwältigt.

Wir haben es hier mit einem Schlüsselerlebnis zu tun, nämlich dem der Abnabelung. In diesem Erlebnis ist die endgültige Ablösung von der katholischen Kirche vorweggenommen, die durch zwei weitere Revolten ergänzt und begleitet wird: die Trennung vom irischen Nationalismus und von der viktorianischen Moral (erst nach 27 Jahren »wilder Ehe« legalisiert Joyce das Verhältnis zu seiner Frau Nora). Dies sind zugleich die drei Ärgernisse, denen die Gesellschaft mit Sanktionen gegen das literarische Werk antwortet.

Der IV. und der vorhergehende Abschnitt aus dem »Porträt des Künstlers« zählen, mit einer Sprache, die alle seelischen Vibrationen der letzlich vergeblichen religiösen Anspannung aufnimmt, zu den großen Texten unserer europäischen Literatur (man könnte dafür notfalls sogar Teile des »Ulysses« opfern). Der anschließende ästhetische Diskurs, ausgehend von Sätzen des Aristoteles und Thomas von Aquins, gerät in ihren Schatten.

»Ulysses«, zwischen 1914 und 1921 entstanden und 1922 in Paris erschienen, ist mit so vielen Superlativen bedacht worden, daß es schwerfällt und auch gar nicht sinnvoll wäre, auf dieser Höhe der Huldigung zu verweilen.

Die Hauptfigur des Romans, ein Kleinbürger jüdisch-irischer Herkunft, der Anzeigenwerber des »Freeman's Journal« Leopold Bloom, nimmt die Züge eines modernen »Jedermann« an. Konzentrieren sich in der Figur des Stephen Dedalus die Fähigkeit zu philosophischer Abstraktion und intellektueller Skeptizismus, so sammelt sich um die Gestalt Leopold Blooms die Aura einer modernen, städtischen Zivilisation, während Blooms Frau Marion (»Molly«), die vor allem von körperlich-sinnlichen und sexuellen Erfahrungen bestimmt ist, zu einer Inkarnation des »Fleischlichen« wird.

»Ulysses« ist die Geschichte eines Tagesablaufs in Dublin, die »Enzyklopädie« dieses auf den 16. Juni 1904 datierten Tages. Sehr bald hat man den universalen Ansatz des Romans gesehen. Hermann Broch, der ihm Zeitgerechtheit und zugleich Bezug zur Philosophie zuerkennt, findet in ihm den »Welt-Alltag der Epoche« beschrieben. Tatsächlich fühlt diese Epoche ihren Lebenspuls in den Metropolen schlagen; alle vier bedeutenden Romane, die das Zerstreute, die Atomisierung des Lebens in der modernen Weltstadt mit den Mitteln der literarischen Montage auffangen, erscheinen um 1920: neben Joyces »Ulysses« Andrej Belyjs »Petersburg« (1912/14, gekürzte Neufassung 1922), John Dos Passos' »Manhattan Transfer« (1925) und Alfred Döblins »Berlin Alexanderplatz« (1929).

In »Ulysses« überlagern sich die verschiedensten Baupläne und Ordnungssysteme. Der Tagesablauf in Dublin scheint programmiert nach den Vorgaben einer mythischen Geschichte, eines Homerischen Epos, von dem her ja der Titel erst verständlich wird. Alle achtzehn Episoden des Romans verweisen auf Abenteuer und Personen der »Odyssee«. Er wolle den Mythos der Zeit gemäß umsetzen, umschreiben, hat Joyce gesagt. Und Literaturforscher wie Stuart Gilbert haben alles darangesetzt, auch die entlegensten Anspielungen – nicht nur auf Homer – zu ermitteln. Sie errangen dabei wahre Pyrrhuserfolge, denn mit der Identifizierung eines Verweises ist noch nichts über seine Aufgabe und Leistung gesagt.

Schon an den drei Hauptfiguren wird die Vielschichtigkeit der Umsetzung sichtbar. Scheint durch das Verhältnis Leopold Blooms und Stephen Dedalus' die Beziehung des Odysseus zu seinem Sohn Telemachos durch, so ist Penelope, die treue Gattin des Odysseus, in der Gestalt der Molly Bloom, die ihren Mann zum Hahnrei macht, weithin in ihr Gegenteil verkehrt (auf Nausikaa und Gerty Macdowell trifft Ähnliches zu). Zwischen Wiederholung und Parodie des Mythos liegt eine Fülle von Möglichkeiten, die Joyce wahrnimmt, um Konstanten und gründliche Veränderungen im Verlauf der Menschheitsentwicklung anzuzeigen. In »Ulysses« vollzieht sich eben nicht Erneuerung des Mythos, sondern »Arbeit am Mythos«.

Vieles ist Improvisation im künstlerischen Material des literarischen Werkes selbst: in der Sprache. Die Lust am Spiel mit dem Wort schafft sich ein Instrumentarium, das vom verräterischen Versprecher über Lautmalerei, Namensspiel, Zitatverdrehung und Paradoxie zur Sprachparodie und -travestie reicht und enthüllende, entdeckerische, aber auch musikalische Funktion hat – oder einfach den Sinn des Unsinns. Ja, auch der literarische Nonsens ist Mitakteur in diesem Sprachspiel, das sich den Anschein des Stegreifspiels gibt und doch den Roman mit einem System von Entsprechungen, von Signalen und Antworten überzieht.

Alle verfügbaren erzählerischen Mittel, großstädtische Lebensströmungen und zugleich intimste menschliche Bewußtseinsvorgänge darzustellen, sind im »Ulysses« gebündelt. Sogar der Zeitungsstil wird nachgeahmt (und parodiert) im Druckbild von Artikelüberschriften. Jede Episode bringt – mit dem Autor zu sprechen – ihre Erzählweise selbst hervor.

Joyce schaltet frei mit Ich- und Er-Erzählung, erlebter Rede, innerem Monolog und bloßem Wechselspiel von Frage und Antwort. Auch die szenische Darstellung, die Technik des dramatischen oder Dialogromans, fehlt nicht, und vermutlich werden diese Szenen länger überdauern als das einzige Schauspiel des Ibsen-Verehrers, der Dreiakter »Exiles« (Verbannte, 1918), den auch neuerliche Wiederbelebungsversuche wie Harold Pinters Londoner Inszenierung von 1970 nicht ins Repertoire der Bühnen einschleusen konnten.

Am meisten Furore gemacht hat »Ulysses« mit der letzten Episode, dem inneren Monolog Molly Blooms, mit der interpunktionslosen Wiedergabe ihrer Bewußtseinsabläufe vor dem Einschlafen. Joyce selbst hat Edouard Dujardin als den Erfinder des inneren Monologs anerkannt, und deutsche Kritiker können auf Arthur Schnitzlers Monologerzählung »Leutnant Gustl« (1900) als Zwischenglied verweisen. Aber zweifellos werden die Möglichkeiten der Form erst in »Ulysses« voll ausgeschöpft. Mit dem inneren Monolog verknüpft sich das Problem der Beziehungen Joyces zur Psychoanalyse.

Carl Gustav Jung deutet in seinem Aufsatz von 1932 den »Ulysses« als Beispiel literarischer Anwendung seiner eigenen Theorie. Dieser Anspruch auf Vaterschaft ist gewiß überzogen. Doch hat erst die Psychoanalyse gewisse Voraussetzungen für den »Ulysses« geschaffen. Das wird deutlich etwa an der Circe-Episode, wo die Enthemmung des Unbewußten ausufert in einer »tiefenpsychologischen Walpurgisnacht« (Jörg Drews). Mit welcher Macht Unterbewußtes ins Bewußtsein drängt, zeigt vor allem die atemlose Flucht der Assoziationen und Gedanken Molly Blooms. Der Tabus nicht mehr kennende innere Monolog der Schlußepisode hat etwas von der Schonungslosigkeit der Selbstenthüllung vor dem Psychoanalytiker. Das macht den Leser zum heimlichen Lauscher und Voyeur.

Es ist nicht zuletzt der Monolog Mollys, der dem Werk den Vorwurf des Unzüchtigen und Obszönen, der ihm die Verbote eingetragen hat. Immer denkwürdig bleiben wird das Urteil des amerikanischen Richters, der den »Ulysses« 1933 vom Pornographieverdacht freisprach und das Werk für die Vereinigten Staaten zuließ (in England durfte es erst 1936 erscheinen) – ein Spruch, der für manche späteren Kunstprozesse zum Modell werden konnte.

Gelingt es in »Ulysses«, den Dubliner Alltag als einen Alltag der Epoche durchsichtig werden zu lassen, so macht sich in »Finnegans Wake« (erschienen 1939) die erzählerische Absicht nicht mehr hinreichend verständlich. Der ständige Gestalt- und Bedeutungswandel der Hauptfigur, des Dubliners Humphrey Chimpden Earwicker, und ein Ineinanderfließen der Zeiten lösen das Epos der Menschheitsgeschichte, das Joyce an die zyklische Geschichtstheorie Giovanni Battista Vicos (also eine Lehre des 18. Jahrhunderts) anschließt, zur Unkenntlichkeit auf.

Seinem »Tagbuch«, »Ulysses«, wollte Joyce ein Gegenstück zur Seite geben, ein »Nachtbuch«, das jenes Denken des Menschen in Sprache umsetzt, das im Schlaf unmittelbar dem Traum folgt. Und wenn sich auch »Finnegans Wake« von solcher Absicht her allein nicht erklären läßt, so nutzt Joyce doch alle Lizenzen einer »Traumsprache«. »Finnegans Wake« ist ein Versuch, die Sprache aus ihren Körperfesseln zu entlassen und sie zu neuen Gebilden zu fügen, zu Sprachornamenten und Klangfolgen.

Doch auch das Klangliche ist der entfesselten Spiellaune des Autors nur ein Element unter anderen. Komik, Ironie, Groteske und Parodie, Wortwitze und -rätsel, Spielereien mit Wortsinn und Etymologie, Wortmischungen und -mutationen verhindern, daß der Leser je auf sicherem Boden steht.

Er habe so viele Rätsel und Puzzles hineingesetzt, sagt Joyce über »Ulysses«, daß er die Professoren für Jahrhunderte beschäftigen werde; nur so sei Unsterblichkeit verbürgt. Seine Rechnung scheint aufzugehen. Vor »Finnegans Wake« aber müssen auch jene kapitulieren, die Joyces Bruder Stanislaus abfällig die »Kreuzworträtselsüchtigen« nannte. Mit seinen Verschlüsselungen und seinen Sprachverwerfungen wird das Werk wohl immer nur für wenige wenigstens halbwegs zugänglich sein.

Auf »Ulysses« als einem der Grundpfeiler ruht die avantgardistische Erzählkunst des 20. Jahrhunderts. Der Roman entspricht einer neuen Bewußtseinslage durch neue erzählerische Formen. In der Nachfolge von Joyce hat noch kein Autor mit einem Roman die Komplexität des »Ulysses« erreicht. In »Finnegans Wake« überbordet die Sprach- und Erzählphantasie des Autors die Grenzen des Nachvollziehbaren und überbürdet den Leser. Aber zur epischen Enzyklopädie Dublins, an der Joyce zeitlebens gearbeitet hat, gehört wohl auch der alle Erfahrungsmuster sprengende Traum und Alptraum des Dubliners.

(30. 1. 82)

In den Zimmern liegt Schnee
Jürgen Beckers »Gedichte 1965-1980« und »Erzählen bis Ostende«

Die Abfolge der Bücher von Jürgen Becker läßt eine sanfte, aber unbeirrbare Konsequenz erkennen: Keines ist dem anderen unmittelbar ähnlich, und doch bricht keines völlig mit dem anderen. Da ist jedesmal ein Fortschreiten zu tatsächlich Neuem und doch ein Korrespondieren mit allem Früheren, ein Aufgehobensein in dem Sinne, daß das Vorhergehende überwunden und doch zugleich bewahrt wird. Möglich ist dies, weil Becker die literarischen Gattungen füreinander offenhält.

Von Anfang an steht er in Opposition zum »Geschichtenerzählen« des überlieferten Romans. »Gegen die Erhaltung des literarischen Status quo« nennt er seinen Essay von 1964, der dem Roman die Fähigkeit abspricht, noch die Erfahrungen des Subjekts in unserer Gesellschaft aufzunehmen. So wendet er sich im Prosaband »Felder« einer »offenen«, antigrammatischen Schreibweise zu, die ihn in eine gewisse Nähe zu Helmut Heißenbüttel bringt. Neue Weisen des Wahrnehmens werden für ihn erst möglich bei entschiedener Abkehr von den überlieferten und abgenutzten Sprachmustern, die bestimmte Muster der Wirklichkeitserfassung und des Denkens konservieren. Tauchen in den »Feldern« abgegriffene Formeln sprachlicher Verständigung auf, so enthüllen sie sich als Ausdruck eines angepaßten Verhaltens.

Nicht mehr Felder, sondern nur noch Ränder sprachlicher und außersprachlicher Wirklichkeit werden im Prosaband »Ränder« von 1968 greifbar. Eine konstruktivistische Tendenz deutet sich in der symmetrischen Anordnung der Textstücke um einen Text-Leerraum an. Das in der Mitte signalisierte Schweigen, das Verstummen oder Versagen der Sprache, wird gänzlich formbestimmend im Buch »Eine Zeit ohne Wörter« (1971), einem Fotoband, in dem Becker mit der Kamera zu schreiben versucht, in dem das Sehbild die Sprache ersetzt.

Schon in den »Feldern« ist vom »Radiokopf« die Rede, in dem sich die Stimmen der wahrgenommenen Umwelt und des eigenen Bewußtseins sammeln. Selbständigkeit erlangt dieses dialogische Element in den 1969 erschienenen Hörspielen, die sich den Hörfunk-Experimenten des sogenannten »Neuen Hörspiels« anschließen. Keine kontinuierliche Handlung kommt zustande, die Gespräche bleiben ein Agglomerat von Einzelstimmen.

Was bereits an szenischen Elementen in den Prosabänden erkennbar war, entfaltet sich reiner im Theaterstück »Die Zeit nach Harrimann« von 1971. Aber auch der dritte Prosaband, »Umgebungen« (1970), ist das Ergebnis eines Verselbständigungsprozesses. Die erzählerischen Ansätze früherer Arbeiten verdichten sich, schließen sich zu kleinen Ausschnitten aus der geschichtlichen oder der Erfahrungs-Wirklichkeit zusammen. Diese Trennung früher vermischter Elemente, der Übergang von einer offenen, gattungsindifferenten Schreibweise zu geschlosseneren Formen, wird von Becker selbst »Entflechtung« genannt.

Diese Entflechtung führt auch zur Emanzipation des lyrischen Elements, das schon an den »Feldern« beteiligt war. Den ersten Gedichtband, »Schnee« (1971), eröffnet ein Fragment aus der Zeit, die Becker, als Stipendiat an der Villa Massimo, in Rom verbrachte (1966), ein Text, der auf der Grenze zwischen lyrischer Prosa und Langgedicht steht. Reste der antigrammatischen Schreibweise verschwinden in den folgenden Gedichtbänden.

Diese Gedichtsammlungen sind jetzt – um neuere Texte erweitert – in dem Band »Gedichte. 1965-1980« vereinigt. So ist eine erste Bilanz zum lyrischen Werk Beckers an der Zeit.

Der Titel der Sammlung von 1974, »Das Ende der Landschaftsmalerei«, bezeichnet eines der durchgehenden Themen Beckers: jene Zerstörung der Natur, die der herkömmlichen Landschaftsmalerei und Naturdichtung den Boden entzieht. So heißt es im Gedicht »Bildbeschreibung«:

> Das Bild einer Bucht, und die Bucht
> ist gewesen, leer und sanft,
> an den Rändern. Der Name sagt
> nichts mehr; es gibt keinen Namen,
> und das Bild ist erfunden,
> unbeschreibbar, wie all das hier herum.

Selbst die »Stadtlandschaft« wird, sofern sie von den Kriegsbomben noch verschont blieb, niedergewalzt. Darüber spricht das »Kölner Fernseh-Gedicht«:

Und so
geht das weiter, denn was die befreienden Amis
nicht schafften bis 45 im März, das schafft
die Sanierung; die Wut
der Stadtplanung auf Stadt
                    die unausrottbar
geblieben ist
              und grau verschwindet
zwischen Kredit und Profit: das Bau-System
der neuen Zerstörung.

Nicht eigentlich um Kapitalismus-Kritik geht es Jürgen Becker,
eher um eine allgemeinere Form der Zivilisationskritik, um den
Protest gegen blinden Fortschrittsoptimismus. Und auch dieser
Protest ist ohne Aggressivität, gebrochen durch Melancholie. Andererseits verfällt das Ich nicht der Resignation. Die Reste der
unversehrten Natur bilden Inseln der verbliebenen Hoffnung. So
im »Natur-Gedicht«:

in der Nähe des Hauses
der Kahlschlag, Kieshügel, Krater
erinnern mich daran —
nichts Neues; kaputte Natur,
aber ich vergesse das gern,
solange ein Strauch steht.

Zu billig mag dieser Trost erscheinen. Doch zu gut auch weiß
Becker, daß es mit der »heilen Natur« für immer vorbei ist. Ei-
senbahn, Autobahnen, Flugzeuge sind in seinen Gedichten Attri-
bute einer Allgegenwart der Technik, aus der es kein Entrinnen
gibt. Beckers Gedichte halten der Wirklichkeit stand. Wo sie zur
Kurzform, zu Impressionen und Reflexionen, zu Situationsproto-
kollen neigen, nähern sie sich mit ihrer Realitätsverdichtung den
»Buckower Elegien« Brechts.
    Nur bei wenigen Schriftstellern der Gegenwart drängt sich die
Erinnerung mit so beschwörender Kraft ins Bewußtsein wie bei
Jürgen Becker. Es sind gerade die Kriegsjahre, die durch Assoziationen wie durch Codewörter zurückgerufen werden: die Tage
der Evakuierung nach Thüringen, die Bombennächte, die verwü-
steten Städte. »Warum, erkläre es mir,/ warum immer Träume

von Trümmern?« heißt es im Gedichtband von 1977. Doch deutet der Titel, »Erzähl mir nichts vom Krieg«, nicht auf eine besondere Stärke der Erinnerung gerade in dieser Sammlung.

Krieg nicht als bewaffneter Kampf, sondern auch als Konflikt in der privaten zwischenmenschlichen Beziehung; Krieg als das Ergebnis mißlungener Kommunikation gerade derer, die sich am nächsten stehen – das ist eines der beherrschenden Themen dieses Bandes. Nie zuvor reagierten Texte Beckers so empfindlich auf das Krisengefühl, das die Reibungen in einer gestörten, aber unlösbaren Beziehung hervorrufen.

Vieles verweist auf eine persönliche Krise, gewiß. Aber was hier im Gedicht objektiviert wird, ist eine Krise der vielen – Ausdruck jener Verständigungsschwierigkeiten, deren tiefere Ursachen in einem weiteren sozialen Umfeld zu suchen sind. Dabei ist von Bedeutung, daß Becker seine Umgebungen nicht mehr vom Haus und Garten im Kölner Vorort Brück, sondern von einem Hochhaus am Südrand Kölns aus erkundet.

Dieses Hochhaus, diese Stadt unter einem einzigen Dach, erscheint als Stätte äußerster Isolation. In den Gängen des modernen Turms zu Babel, wo den Menschen die Sprache nicht nur verwirrt, sondern völlig abhanden gekommen ist, versteinert alle Kommunikation.

Hier können den Bewohner die Ängste des Alptraums mitten am Tag überfallen:

> Plötzlich, vielleicht im zehnten Stock, die Vorstellung
> von Alarm und Aufruf zum sofortigen Verlassen
> der Wohnungen, vom Kampf vor den Lift-Türen
> und dem Gedränge in dieser 12-Personen-Zelle;
> Leute gibt es in San Franzisco, die in Erwartung
> des großen Erdbebens seit Jahren keinen Lift benutzen.

Nun erzeugt aber die Massen-Wohnstätte nicht nur Katastrophenahnung und das Gefühl der totalen Vereinzelung. Der erhöhte Standpunkt, das Hochhaus, wird zum trigonometrischen Punkt, von dem aus Großstadt und Land vermessen werden können. Wie über Landkarten geht der Blick: zur Wahner Heide, ins Bergische Land, in die Eifel, ins Siebengebirge, auch zum Braunkohle-Abbau und zu den Raffinerien, und immer wieder über den Verkehrsfluß und den Verkehrsstau auf der Autobahn und den

Rheinbrücken. Sogar zur Warte der Hoffnung wird das Hochhaus:

> Von oben gesehen, der Stand der gelben Ereignisse,
> Forsythien in den Gärten. Jetzt sind es
> die Geräusche der Kinder; zwischen den Wohnblocks,
> auf den Flächen der Tiefgarage, so etwas wie
> Leben; das ist jetzt neu. Und es ist hell,
> wir kommen aus den Büros und sehen
> die Sonne noch über den Hügeln, dem Rauch,
> den Raffinerien . . .

Gewiß, der Gedichtband »Das Ende der Landschaftsmalerei« registrierte melancholisch die zunehmende Zerstörung der Natur. Aber es kam nicht und kommt auch jetzt nicht zur pathetischen Gebärde des Leidens an der Zivilisation und zur zornigen Geste der Kritik an ihr. »Ich habe Vertrauen/ zum Geräusch des Flughafens, der Autobahn,« lautet der Schluß des Gedichts »In der Dämmerung«.

Handelt der Band von den heutigen Schwierigkeiten menschlicher Kommunikation, so ist er doch das Dokument einer unablässigen Kommunikation mit der Wirklichkeit. Dafür spricht auch die innere Form der Sammlung: Becker summiert über Wochen und Jahreszeiten hinweg die täglichen Wahrnehmungen und Beobachtungen, Erinnerungen und Reflexionen zu einer Art lyrischem Tagebuch. Das Gedicht »Zwischenbericht« verrät es:

> Langsam weiter. Mit einem Tagebuch
> versuchen die vergangenen Tage zu finden,
> zu ordnen. Hin und her
> zwischen Vorgängen, Gesichtern, Studios, Blüten,
> Tränen, Tiefgarage und vergessenen Namen.

Ein solches Programm bietet viel Spielraum für das, was romantische Lyriker oder Dichter des Elitären wie Stefan George als eine Prostitution der Poesie verachtet hätten. Das Gedicht, der Vers fängt die Prosa des Alltags, des Arbeitsplatzes ein, die Prosa von Beckers neuer Tätigkeit in der Rundfunk-Redaktion. Da gibt es kein Hochgefühl erfüllter Pflicht, aber auch keine Wehleidigkeit über zu kurz gekommene Innerlichkeit:

Die letzten Wochen rutschten so weg,
Konferenzen, Premieren, die üblichen
Dienstleistungen, etwas Gartenleben
abends und Grill; über Schwäche,
Schmerzen nicht reden —

Dennoch gehört das Elegische zu den Grundtönen Beckerscher Lyrik. Im Band von 1979, »In der verbleibenden Zeit«, hilft es die Erfahrung des Älterwerdens artikulieren, die »Landverluste« beschreiben. Unter den Naturbildern herrschen die winterlichen vor. In der Textgruppe »Winterkämpfe« steht das Gedicht »Verlassenes Haus«:

Es dauert lange, bis
die Öfen glühen; in den Zimmern
liegt Schnee. Das Dach
in den Sommerwochen vergessen.
Der Frost hat verschlossen
die Fenster, die Türen.
Was können wir schützen.
Geh du zu den Vögeln hinaus;
ich suche nach Holz, im Eis
einen Weg für das Wasser.

Ein Zug zur Verschlüsselung, ja zur Hermetik deutet sich an: »in grünen Zimmern steht die Zeit«.

Demgegenüber weisen die neuen Gedichte, mit bisher unveröffentlichten unter dem Titel »Die gemachten Geräusche« vereinigt, wieder mehr ins Offene und Konkrete. Ein langes Gedicht, »Vom Wandern der Gedanken übers Papier«, endet mit einem Lob des Schreibens. Durch Wörter und Sätze

rettet sich das Gedächtnis
treten Bilder hervor aus dem Dunkel
blitzt Widerspruch auf
bleibt erkennbar das Diktat der Träume
das Entstehen der Wünsche
wird die Unruhe weiter beweisbar

Die Unruhe, die schon im Band »Das Ende der Landschaftsmalerei« vernehmbar war, ist stärker geworden. Endzeitstimmung kommt auf:

> hergeben wird nichts mehr die Erde
> schwarz liegt die Wiese
> angesagt eine Hoffnung heißt Schnee
> stille Flächen für später
> wenn der Mond herabsteigen wird.

Freilich ist zu fragen, ob die Jahreszeiten-Symbolik noch taugt für den Ausdruck der Furcht vor totaler Unbewohnbarkeit der Erde. Denn die Vorstellung vom Kreislauf der Natur hebt den Gedanken der endgültigen Lebenszerstörung wieder auf. Aber vielleicht ist es ebendiese Hoffnung auf Regeneration, auf die Einsicht der Menschen also, die Beckers Wahl der Naturbilder mitbestimmt und deshalb viele seiner Texte zu Warngedichten macht.

Zeigt der Sammelband der Gedichte, daß die »Entflechtung« der Lyrik aus der anfänglichen gattungsindifferenten Schreibweise voll gelungen ist, so steht Becker bei der Verselbständigung des erzählerischen Elements offensichtlich vor größeren Problemen. Auch der neue Band »Erzählen bis Ostende« verweigert sich dem »Geschichtenerzählen« der Novelle und des Romans. Beckers Prosa bleibt segmenthaft; der Band besteht aus kürzeren Textstücken, deren Selbständigkeit durch eigene Überschriften bereits angekündigt wird (Im Zug, Alte Umgebung, Die Ruhe auf Kreta, Den Regen hören). Einige der Texte sind auf mehrere Stimmen verteilt, wirken wie Einblendungen aus einem Hörspiel. In der stichomythischen Knappheit der Fragen und Antworten überstürzen sich die klischee- und sprichworthaften Reden. Es ist das Prinzip der Collage, der freien Assoziation, das die einzelnen Textstücke einander zuordnet.

Und doch taucht in diesem Band ein neues, bei Becker bisher unbekanntes erzählerisches Element auf, eine bislang verschmähte Möglichkeit, der scheinbar beliebigen Reihung von Texten einen epischen Zusammenhang zu sichern. Es ist, wie Becker in einem Interview dargelegt hat, die »Erfindung einer Figur«:

> da gibt es einen Mann, den ich Johann nenne, einen Mann, der im Nachrichten-Medium arbeitet ... Ich habe diese Figur erfunden, um sie als Beispiel nutzen zu können für Erfahrungen,

die ein Zeitgenosse, der in diesem Beruf arbeitet, heute macht. Natürlich hat diese Figur einen autobiografischen Hintergrund. Zugleich aber hat sie ein Eigenleben, kann sie – unter Aufsicht des Autors – eine eigene Existenz vorführen und wohl auch beweisen. Das ist eine Erfahrung, die jeder Romancier kennt, die nur für mich neu ist ... Für mich war es interessant zu sehen, wie eine solche Figur einen Autor auch viel freier macht, indem diese Figur viel mehr übernehmen, tragen kann als jenes Rollen-«Ich», das mit der Person des Autors identisch ist.

Die Erzählung setzt ein mit der Abfahrt des Mannes vom Bahnhof und endet mit der Ankunft an der belgischen Atlantikküste. Die Prosastücke dazwischen rekapitulieren nicht etwa eine Lebensgeschichte in ihrem Verlauf, sondern lösen sie auf in lauter Facetten. Was Becker vor Jahren das »multiple Ich« nannte, konkretisiert sich hier in drei Entwürfen: in der Figur, die Johann genannt wird, in ihrem zweiten Ich, das »ich« sagt, und in ihrem dritten, das der Autor mit »du« anredet.

Außensicht und Innensicht zeigen diese Figur in den verschiedensten Situationen, den verschiedensten Ländern und Zeiten, in der banalen Wirklichkeit des Alltags und den freieren Regionen der Sehnsucht und des Traums. Die Erinnerungen, Wahrnehmungen und Reflexionen der Figur holen die Physiognomien anderer Personen heran, aber immer nur kurz, in der Art von Schnappschüssen. Nur Johanns Frau, Lene, gewinnt eine dauerhaftere Gegenwärtigkeit. Auffallend ist der idyllische Charakter des Privaten, der dörflichen Zufluchtstätte im Bergischen Land.

Mit der beruflichen Sphäre verbindet sich unmittelbar die öffentliche, denn Johann prägt als Rundfunkredakteur wesentlich die öffentliche Meinung mit. Beckers Kommentar zu seiner Figur:

An diesem Mann interessiert mich eben, wie das so vor sich geht: daß wir von unserer Wirklichkeit ein bestimmtes Bild haben, das uns die Medien vermitteln. Wir leben mehr oder weniger in dieser zweiten Wirklichkeit, die Kontinente umspannt. Wir wissen aus den Nachrichten, was irgendwo auf der Welt passiert ist – ohne daß wir selbst die Erfahrung gemacht haben. Und das ist für mich der Bruch: Unsere Informiertheit geht weit über das hinaus, was wir persönlich erfahren können.

In Wahrheit reicht die Spannung, der sich Johann ausgesetzt sieht, noch tiefer. Es sind auch nicht nur die grotesken Erscheinungen einer verwalteten Öffentlichkeit – der Leerlauf von Redakteurskonferenzen, der Aberwitz der Passierscheinregelungen im Funkhaus oder die hektische Jagd der Termine –, die ihm problematisch werden. Es ist das Auseinanderklaffen von Aufgabe und Routine, von Wahrheit und Nachricht:

Den ganzen Tag lang glaubte ich mir kein Wort. Dabei hatte ich eine Menge Argumente und Kommentare hervorzubringen. Ich wußte, daß ich gewissermaßen über Eis ging, und in diesem Sinne bewegte ich mich sehr vorsichtig. Wäre es nach mir gegangen, hätte ich von Tagesanfang an auch gleich geschwiegen, aber um mich herum war ein pausenloser Druck, der von den Nachrichten kam, die laufend eingingen und weitergegeben werden wollten, und zwar nicht unbesehen, sondern ausgewählt und gut kommentiert. So mußte ich mich äußern. Aber ich glaubte mir kein Wort. Ich benutzte die Worte wie immer; es waren ja die Bestandteile des immergleichen Mitteilungsmusters, die bei allen, die sie benutzten, keinerlei Zweifel und Skrupel verursachten. Bei mir auch nicht. Jedenfalls meistens nicht.

In der scheinbaren Überfülle an Wirklichkeit, die mit den Nachrichten heranbrandet und die es zu kanalisieren gilt, lauert die totale Unwirklichkeit, die Lüge. So kommt es zum Gefühl der Selbstentfremdung:

Johann sagt, wir müssen bald anfangen zu lernen, wie wir uns selber aushalten können.

Zweifellos verweist Becker mit den Skrupeln und der Zerrissenheit des Nachrichtenredakteurs auf einen Zustand, in dem die Überflutung mit Nachrichten unsere Organe der authentischen Erfahrung immer mehr abstumpft und uns in eine Welt von lauter Schimären verbannt. Und indem er diesen Zustand bewußt macht, kann er dem Leser helfen, sich selbst wieder wirklicher zu werden.

Doch deutet sich in den Selbstreflexionen des Rundfunkredakteurs Jürgen Becker, die schon seit Jahren in die Texte Beckers eingehen, auch eine Begrenzung der Perspektive an. Und hier wird ein allgemeines Dilemma heutiger Schriftsteller sichtbar. Viele unserer Autoren sind haupt- oder nebenberuflich in den Medien tätig, als Journalist, als Rundfunkredakteur in der Literatur- oder (wie Becker selbst) der Hörspielabteilung, als Verlagslektor – in Instituten also, die sich ihrerseits wieder mit der Produktion von Literatur befassen. So ist ein wesentlicher Teil der Lebens- und Erfahrungswelt heutiger Autoren die Literatur selbst.

»Ich halte es mittlerweile durchaus für möglich, etwas zu erzählen,« sagt Jürgen Becker. Über »Erzählen bis Ostende« wird er nur hinausgelangen können, wenn er Ausfälle aus dem Autobiografischen unternimmt und ihm die Erfindung einer Figur gelingt, mit der er außerhalb der Medien-Studios Fuß faßt.

IV Kritische Porträts

Bernt Engelmann
Scharfsicht des einen, Blindheit des anderen Auges

Als Schriftsteller, »die nimmermehr die Politik trennen von Wissenschaft, Kunst und Religion«, kennzeichnete Heinrich Heine die Autoren des Jungen Deutschland, die einen Unterschied zwischen den Aufgaben der Dichtung und der Publizistik nicht mehr anerkennen wollten. Bernt Engelmann, der heute seinen sechzigsten Geburtstag feiert, würde diese Charakteristik wohl auch für sich gelten lassen. Und daß ihn der Verband deutscher Schriftsteller 1977 zum Vorsitzenden gewählt und 1980 wiedergewählt hat, zeigt an, in welchem Umfang überhaupt heutige Autoren solches Literaturverständnis teilen.

Engelmanns erstes Buch, »Meine Freunde, die Millionäre« (1961), hat es inzwischen – nomen est omen – auf mehr als eine Million Exemplare gebracht. Auch als erfolgreicher Schriftsteller ist Engelmann seinem früheren Beruf verbunden geblieben. Nach der Befreiung aus dem KZ Dachau, wo er als Widerstandskämpfer inhaftiert war, und nach einigen Jahren des Studiums arbeitete er (seit 1948) als Journalist, zeitweilig in der Redaktion des »Spiegel« und im Fernsehmagazin »Panorama«. So entwickelte sich sein Organ, Skandale zu wittern, seine Fähigkeit, sie aufzudecken, und die Bereitschaft, seinerseits zum Ärgernis zu werden.

Das muß man wissen, will man seine Interessen, seine Arbeitstechnik und seine Schreibweise, will man seine Wirkungsabsicht als Schriftsteller verstehen. Mit Engelmann wird der leidenschaftliche Rechercheur, der Jäger nach verborgenen Fakten, der moralisch-politische Detektiv (der sich allerdings nicht, wie Günter Wallraff, unter Masken einschleicht) zum Bestsellerautor.

Aber wie alle Eiferer bezahlt er den Scharfblick des einen Auges mit der Blindheit des anderen. Scharfsichtigkeit besitzt er für alles, was in der bundesrepublikanischen Nachkriegsgesellschaft unter dem Schutz öffentlichen Schweigens und außerhalb der parlamentarischen Kontrolle alte Machtpositionen behaupten und neue erobern konnte. Schon die Titel einiger Bücher deuten es an: »Die vergoldeten Bräute. Wie Herrscherhäuser und Finanzimperien entstanden« (1971), »Die Macht am Rhein« (1968), »Krupp-Legenden und Wirklichkeit« (1968), »Das Reich zerfiel, die Reichen blieben« (1972). Was die Illustrierten-, zumal die

Regenbogenpresse als Welt des märchenhaften Glücks und erfüllter Wunschträume darbietet, an der man wenigstens als Leser teilhaben kann, das enthüllt Engelmann als Tummelplatz bedenkenloser Machenschaften, wobei nun freilich die Welt, die dort vergoldet ist, hier restlos eingeschwärzt wird.

Von Anfang an hat sich Engelmann als Anwalt des »kleinen Mannes« verstanden. Ihn aus dem geschichtlichen Dunkel hervorzuholen, worin ihn eine an den Regierenden und Mächtigen orientierte Geschichtsschreibung beließ, ist das Ziel der deutschen Antigeschichtsbücher »Wir Untertanen« (1974), »Einig gegen Recht und Freiheit« (1975) und »Wie wir wurden, was wir sind« (1980). Unsere junge Republik braucht Schriftsteller, die das demokratische Erbe unserer Geschichte den Gegenwärtigen nahebringen. Vieles von dem, was Engelmann anvisiert, hat längst auch sozialgeschichtliche Forschung zu ihrem Gegenstand gemacht. So lebt Engelmanns rasch erschienene Serie mehr aus Protest und Polemik als aus neuen Erkenntnissen.

Gleichwohl haben seine Bücher – zu erinnern ist vor allem an »Deutschland ohne Juden, eine Bilanz« (1970) – beträchtlichen Informationswert. Man muß nur wissen, wo die entdeckerische Nahsicht den Zusammenhang wegblendet, durch den erst das Entdeckte seinen Stellenwert erhält. Das trifft auch zu für die Bücher, mit denen Engelmann die Grenze zur »schönen« Literatur überschreitet, in denen er Erforschtes und Erdachtes, Dokument und Fiktion vermengt: für seine sogenannten Tatsachenromane »Großes Bundesverdienstkreuz« (1974), »Hotel Bilberberg« (1977) und »Die Laufmasche« (1980).

In diesen drei Romanen führen erdachte Handlungen den andauernden Einfluß von Handlangern des Hitlerregimes und die Schlüsselrolle von Hochfinanz und Großindustrie vor. Alle Erzählstrategien sind auf Enthüllung solcher Machtkonstellationen gerichtet. Dokumentarisches Material stützt den Eindruck zeitgeschichtlicher Authentizität immer wieder auf verblüffende Weise. Es entsteht das Bild einer von Verschwörungen (auch internationalen) unterhöhlten Gesellschaft.

Dieses Verfahren ist nicht so absolut neu. Volker Neuhaus hat kürzlich den deutschen zeitgeschichtlichen Sensationsroman aus der zweiten Hälfte des vorigen Jahrhunderts wieder bekannt gemacht, zumal den Roman des konservativen Preußen Sir John Retcliffe (Pseudonym eines Mitredakteurs von Theodor Fontane an der Berliner »Kreuzzeitung«). Dieser an den sozialen Sensations- und Geheimnisroman der französischen Sue-Schule anknüpfende Autor sieht die Politik der Zeit beherrscht und bedroht durch ein Weltkomplott von geheimen Gesellschaften und revolutionären Geheimbünden, von Jesuiten, Judentum und Kapitalismus. Schon Retcliffe mischt historische Personen und erfundene. Zu seinen »historisch-politischen Romanen aus der Gegenwart« bilden die »Tatsachenromane« Engelmanns ein neueres, ein »linkes« Gegenstück.

Sein politisches Temperament treibt Engelmann immer wieder dazu, in die politische Arena zu steigen – so im letzten Bundestagswahlkampf als Gladiator gegen Strauß. Es gibt deshalb wohl zur Zeit keinen deutschen Schriftsteller, der seine Leserschaft so sehr polarisiert wie er. Die Bedeutung seiner Schriften nur nach erzählerischen oder sprachlichen Qualitäten (die begrenzt sind) bestimmen, hieße an seinen Absichten und seinen Wirkungen vorbeisehen. Ein demokratischer Staat ist angewiesen auf den unbedingten Mut der Wachsamen, und seine Unversehrtheit bemißt sich auch an dem Spielraum, den seine Bürger dem zugestehen, der sie aufstört.

(20. I. 81)

Erich Fried
Die Freiheit, den Mund aufzumachen

Lyriker sein sei kein Beruf, sondern Luxus, hört man die Enttäuschten sagen. Und wer möchte schon einem jungen Autor empfehlen, seinen Traum von einer freien Schriftstellerexistenz auf luftigen Versgebilden zu gründen. Daß aber Lyrik-Schreiben nicht unbedingt brotlose Kunst sein muß, darauf lassen die stattlichen Auflagen der Gedichtbände von Erich Fried schließen. Das kann nicht mit jener Renaissance des Gedichts zusammenhängen, von der man seit einigen Jahren spricht. Fried hat sein Publikum früher gefunden.

Er mußte freilich darüber erst vierzig Jahre alt werden. Dem am 6. Mai 1921 in Wien geborenen und mit siebzehn Jahren nach London geflohenen jüdischen Emigranten waren in einer fremdsprachigen Welt nirgendwo Weichen für ein glanzvolles Debüt gestellt. Die ersten beiden Gedichtbände (»Deutschland«, 1944, »Österreich«, 1945) blieben ohne nennenswertes Echo, und so dauerte es dreizehn Jahre, bis der nächste erschien. In Deutschland machte sich Fried zuerst einen Namen als Übersetzer des Walisers Dylan Thomas.

Berührungen mit dessen Dichtungen zeichnen sich noch in der 1958 in Hamburg herausgekommenen Sammlung »Gedichte« ab. Wäre dieser Band anonym erschienen, man würde heute Fried kaum als den Autor identifizieren. Schatten, Traum und Mond sind wesentliche Motive, und sogar im Zyklus »Spur des Krieges« ist vor die bezeichnete Wirklichkeit noch ein Netzwerk erlesener Bilder gespannt.

Selbst die »Warngedichte«, 1964 erschienen, lösen das im Titel gelegene Versprechen der Direktheit noch nicht ein. Was man die künstlerische Erweckung des politischen Lyrikers Fried nennen kann, findet seinen Niederschlag in den 41 Gedichten der Sammlung »und Vietnam und« von 1966.

Es ist also die internationale und antiamerikanische Bewegung gegen den Vietnam-Krieg, die den Lyriker Fried zu den Waffen ruft, zu den Waffen der politischen Kunst. Fried nimmt Abschied von üppiger Metaphorik und lyrischer Vagheit, von der Beschwörung des Überzeitlichen. »Was bleibt, geht stiften«, schreibt er, Hölderlin parodierend, später in »Lyrischer Winter«.

Man muß wissen, daß Fried zwischen 1952 und 1968 Kommentator des deutschen Programms der BBC war. Er bleibt auch in einem Großteil seiner Lyrik politischer Kommentator. Und hier kehrt nun seine lyrische Produktion, die nach dem Erscheinen der Vietnam-Gedichte ein fast beängstigendes Ausmaß annimmt, ihre problematische Seite hervor. Der Lyriker hascht nach jedem geeigneten politischen Stoff, nach jeder halbwegs brauchbaren Tagesmeldung. Er wird zum unersättlichen Allesverwerter. Da liegt die Gefahr nahe, daß er sein Weltbild aus der Zeitung statt aus der Erfahrung gewinnt.

Die Vietnam-Bewegung wurde von einer doppelten Fatalität ereilt; ihre Anhängerschaft zerfiel rasch in konkurrierende Gruppen, und die Geschichte erteilte ihr eine schmerzliche Lektion: Das von der Aggression befreite Land ging seinerseits sofort zur Aggression über. So hat das »und Vietnam und«, einst als »Zeile des Jahrzehnts« gerühmt, inzwischen einen makabren Hintersinn bekommen.

Aber die anhaltende Wirkung des Lyrikers Fried läßt sich ja aus seinen Irrtümern nur teilweise erklären. Was er in der Nachkriegslyrik durchsetzte, beispielsweise mit Bänden wie »Anfechtungen« (1967), »Zeitfragen« (1968) oder »Die Freiheit, den Mund aufzumachen« (1972), ist eine rationale sprachliche Form, die das politische Thema und die Gedankenführung zu äußerster Konzentration zwingt und in eine überraschende Zuspitzung treibt.

Hier war bei Brecht viel zu lernen, und immer dann hebt sich Frieds Lyrik weit von plakativer Agitationslyrik ab, wenn sie den Leser mobilisiert, indem sie einen letzten Denkschritt ihm überläßt. In solchen Formen hat Fried auf überzeugende Weise Beispiele politischer Willkür, Unmenschlichkeit und Intoleranz vors Gericht, nämlich vor das Urteil des Lesers gerufen. Ihm galten auch weder Neostalinismus noch Zionismus als tabu.

Fried hat seine lakonischen politischen Kommentare »ernsthafte Wortspiele« genannt. Selbstverständlich ist in solchen Formen für Analysen des komplexen gesellschaftlich-politischen Kräftespiels kein Raum. Darin finden sie ihre Grenze. Was sie zu leisten vermögen, ist aber nicht wenig: eine Gefühlsreaktion in eine Reflexion zu überführen, sie in einem Argumentationszusammenhang überprüfbar zu machen.

Im äußersten Fall tritt in der lyrischen Form unverhüllt die aphoristische hervor. So im Gedicht »Taktfrage«: »Im/ Haus/ des/ Gehenkten/ darf/ man/ vom/ Strick/ nicht/ reden/ weil/ jetzt/ sein/ Henker/ dort/ im/ Ruhestand/ lebt«. So im Gedicht »Die Lüge von den kurzen Beinen«: »Die/ Beine/ der/ größeren/ Lügen/ sind/ gar/ nicht/ immer/ so/ kurz./ Kürzer/ ist/ oft/ das/ Leben/ derer/ die/ an/ sie/ glaubten«.

Es ist ebendieses Grundmuster, mit dem sich Fried so zeugungskräftig bei Nachwuchslyrikern erweist. Es gibt in der Nachkriegsdichtung außer Brecht wohl keinen Autor, der einen solchen Schwarm von Nachtretern hinter sich herzieht wie Fried. So viel Handlich-Griffiges hat die Friedsche Argumentationsformel, daß sie sich auch dem mittelmäßigen Talent zum kommoden Gebrauch anbietet, ja, daß Fried oft genug zum Epigonen seiner selbst geworden ist.

Was von der Außerparlamentarischen Opposition der späten sechziger Jahre übrig blieb oder sich erneuert hat, das sieht sich in seinen Gedichten repräsentiert. Frieds Gedichtbände ermöglichen den gleichgesinnten Lesern das Gefühl politischer Solidarität, sie schaffen der nichtparlamentarischen Opposition eine literarische Öffentlichkeit.

Sein neueres lyrisches Register reicht über die Formen politischer Lyrik im engeren Sinne hinaus. Die Sprachphantasie wagt sich wieder hervor in Scherzgedichten oder Lautspielen, etwa im Band »Die bunten Getüme« (1977). Fried schreibt Gedichte über das Schreiben und über die Natur, freilich selten solche, die sich nicht zugleich auf die Gesellschaft bezögen.

Neuerdings kommt er der sogenannten Neuen Subjektivität seiner Kollegen durch Liebeslyrik entgegen, und zwar mit einem ganzen Band (»Liebesgedichte«, 1979). Hier allerdings wird allzu deutlich, daß Fried aus einem neuen Genre gleich ein Repertoire macht. Hier läuft sich die Methode der Allesverwertung tot; merkwürdig kalt lassen den Leser diese Liebesgedichte.

Einem frühen Versuch in der erzählerischen Gattung des Romans (»Ein Soldat und ein Mädchen«, 1960) hat Fried keinen weiteren folgen lassen. Auch ein Prosaband (1965) und ein Opporntext »Arden muß sterben« (1967) bleiben in seinem Werk bisher singulär. Als seine Domäne hat Fried offensichtlich das Gedicht erkannt. Und in der Geschichte der Nachkriegslyrik hat er seinen unverlierbaren Platz.

Zumindest von gleichem Rang wie seine Lyrik aber ist seine

Übersetzungskunst. Was verheißungsvoll mit der Übertragung englischer Lyrik (auch von T. S. Eliot) begann, vollendet sich in den Shakespeare-Übersetzungen (bisher schon mehr als fünfzehn Stücke). Einer, der es wissen muß, der Anglist Christian Enzensberger, hat ihnen einmalige Genauigkeit bescheinigt.

An Frieds Eigenproduktionen werden sich auch in Zukunft die Parteien scheiden. Vielleicht erklärt sich die Schärfe seiner Kritik an der politischen Wirklichkeit unseres Staates daraus, daß der Exilierte nirgendwo wieder hat heimisch werden können, daß er zu viele Hoffnungen auf die Bundesrepublik setzte. Denn soviel aggressive Bitterkeit ist nur möglich bei tief enttäuschter Liebe.

(6. 5. 81)

Ilse Aichinger
Die größere Hoffnung

Man kann zweifeln, ob einem Autor mit dem meteorhaften Aufgang seines Ruhms wirklich gedient ist. Als Ilse Aichinger, die morgen sechzig Jahre alt wird, auf der Niendorfer Tagung der Gruppe 47 im Jahre 1952 die Lesung ihrer »Spiegelgeschichte« beendete, hatte sie den sonst ums Wort nicht verlegenen Kritikern den Schneid abgekauft; und der starke Applaus nahm schon die Verleihung des Preises der Gruppe an die Autorin vorweg. Der enorme Eindruck, den das Erzählen einer Geschichte »vom Ende her«, das Zurückdrehen eines Lebensfilms vom Sterben zur Geburt, und die Selbstdistanzierung des erzählenden Ichs im Spiegelbild auf die Hörer machte, findet noch seinen Niederschlag in Walter Jens' Darstellung »Deutsche Literatur der Gegenwart« (1961), wo die Lesung der »Spiegelgeschichte« zum Augenblick der Wende in der deutschen Nachkriegsliteratur erhoben wird.

Die Wirkung des 1948 in Österreich erschienenen Romans »Die größere Hoffnung«, der in Deutschland ohne nennenswertes Echo geblieben war, hätte spätestens mit der Wiederauflage in der Fischer Bücherei (1960) einsetzen müssen. Aber der Roman vermochte die bereits in den Literaturkanon übergegangene Erzählung nicht mehr einzuholen. Zu vorbestimmt waren Lesererwartung und Leserinteresse durch die »Spiegelgeschichte«. So ist, wie es der Titel eines Aufsatzes von Peter Härtling ausdrückt, »Die größere Hoffnung« nach wie vor ein »Buch, das geduldig auf uns wartet«.

Dabei hätten Bücher wie dieses dazu beitragen können, den Widerstand gegen jenes geflissentliche Vergessen zu stärken, mit dem man schon in den fünfziger Jahren über die zwölfjährige Barbarei zur Tagesordnung überging. Denn in dem Roman waren noch das Erschrecken über diese furchtbare Zeit und das Leiden an ihr gegenwärtig. In den Erfahrungen der Hauptfigur, des Mädchens Ellen, der Tochter einer jüdischen Mutter, zuckt noch die eigene Erfahrung der jungen Autorin nach. Ilse Aichinger, in Wien als Tochter einer jüdischen Ärztin und eines »arischen« Vaters geboren, konnte nicht ihre Großmutter vor der Gestapo und dem Abtransport retten; nur die Mutter des »Mischlings« war vor dem Konzentrationslager einstweilen sicher. Aber seit der

Volljährigkeit der Tochter, seit dem Jahre 1942, folgte den Frauen die Furcht wie ihr eigener Schatten.

Daran erinnern die Situationen des Romans. Das verfolgte, gejagte Mädchen sucht und findet seine Identität bei denen, die den Stern tragen müssen, im Judentum. »Die größere Hoffnung« heißt der Roman, weil die zerstörte Brücke vom Krieg zum Frieden, an der eine Granate den Leib des Mädchens zerfetzt, wieder aufgebaut werden wird. Es blieb Ilse Aichingers einziger Roman. Ihre Weigerung, die Gesetze des Zusammengehörens von Dingen und der Aufeinanderfolge von Geschehnissen aus der Wahrnehmungswirklichkeit in die poetische Wirklichkeit zu übernehmen oder auch nur als Modell anzuerkennen, mußte sie wohl notwendig vom Roman wegführen und ihr das kürzere Prosastück als die gemäße Form zuweisen.

Damit aber – und das wird vor allem an den Reaktionen der Kritik gegenüber den Erzählungen des Bandes »Eliza Eliza« (1965) deutlich – begann ein Prozeß, der die Erzählungen für den Leser zunehmend »unwegsam« (Hilde Spiel) machte. Den Signalen der gewohnten Welt zunächst vertrauend, sieht sich der Leser bald von einer Sprachwelt, von Wörtern und Bedeutungen umstellt, aus deren Umklammerung kein unmittelbarer Ausfall ins Gewohnte mehr möglich ist. Es besteht auch keine symbolische oder parabelhafte Verknüpfung – die Wortzeichen verweisen nicht von einem Besonderen auf ein Allgemeines, sie bilden keine Gleichniswelt, aus der sich formulierbare, verwendbare Einsichten abziehen ließen.

Aber ebensowenig folgen Ilse Aichingers Erzählungen (wie auch die Hörspiele) der hermetischen oder surrealistischen Methode. Und die europäischen Autoren, von deren literarischer Technik oder Poetik her man sich ihrem Werk zu nähern versuchte: Kafka, Samuel Beckett, Harold Pinter, Lautréamont oder André Breton, sie alle sind nur verstreute Marken in einem literarischen Gelände, in dem sich Ilse Aichinger sehr selbständig und eigenwillig orientiert. Ihre Sprache ist präzise, sie nimmt die Sache beim Wort, sie ist das Gegenteil von Schönschreibkunst. »Ich gebrauche jetzt die besseren Wörter nicht mehr«, beginnt der Prosa-Band »Schlechte Wörter« (1976). Und sie macht uns die Dinge und Vorgänge auffällig, merkwürdig, in dem sie sie in unvertraute Positionen zueinander bringt. »Niemand kann von mir verlangen, daß ich Zusammenhänge herstelle ... ich bin nicht wahllos wie das Leben.«

So schreibt Ilse Aichinger gegen die bequemen Erwartungen und die raschen Einverständnisse, gegen den billigen Ruhm und die wechselnden Modestile an. Allerdings verrät der Band »Verschenkter Rat« (1978), in dem Gedichte aus mehr als zwanzig Jahren gesammelt sind, wieder ein stärkeres kommunikatives Bemühen. Vielleicht aber liegt es nur an der Kurzform der oft epigrammatischen Gedichte, daß hier der Eindruck einer abweisenden Fremdheit gar nicht erst entsteht.

»Denn was täte ich,/ wenn die Jäger nicht wären, meine Träume,« heißt es im Eingangsgedicht. Läßt man sich nicht nur von psychoanalytischen Vorstellungen leiten, so eröffnet der Satz einen der möglichen Zugänge zur Dichtung Ilse Aichingers. Es sind nicht die Raum-Zeit-Bedingungen der Tagwelt, sondern die freieren des Traums, von denen aus sich die künstlerische Phantasie auf die Spur der Realität setzt. Die dichterische Sprache Ilse Aichingers erhält ihren Rang durch das hohe Maß an Suggestion, mit dem sie die Leser bewegt, diesen Erkundungen zu folgen.

Die Juroren der vielen inzwischen existierenden Literaturpreise (von denen es freilich nie genug geben kann) sind an der Autorin, die in einem kleinen Ort an der bayerisch-österreichischen Grenze wohnt, keineswegs vorbeigegangen. Von den zahlreichen Auszeichnungen seien nur genannt der Bremer, der Düsseldorfer und der Wiener Literaturpreis, der Nelly-Sachs-Preis der Stadt Dortmund und der österreichische Staatspreis. Den Preis der Gruppe 47 erhielt sie nach Böll und Eich. Und mit ihrem »Vorgänger«, mit Günter Eich, war sie seit 1953 fast zwei Jahrzehnte in einer Ehe verbunden, für die das Wort »erfüllt« angemessen ist.

In einem ihrer Aufsätze spricht Ilse Aichinger von »diesem Zeitalter, in dem alles erzählt und nichts angehört wird«. Es wäre schlimm, sollte ihre eigene Stimme wirklich nicht mehr angehört werden. Aber da ist nichts zu befürchten. Wie beginnt der vor mehr als drei Jahrzehnten erschienene Roman? »Rund um das Kap der Guten Hoffnung wurde das Meer dunkel. Die Schiffahrtslinien leuchteten noch einmal auf und erloschen. Die Fluglinien sanken wie eine Vermessenheit.« Sätze, wie in die Gegenwart gesprochen. Es ist für ein Lebensgefühl, auf das man heute immer häufiger stößt, noch keine treffendere Sprache gefunden worden.

(31. 10. 81)

Neuer Kipphardt dringend gesucht

Heinar Kipphardt hat es sich nirgendwo bequem gemacht. Der gebürtige Schlesier, in Düsseldorf zum Doktor der Medizin (Fachrichtung Psychiatrie) promoviert, ging nach Ost-Berlin an die Universitäts-Nervenklinik der Charité. Es hielt ihn nicht im weißen Kittel. Er wechselte das Arbeitsfeld und den Gegenstand seiner Diagnosen, war seit 1950 Chefdramaturg des Deutschen Theaters und schrieb zeit- und kulturkritische Stücke. Aber er geriet mehr und mehr ins Visier kulturpolitischer Dogmatiker; so setzte er sich 1959 in die Bundesrepublik ab.

Hier lebt er, in der Nähe Münchens, als freier Schriftsteller. Zweimal noch gab er Zwischenspiele in der Theaterdramaturgie, zunächst am Düsseldorfer Schauspielhaus, dann an den Münchner Kammerspielen. Das letzte endete mit einem Eklat, und zwar nach Kipphardts Versuch, zur Aufführung von Wolf Biermanns »Der Dra-Dra« ein Programmheft herauszubringen, dessen agitatorisches Bildmaterial sich direkt gegen Persönlichkeiten der Bundesrepublik richtete.

Es war die Zeit der illusionären Hoffnung, die politische Aktion lasse sich von der Bühne unmittelbar in die Wirklichkeit hineintragen. Inzwischen ist Kipphardt zu der nüchternen Einsicht zurückgekehrt, daß die »politische Praxis« des Schriftstellers immer nur sein Buch, sein Theaterstück oder sein Film sein kann. Zurückgekehrt ist er auch, als Erzähler, Dramatiker und Filmautor, zur Psychiatrie. Ein Oppositioneller ist er geblieben.

Gleich mit seinem ersten bekannten Stück, dem Lustspiel »Shakespeare dringend gesucht« (1953), ging er auf Gegenkurs. Schauplatz der Satire ist ein Dramaturgenbüro, in dem offenbar wird, was die Forderung nach einer neuen sozialistischen Dramatik an seltsamen Produkten guter Gesinnung herbeigerufen hat: den dramatisierten Leitartikel und dialogisiertes Parteichinesisch, das umgepolte nationalistische Stück von ehemals, Traktoristen- und Aktivistenpoesie. Kipphardts Lustspiel konnte ein Erfolg werden in jener vorübergehenden kulturpolitischen Phase der gelockerten Zügel, die dem 17. Juni 1953 folgte. Paßte die Satire auf das westdeutsche Wirtschaftswunder (»Der Aufstieg des Alois Piontek«, 1956) in die offizielle Linie, so passierte die Dramatisierung eines Romans von Ilf und Petrow, »Die Stühle des

Herrn Szmil«, nicht die entscheidende Ost-Berliner Instanz, weil Themen wie die ständige Furcht von Funktionären vor Konspiration und die Furcht anderer vor Verhaftung den zugelassenen Spielraum der Satire offensichtlich überstiegen. So kam das Stück erst 1961 in Wuppertal auf die Bühne, wo es nun freilich seine eigentlichen Adressaten nicht mehr fand.

Der Niedergang der Satire, in der Komödie »Die Nacht, in der der Chef geschlachtet wurde« (1967), wog leichter nach Kipphardts Aufstieg als Bühnen- und Fernsehautor des »dokumentarischen Theaters«. Mit den Stücken »Der Hund des Generals« (1962, Dramatisierung der gleichnamigen Erzählung), »In der Sache J. Robert Oppenheimer« (1964) und »Joel Brand« (1965) hat Kipphardt neben Peter Weiss und Rolf Hochhuth für fast ein Jahrzehnt die Entwicklung unseres Theaters bestimmt. Nie zuvor in der Nachkriegszeit und nie wieder nachher forderte die Bühne so sehr das Interesse der Öffentlichkeit, wurde sie so sehr zum Forum bedeutender politischer Fragen. Mit seinem Oppenheimer-Stück erreichte Kipphardt auch ein internationales Publikum. Wie die erneute Sendung der Fernsehfassung vor kurzem bewies, wirken diese Szenen über das Dilemma der Atomphysik noch ebenso heutig wie vor zwei Jahrzehnten.

Kipphardt wollte das dokumentarische Theater nie als bloße »Montage von dokumentarischem Material« verstanden wissen. Dennoch treten die Stücke über Vorgesetztenwillkür im Krieg und über den Atomphysiker wie auch die szenische Geschichte des gescheiterten Versuchs, im Jahre 1944 die Deportation der Juden aus Ungarn zu verhindern, mit dem Anspruch geschichtlicher Echtheit auf. Sobald die erhoffte Wirkung des politisch-dokumentarischen Theaters ausblieb, zerbröckelte auch sein Fundament.

Von der allgemeinen Resignation ist Kipphardt besonders stark betroffen worden; es verschlug dem Dramatiker für ein gutes Jahrzehnt die Sprache. Der noch im Kommentar zu »Der Hund des Generals« die Methode des psychologischen Theaters zurückwies, wandte sich nun selbst (wieder) Problemen der menschlichen Seele, der Psychiatrie, zu. Drei Werke des letzten Jahrzehnts, ein Film, ein Roman und ein Schauspiel, kreisen um denselben Fall, um das Leben des schizophrenen Dichters Alexander März.

Am Dokumentarstil hält Kipphardt äußerlich fest, indem er die

Geschichte der Krankheit und ihrer Behandlung als Dokumentation darbietet. Auch die Absicht, in bestehende Zustände einzugreifen, ist nicht völlig aufgegeben. Weniger die organischen als die gesellschaftlichen Ursachen der Geisteskrankheit beschäftigen ihn.

Aber die Optik seiner dokumentarischen Schreibweise hat sich verändert wie die Einstellung einer Kamera, die immer kleinere Ausschnitte wählt. Geradezu Selbstdokumentation sind seine 1981 erschienenen »Traumprotokolle«. Wie in den März-Texten an der Schizophrenie, so fesselt ihn hier am Traum die Nähe zur künstlerischen Bilderwelt.

Der Weg von der Psychiatrie über Satire, kritische Erzählprosa und Zeitstück zu literarisierter Psychiatrie und Traumforschung erweckt den Anschein von etwas Geschlossenem, Abgerundetem. Doch Traumprotokolle können kaum die Endstation eines Schriftstellers sein, der einmal geschichtliche Konflikte seiner Epoche protokollierte. Kein Shakespeare, aber ein neuer Kipphardt dringend gesucht.

(8.3.82)

Hilde Domin
Lebens- und Sprachodyssee

Als ich sie zum erstenmal sah und hörte – und man muß sie hören –, im Vortragssaal des Kölner Wallraf-Richartz-Museums, hatte sie bereits ihr festes Publikum. Sie war, nach ihrer Rückkehr aus dem Exil, schon mehrfach zu Lesungen in Köln gewesen, in der Stadt ihrer Kindheit. Und ich habe nirgendwo, weder in ihren Schriften noch in Gesprächen, je etwas von geheimem Groll gegen die Stadt gespürt, aus der die jüdische Anwaltsfamilie fliehen mußte. Das ehrt Köln.

Hilde Domin hat ihr Leben eine Sprachodyssee genannt. Und wie eine erzwungene Irrfahrt durch den Archipel der Weltsprachen nimmt sich tatsächlich die Biographie der ersten vier Jahrzehnte aus. Die Studentin, in Heidelberg Schülerin von Karl Jaspers und Karl Mannheim, macht 1935 in Florenz das italienische Doktorexamen in den Politischen Wissenschaften. Die *dottoressa* heiratet den – heute gemeinsam mit ihr in Heidelberg lebenden und international bekannten – Archäologen und Kunsthistoriker Erwin Walter Palm, mit dem sie 1939 nach England emigriert. An einem englischen College lehrt sie Französisch und Italienisch. Mit der Übersiedlung in die Dominikanische Republik flüchtet sie unter das Notdach der spanischen Sprache.

Das Lektorat für Deutsch an der Universität von Santo Domingo, das man ihr 1948 überträgt, ist der erste Schritt zur Rückkehr aus dem Sprachexil. Rückkehr heißt zugleich Aufbruch Hilde Domins als Schriftstellerin. Der Tod der Mutter im Jahre 1951 löst eine schwere existentielle Erschütterung in ihr aus, löst der Lyrikerin die Zunge. So gehören der Tod der Mutter und die Geburt der Dichterin Hilde Domin zusammen.

Und so geht dem Ende der Lebensodyssee, der Rückkehr nach Deutschland (1954, endgültig 1961), das Ende der Sprachodyssee voraus. Natürlich ist Hilde Domin nie wirklich aus der deutschen Sprache emigriert. Als 1959 ihr erster Gedichtband, »Nur eine Rose als Stütze«, erschien, deutete Walter Jens die Rosenmetapher kühn als die deutsche Sprache, die in den Jahren des Exils Halt gewesen sei, und Hilde Domin akzeptierte diese Deutung. Aber als Dichterin hat sie doch zum zweiten Mal und in einem tieferen Sinne von der deutschen Sprache Besitz ergriffen.

Hilde Domin kam spät – erst um das vierzigste Lebensjahr herum – zur Literatur, aber ihr ist dann schnell das Publikum entgegengekommen. Ihre weiteren Lyrikbände (»Rückkehr der Schiffe«, 1962; »Hier«, 1964; »Höhlenbilder«, mit Graphik von Heinz Mack, 1968; »Ich will dich«, 1970) stießen schon auf eine treue Leserschaft. Die öffentliche Anerkennung blieb nicht aus; sie erhielt neben anderen Auszeichnungen den Droste-Preis (1971), die Heinrich-Heine-Plakette (1972), die Roswitha-Gedenkmedaille (Bad Gandersheim, 1974) und den Rainer-Maria-Rilke-Preis für Lyrik (1976).

Ihre Wirkung wird begreiflicher, wirft man einen vergleichenden Blick auf eine andere Exillyrikerin: Nelly Sachs. Während in Nelly Sachs' Gedichten die sprachlichen Bilder, vor allem die aus kabbalistisch-jüdischer Tradition stammenden Licht- und Sternenmetaphern, die lyrische Aussage verschlüsseln, oft bis zur völligen Verrätselung, bewegt sich die Metaphorik von Hilde Domin auf jenem schmalen Grat, wo das Poetische der Bilder voll zur Entfaltung gelangt, aber noch nicht zur Schwerverständlichkeit hinüberneigt. Es ist die gleiche »Temperatur«, die Bild und Sache verbindet: »Wort und Ding/ lagen eng aufeinander/ die gleiche Körperwärme/ bei Ding und Wort.«

Elementarere Eindrücke als die Odyssee selbst scheint das Erlebnis der Heimkehr hinterlassen zu haben. »Die Rückkehr aus dem Exil ist vielleicht noch aufregender als das Verstoßenwerden«, beginnt der Essay zu Brechts Gedicht »Ein neues Haus«. Hans-Georg Gadamer hat Hilde Domin geradezu die »Dichterin der Rückkehr« genannt. Aber auch er versteht Heimkehr zugleich als Einkehr und Rückkehr in die Sprache.

Aufgehoben in der Dichtung bleiben die Erfahrungen des Exils. »Unverlierbares Exil/ du trägst es bei dir/ du schlüpfst hinein/ gefaltetes Labyrinth/ Wüste/ einsteckbar.« Wer vertrieben, umhergetrieben war wie Hilde Domin, kennt die Vorläufigkeit allen Wohnens. »Gewöhn dich nicht./ Du darfst dich nicht gewöhnen./ Eine Rose ist eine Rose/ Aber ein Heim/ ist kein Heim.« Es gibt keine absolute Gewähr gegen Obdachlosigkeit.

Für die künstlerische Ökonomie der Lyrikerin spricht, daß sie Autobiographisches nicht hemmungslos zu Versen münzt, sondern für die angemessenere Form der autobiographischen Prosa aufbewahrt. Ein Sammelband mit dem Titel »Von der Natur nicht vorgesehen« erschien 1974, ein weiterer, »Aber die Hoffnung«, soll in diesem Jahr ausgeliefert werden. Das Thema der Lebensodyssee hat nirgendwo eine prägnantere erzählerische Gestalt gefunden als im Prosastück »Meine Wohnungen – ›Mis moradas‹«.

In der Romangattung ist es bisher bei einem einzigen Versuch geblieben. »Roman in Segmenten« lautet der Untertitel der ersten Druckfassung des Romans »Das zweite Paradies« (1968). In der Taschenbuchausgabe von 1980 ist dieser Untertitel in bezeichnender Weise verändert: »Eine Rückkehr«. Er signalisiert wieder das große Thema Hilde Domins. Im übrigen fehlt, was in der Kritik umstritten war: die Spiegelung der Zeitgeschichte in einmontierten Auszügen aus dem »Spiegel« der Jahre 1967/68 und ein relativierender Rahmen. Die Liebes- und Heimkehrgeschichte hat an innerer Folgerichtigkeit gewonnen, aber es fällt schwer, die Verkürzungen nur als Verbesserungen zu sehen.

Wer sich mit Hilde Domin ins kritische Gespräch einläßt, muß auf eine Beweisführung gefaßt sein, die sich auch theoretisch vergewissert hat. In die Lyrik-Diskussion der sechziger Jahre griff sie mit einer Sammlung von Aufsätzen ein (»Wozu Lyrik heute«, 1968). Weder ästhetische Folgenlosigkeit noch eine platte politische Gebrauchsfunktion spricht sie der Lyrik zu. Indem das Gedicht dem Menschen hilft, »die eigene Erfahrung zu benennen und mitzuteilen, hilft es ihm, der Wirklichkeit Herr zu werden, die ihn auszulöschen droht«.

In dem von ihr herausgegebenen, außerordentlich erfolgreichen Taschenbuch »Doppelinterpretationen« (1969) läßt Hilde Domin Gedichte jeweils vom Autor und von einem Kritiker deuten. Für sie selbst gilt diese Trennung kaum. Deshalb haben es die Interpreten ihrer Dichtung mit ihr nicht leicht. Sie selbst ist der beste, der hartnäckigste Anwalt in eigener Sache. Unvermutete Erbschaft des Vaters?

Der Titel des Bandes, der aus Anlaß ihres 70. Geburtstags erscheinen soll, »Aber die Hoffnung«, verrät viel von der Verfassung der Autorin. Die Wirklichkeitserfahrungen der Vergangenheit und der Gegenwart haben Hilde Domin weder in naive Zuversicht und blanken Optimismus noch in die Resignation getrieben. Die Hoffnung wird nicht widerspruchslos, sie wird über das »Dennoch« gewonnen.

27. 7. 82

V Rezensionen zur Kulturkritik

In die Hände seiner Gegner
Walter Jens' »Republikanische Reden«

Es ist noch nicht eben lange her, da galten Redekunst und Literatur als zwei feindliche Geschwister, und es unterlag keinem Zweifel, wer das Kainsmal trug, der Rhetor oder der Dichter. Erst wo der eine aufhört, beginnt der andere, und: der Rhetor ertötet im Schriftsteller den Dichter, so lauteten die Urteile einer Zeit, die als Dichtung nur die Erlebnispoesie und die Sprache des unmittelbaren Ausdrucks anerkannte. Dann setzte sich die Erkenntnis durch, daß – bis ins 18. Jahrhundert hinein – ganze literarische Epochen im Zeichen innigsten Zusammenlebens von Poesie und Rhetorik standen. Doch blieb die Rhetorik fragwürdig als Technik berechnend-effektvollen Sprechens.

Um der Redekunst den Makel bloßer Überredekunst zu nehmen, war volle Rehabilitierung nötig. Zu ihr trug die Tübinger Universität bei, indem sie dem Altphilologen Walter Jens einen Lehrstuhl für Allgemeine Rhetorik einrichtete. Der Schriftsteller Jens nahm seinen Lehrauftrag wörtlich und schlug sein Rhetorik-Katheder in der Öffentlichkeit auf.

Denn rhetorische Rede – der Doppelausdruck hat hier seinen Sinn – ist öffentliche Rede. Die Antike, so lernt schon der Anfänger, kannte als Formen der angewandten Rhetorik die politische, die Gerichts- und die Lobrede (später kam die christliche Predigt hinzu). Immer will, von der Preisrede einmal abgesehen, rhetorisches Sprechen Handeln, Entscheidungen bewirken (das Handeln der Staatsbürger, der Richter oder Geschworenen, der Gläubigen), immer ist es praxisbezogen.

So sind die »Republikanischen Reden«, die Walter Jens jetzt gesammelt vorlegt, in weit konsequenterem Sinne als seine Abhandlungen »Von deutscher Rede« (1969) Anwendung dessen, was er lehrt; sie lassen Gegenstand und Tätigkeit des Rhetorik-Professors, Theorie und Praxis identisch werden.

Republikanisch sind sie als die Reden eines Demokraten, der sich in die jakobinische Tradition stellt. (Der Jakobiner-Begriff freilich ist zu sehr strapaziert. War Kant, der in der »Beantwortung der Frage: Was ist Aufklärung« den »Freistaat«, also die Republik, gegen die Monarchie herabsetzt, wirklich ein Jakobiner?) Mit den Jakobinerreden in der Französischen Nationalversammlung nach 1789 haben diese zwischen 1971 und 1976 gehaltenen Reden die bürgerliche Radikalität gemeinsam. Ihr ursprüngliches Forum bildeten Schriftsteller- und Wissenschaftlerkongresse, der Deutsche Pfarrertag in München, Jubiläen (eines Gymnasiums und des Deutschen Fußballbundes), die Thomas-Mann-Feier in Lübeck oder der Jahreskongreß öffentlicher Nahverkehrsbetriebe in Hamburg.

Hier läßt der Drang des Rhetorikers zur Öffentlichkeit auch seine Kehrseite ahnen: die Versuchung, Redekunst als Rederoutine für alle Zwecke verfügbar zu halten. Der Rhetoriker als Mietredner, als Sprachsolist beim Festchor der Verbandsjubiläen – würde solches Virtuosentum nicht wieder den Verdacht herausfordern, von dem die Rhetorik gerade befreit ist?

Aber sogleich auch die Gegenfrage! Was eigentlich schließt den Schriftsteller und Universitätslehrer von dem Recht aus, in staatsbürgerlicher Sache – in welcher auch immer – sein Wissen und sein Engagement mitsprechen zu lassen? Bei unseren westlichen Nachbarn wurden Wissenschaft, Literatur und öffentliche Angelegenheiten nie, was bei uns beamtenrechtliches Denken aus ihnen machte oder doch zu machen wünschte: eifersüchtig gehütete Ressorts.

Die Lektion, die Walter Jens in seiner Rede »Zehn Pfennig bis Endstation« über den öffentlichen Personennahverkehr von einst gibt, ist ein Muster für die rhetorische und schriftstellerische Kunst, einer scheinbar banalen Sache literarischen Glanz und unvermutetes soziales Gewicht zu verleihen, zugleich historische Fakten so zu ordnen, daß sie sich zu einer spannenden Geschichte fügen.

Zunächst fängt der Redner den Hörer – und nun Leser – durch ein literarisches Zitat ein und führt ihn mit dem Marquis de Venosta (alias Felix Krull) in das Waggon-Restaurant des Zuges, der Paris in Richtung Süden verlassen hat. Daß die Eisenbahnreise kein literarisches Sondermotiv Thomas Manns ist, belegen die Beispiele aus Fontanes Roman »Cécile«, aus Dostojewskis »Der Idiot« und Tolstois »Anna Karenina«, schließlich aus Joseph Roths »Radetzkymarsch«. Schon ist das historische Interesse des Lesers gefesselt – die technische Revolution hat die Reise in den Transport verwandelt. Der sozialgeschichtliche Hintergrund wird deutlich: wie das preußische Dreiklassenwahlrecht spiegeln die Eisenbahnklassen die hierarchisch gegliederte Gesellschaft, doch ist bereits das neue, demokratische Zeitalter angebrochen, denn mit der Eisenbahn fahren der Landrat wie der Prolet, und für beide sind Abfahrt- und Ankunftszeiten die gleichen.

Die Geschichte der Technik und der Kultur überkreuzen sich im Kult des Altertums; da Theater als griechische Tempel erstehen, will die Hamburger Alsterschiffahrt nicht zurückbleiben: Seit Anfang des Jahrhunderts dampfen die Schiffe unter der Flagge des Hellenismus, aus den Namen »Eppendorf« und »Winterhude« sind »Nautilus« und »Neptun«, aus »Oscar« ist »Triton« geworden. Die andere Hansestadt, Bremen, trägt zur Geschichte des Nahverkehrs die Probleme der Straßenbahnen bei: Fragen des Tarifs und – schon – des Umweltschutzes.

Der Streit von Privatinteresse und Gemeinwohl beherrscht die Reden im Stadtparlament – Akten beginnen zu reden. Der Kommentar von Jens: »An der Kriegsgeschichte gemessen ist die deutsche Parlamentsgeschichte ein ungeschriebenes Buch«. So wird aus der literarischen und technischen Lektion eine politische, eine zugleich gelehrte und populäre – eine bei allem Ernst vergnügliche Lektion.

Auf denselben Ton ließ sich die Rede vor den Pfarrern, das Plädoyer für die Zurücknahme des Predigt-Primats, nicht stimmen. Jens macht sich mit dieser Rede nicht zum erstenmal den Theologen unbequem. Was mit seiner Teilübersetzung der Bibel aus dem Griechischen und den Neuinterpretationen der Judas-Geschichte und des Gleichnisses vom barmherzigen Samariter begann, setzt sich fort in seiner Absage an die Vorstellung einer »unio mystica auf der Kanzel«: christliche Rede habe in der Form der Andeutung und nicht des Zugriffs von Gott zu sprechen. Die mehrfach bekundete Übereinstimmung mit dem kritischen Denken Lessings offenbart sich, durch eine Reihe von Theologennamen nur scheinbar verdeckt, auch hier, wenn Jens den Liebesdienst in Wort und Tat zum Gebot der Stunde erklärt – für Lessing hatte sich christlicher Glaube als christlich-sittliche Tat zu erweisen.

Schon der Romanist Erich Auerbach zog in seinem Buch »Mimesis«, mit dem Vergleich homerischen und alttestamentlichen Erzählens, den Bibeltext lediglich zur Demonstration einer literarischen Technik heran. Ermutigung genug für den Altphilologen, das Neue Testament nicht als einen heiligen Text, sondern als ein Stück antiker Literatur zu analysieren. Nach Jens' Essay über die

»Evangelisten als Schriftsteller« wird niemand mehr die Evangelien mit derselben literarischen »Unschuld« lesen können wie früher.

Nicht daß Jens für ein Lesen plädierte, das dem Anspruch des Inhalts ausweicht. Gerade das nicht! Die »radikal apolitische Ästhetisierung der klassischen Bildung«, die in der zweiten Hälfte des 19. Jahrhunderts einsetzte und deren Ergebnis immer nur eine »antiquierte Antike« sein kann, ist ihm ebenso verdächtig wie jene Gleichsetzung von griechisch und humanistisch, von klassisch und kanonisch, die manche Grundsatzreferate in der DDR vollziehen. Seine Forderung: den klassischen Texten ihre Geschichtlichkeit und damit die Kraft des Widerspruchs zurückzugeben.

Die Absage an eine radikale Ästhetisierung der Literatur ist nicht als Freibrief für radikale Entliterarisierung zu verstehen. Jens' Protest gegen Fremdansprüche richtet sich nach zwei Seiten: wie die Literatur einst keine Magd der Theologie war, so ist sie heute keine Dienerin der Sozialwissenschaft. Aber über »Möglichkeiten und Grenzen« der Literatur zu sprechen, ist nötig angesichts des Katzenjammers, den die zusammengebrochenen illusionären Hoffnungen politischer Aktionisten hinterlassen haben.

Jens erinnert daran, daß es so schlecht um die Möglichkeiten der Literatur nicht stehe (und wohl an keiner Stelle wird so deutlich wie hier, daß der Rhetoriker keine Resignation kennt). Zensur und Verbote, Zeichen der Angst vor der Literatur, sind die untrüglichsten Beweise gegen deren Wirkungslosigkeit. Unbequem ist gerade die »konservative« Funktion der Literatur, ihre Rolle als rückwärtsgewandte Prophetie und als Gedächtnis der Menschheit, als Werkzeug des historischen Bewußtseins. Unbequem ist sie freilich auch in der sokratischen Rolle, gegen die Autoritätsanmaßung »nein« zu sagen.

An Beispielen solchen Rollenverständnisses sind die »Republikanischen Reden« nicht arm. Über Thomas Mann als »letzten Patrioten« und »letzten Bürger« zu sprechen, ist für Jens das eine – die in der Französischen Revolution erzwungenen bürgerlichen Schutzrechte zu verteidigen und nachzuweisen, daß Wissenschaftler wie Virchow und Einstein heute als Radikale einzustufen wären, ist für ihn nicht das andere. Hier bekommen die geschliffenen Reden Kanten, an denen sich manche Leser stoßen werden.

Gegenstand dieser republikanischen Reden ist wirklich die *res publica*, die Sache der Öffentlichkeit, des Staates, des Volkes. Gewöhnlich hat ein Schriftsteller seine Sympathisanten, hat ein Buch »sein« Publikum. Dieses Buch dieses Autors gehört auch, ja gerade, in die Hände seiner Gegner. Es verdient die Auseinandersetzung, die es sucht, und jene Art von Öffentlichkeit, die es mobilisiert.

(5. 2. 77)

Wie golden waren die Zwanziger?
Eine Kulturgeschichte der Weimarer Republik

»Die zwanziger Jahre haben es zur Zeit sehr gut bei uns. Der Expressionismus steht wieder in hohem Ansehen. Die Dreigroschenoper ist nicht totzukriegen, und selbst Schlager von damals erleben eine Renaissance.« So schrieb 1962 Helmuth Plessner in einem kultursoziologischen Essay, der am frischen Gold der »Legende von den zwanziger Jahren« kratzte, indem er ebendiese Epoche der Weimarer Republik als die Zeit der »katastrophalen Entwicklung zum Nationalsozialismus« bewußtmachte. Aber auch der Kritiker der Legende war nicht unbeeindruckt von dem nahezu unerschöpflichen Reservoir kultureller Kräfte, das diese Zeit bereitstellte.

Ähnlich ergeht es den beiden Autoren der jetzt erschienenen »Kulturgeschichte der Weimarer Republik«, Jost Hermand und Frank Trommler. Sie projizieren auf die Fassade der »Golden Twenties«, an der Namen wie Erwin Piscator, Fritz Lang, Walter Gropius und Marlene Dietrich am kräftigsten leuchten, die Schatten der Inflation, der Weltwirtschaftskrise, der Arbeitslosenheere und des trommelnden Hitler – und dennoch schlägt in diesem »gegen den Strich« geschriebenen Buch immer wieder die Faszination durch.

Der Band schließt sinnvoll an die fünfbändige, im Ost-Berliner Akademie-Verlag erschienene Reihe »Deutsche Kunst und Kultur von der Gründerzeit bis zum Expressionismus« an, die Jost Hermand zusammen mit dem Kunsthistoriker Richard Hamann zwischen 1959 und 1975 herausgab. Daß sich Hermand jetzt mit einem zweiten literaturwissenschaftlichen Autor verbunden hat, wirkt sich auf die Konzeption des Bandes aus: Die bildende Kunst verliert, obwohl immer noch respektabel vertreten, ihr Übergewicht; Literatur, Theater, Film und Musik treten ihr gleichrangig zur Seite. Dem Band kommt zugute, daß seine Autoren an amerikanischen Universitäten lehren: In ganz anderer Weise als die einheimische behandelt die ausländische Germanistik Literatur im Zusammenhang der allgemeinen Kulturgeschichte.

Es ist ja nicht die bloße Provokation, die in der ungebärdigen, frechen, auch pubertären, der explosiven und zündenden Kunst der zwanziger Jahre triumphiert; vielmehr befreit sich hier eine

Epoche aus der Moralität des Viktorianischen und der Servilität des Wilhelminischen Zeitalters (während freilich zugleich schon der Grund für ein weitaus gefährlicheres Untertanentum gelegt wird). Hermand und Trommler machen die kulturelle Vielfalt, aber auch die zunehmenden politischen Spannungen in der Weimarer Republik deutlich. Das neue Bild von der Frau hat die Züge sowohl des Vamps (der »Sexbombe«) wie des Flappers (des kessen Modetyps), Zwillingsbruder des Amerikanismus ist der Technikkult, Sportenthusiasmus verträgt sich mit Großstadtbejahung. Aber den Naturkult erneuert die bündische Bewegung, und schon drohen die völkischen Eiferer mit der großen Säuberung; die politische Rechts-Links-Polarisierung seit 1929 bereitet den Kollaps der Weimarer Republik und ihrer Kultur im Jahre 1933 vor.

Drei Phasen (drei »Wellen«) der Kunstentwicklung werden unterschieden: der weiterwirkende Expressionismus, die republikbezogene Neue Sachlichkeit (1923-1929) und die Bewegung der Linken, deren Programm Kunst nur noch als Waffe im politischen Kampf gelten läßt. Hermand und Trommler sprechen der nachexpressionistischen Kunst die Stileinheit ab, wobei sie sicher den alle Kunstrichtungen durchdringenden Pragmatismus der Neuen Sachlichkeit, der gegen den herkömmlichen Repräsentationswert der Kunst ihren Gebrauchswert setzt, als stilbildende Kraft unterschätzen.

Auch sonst lassen sich gegen Details des Buches Einwände erheben. Der knappe, eher beiläufige Bericht über die völkische und nationalistische Literatur, die ja keineswegs erst mit Hitlers Machtergreifung zu Massenauflagen kam, wird ihrer tatsächlichen Wirkung nicht gerecht. Gelegentlich, so im Kapitel über Musik, wird etwas rasch von der ökonomischen Situation auf die künstlerische Produktion geschlossen. Und manchmal drängt sich die Geschichte der künstlerischen Manifeste allzusehr vor die ästhetische Analyse.

Aber solche Vorbehalte wiegen wenig angesichts einer Gesamtschau, die sich auf imposante Faktenkenntnis stützt (das Namenregister erlaubt es dem Leser, das Buch fast wie ein Lexikon zu benutzen). Die Trennung der Kunstbereiche – allgemeine Kunstszene, Literatur, Theater, Film, Musik, visuelle Künste – bringt Wiederholungen mit sich, doch erhalten auf diese Weise die Einzelkapitel eine stärkere Geschlossenheit.

Das Buch ist auf Breitendarstellung angelegt, auf das lückenlose

Panorama, nicht auf die Profilierung von Höhenzügen. Dennoch setzen die Autoren Akzente, die ihre Vorlieben andeuten: etwa für den Zeitroman und das Zeitstück, für den Film »im Zeichen des Realismus«, für die musikalischen Versuche Hanns Eislers, für die Porträtkunst der Neuen Sachlichkeit und die Künstler des Bauhauses.

Reichliches Bildmaterial ergänzt und illustriert den Text. Hermand und Trommler hüten sich, die Legende von den »goldenen Zwanzigern« wieder aufzufrischen. Aber es spricht doch für den Rang dieser Kultur des Aufbruchs, daß in der Epoche nach 1945 kaum künstlerische Ideen aufgetaucht sind, die nicht schon in den zwanziger Jahren gedacht worden wären. Die Legende freilich wird dementiert von der politischen Geschichte, vor deren Hintergrund die Kulturgeschichte der Weimarer Republik eher den Vorwurf für eine Tragödie hergibt: die Tragödie vom kurzen Freiheitstaumel der Kunst und ihrem Absturz ins Elend des schlimmsten Kunst-Pogroms, der je unser Land heimgesucht hat.

(Jost Hermand/Frank Trommler: »Die Kultur der Weimarer Republik«)

(21. 4. 79)

Nachrufe auf das Abendland
Kulturkritische Essays von Heinz Friedrich

Die Betongebirge der Städte mit ihren Konglomeraten aus Supermarkt, Arbeitshaus und Wohnsilo; Kriminalität, Laster und Terror; der im Westen wie im Osten grassierende Materialismus; eine globale Nachrichtenübermittlung, die auch den Neger Innerafrikas und den Bewohner Polynesiens in den Strudel der Dekadenz hineinzieht; völlige Sinnentleerung der abendländischen, amerikanisch verflachten Zivilisation – der mit solchen Bildern des Verfalls den derzeitigen Zustand unserer Kultur als Kulturkatastrophe beschreibt, gehört nicht zu den professionellen Kulturkritikern, sondern ist einer der »Kulturmacher« selbst: der Leiter des Deutschen Taschenbuch Verlags. Heinz Friedrich (»Kulturkastrophe. Nachrufe auf das Abendland«) wendet Oswald Spenglers Prognose vom Untergang des Abendlands in die Diagnose des Gegenwärtigen um.

Acht Essays sind in Friedrichs Band vereinigt; alle stammen aus den letzten zwölf Jahren. Zwischen dem ersten und dem letzten verdüstert sich der Ton der Kassandrarufe, im Abschlußessay reißt der Kulturpessimismus den Autor zur Emphase hin. Unter dem Blickwinkel radikaler Zivilisationskritik erscheint »die rapide Verschlechterung der Umweltverhältnisse« in den Industriegesellschaften als Folge des Niedergangs der Kultur, erscheint das Fortschrittsdenken als die Erbsünde der Neuzeit.

Kein Leser wird die Befunde und die Warnungen Friedrichs zu leicht nehmen wollen. Die leidenschaftliche Absage an den bedingungslosen Fortschrittsglauben trifft auf eine Öffentlichkeit, die durchaus schon mit dem Bewußtsein lebt, daß eine entfesselte Technik und die ökologischen Probleme einmal außer Kontrolle geraten könnten. Aber zu befürchten sein wird vielleicht gar nicht so sehr das Verkennen als das Zerreden der Gefahr, als ein modischer Krisen- und Katastrophenjargon, der Überdruß schafft, wo er Erkenntnisanstöße geben sollte. Und zu Recht verlangt Friedrich statt einer bloßen »Tendenzwende« eine »Denkwende«, ein Denken »gegen den technokratischen Strich«.

Der kranken Gesellschaft hält Friedrich seine Therapievorschläge entgegen. »Hauptfaktor der Humanität« ist die Kultur, so lautet sein Grundsatz. Proklamiert wird die Unabhängigkeit der

Kultur »vom Primat der Technik und der Wirtschaft – und auch von der Verabsolutierung des homo politicus zur anthropologischen Leitfigur«. Friedrichs Versuch, der »Kultur« ihre Selbständigkeit gegenüber der politischen, wirtschaftlichen und technischen Wirklichkeit zu sichern, also den Gedanken von der Autonomie der Kunst zu erneuern, dieses – zugleich betont gegenmarxistische und gegensoziologische – Modell führt nun seinerseits zu einer Eingrenzung des Kunstbegriffs.

Kunst, so dekretiert Friedrich, war »zu allen Zeiten eng mit der Religion verschwistert. Wo sie sich von der Religion ablöste oder ihrer religiösen Dimension entriet, entartete sie entweder zum gesellschaftlichen Zierat oder zum Public-Relations-Service öffentlicher Meinungen«. Das ist, im flotten Stil der Moderne, Denkhaltung des Mittelalters. Wenn »Religiosität« nicht zur Begriffsmünze für alles »höhere Streben« abgewertet werden soll, dann sind diese Sätze unhaltbar. Der antineuzeitliche Affekt hat Friedrich vorübergehend blind gemacht für den Reichtum an neuzeitlichen Kunstwerken, die nicht vom Religiösen her bestimmt sind. Selbst die Kunstfrömmigkeit der klassisch-romantischen Epoche war nicht Religiosität, sondern deren Ersatz, sie setzte an die Stelle der Religion die Kunst. Und die Theaterbauten im Stile griechischer Tempel bedeuten keine Rückkehr zum antiken Götterglauben, sondern sollten nur die Kunst für die verlorene Sakralaura entschädigen. Weder lassen sich die neuzeitliche Entwicklung der Kunst und eine weltliche Ethik des Humanen annulieren, noch die Probleme unserer gegenwärtigen Kultur dadurch lösen, daß man der Kunst und Literatur einfach Rückkehr in den Schoß der Religion verordnet.

Problematisch ist auch die wertende Entgegensetzung von Gefühl und Geist oder von Seele und Geist. Obwohl die wenig rühmliche Wirkungsgeschichte von Ludwig Klages' Buch »Der Geist als Widersacher der Seele« während der Hitlerzeit ihn hätte warnen sollen, zitiert Friedrich aus Arthur Kutschers »Stilkunde der deutschen Dichtung« zustimmend die Sätze »Der Geist . . . enthält nicht die eigentlichen kunstbildenden Kräfte. Schöpferisch allein ist die Seele« und bleibt unkritisch gegenüber einer Anbetung der Intuition, die ihre Herkunft aus der übersteigerten Genielehre des Sturm und Drang nicht verleugnet.

Durchweg wartet Friedrich mit bedeutenderen Gewährsmännern auf: vor allem mit Heraklit, Goethe und Nietzsche (gegen

Ende hin auch Schopenhauer). Stark beeinflußt sind seine Überlegungen durch die Forschungen von Konrad Lorenz. Wo im Argumentationsgang Philosophie und Verhaltensforschung ineinander übergehen, bleiben freilich die Nahtstellen sichtbar. Ein Essay, der sich an Arnold Hausers Werk über den Manierismus anschließt, fällt terminologisch aus dem Rahmen des Bandes heraus, nämlich durch eben jenes soziologische Vokabular, das sonst für den Kulturverfall mitverantwortlich gemacht wird.

Gelegentliche Wiederholungen gehören zum rhetorischen Stil der Essays. Eindringlicher wird so nicht nur die kulturkritische Bestandsaufnahme, sondern auch der Appell der Forderung: Widerstand gegen eine falsch verstandene Bildungsdemokratie, die das allgemeine Niveau an die niedrigsten Ansprüche anpaßt; Beendigung der Versuche, die klassische Bildungsidee nur als Verschleierungsideologie zu denunzieren; Erziehung zu Liberalität und Vernunft; »Eindämmung massenmedialer Reizüberflutung«.

Doch spürt man überall in diesem Band auch die Sehnsucht nach einem Kulturzustand, der sich kaum wiederherstellen läßt. Bei allem Groll gegen die Neuzeit bleibt es doch ein neuzeitliches Kunstideal, das dem Gedanken von der Erziehung durch Kultur zugrunde liegt: die Vorstellung, daß sich Kunst und Kultur in einem Freiraum entwickeln und von der Wirtschaft und Politik abkapseln könnten. Lassen aber die voraussehbaren Bedingungen für Kultur solche Abschirmung zu?

Es verwundert, daß Friedrich in seinem Abgesang auf das Abendland, der zugleich den »Bankrott der Neuzeit« verkündet, nicht ein einziges Mal Bezug nimmt auf Romano Guardinis Buch »Das Ende der Neuzeit«. Gewiß kannte Guardini, als er vor mehr als dreißig Jahren einem unbestimmten allgemeinen Bewußtsein der Epochenwende konkreteren Ausdruck gab, noch nicht jene Eruptionen des technischen Zeitalters, unter deren Eindruck der heutige Kulturkritiker schreibt. Dennoch verabschiedete er mit der Neuzeit auch deren Kulturbegriff. Guardini, obwohl nicht geneigt, menschlich-geschichtliche Grundformen einer nachneuzeitlichen Epoche von vornherein abzuwerten, war illusionsloser als Friedrich.

(27. 6. 79)

Nachdenken über den Beginn der Selbstzensur
Jahresbericht des Germanisten Klaus Briegleb

Tagebuchaufzeichnungen und Jahresberichte sind Chroniken des Ichs. Aber uns gehen diese Chroniken nur an, wenn in ihnen ein bedeutender Mensch dokumentiert wird oder ein Kondensat der Zeitgeschichte, des zeitgenössischen Lebens sich niederschlägt. Trifft dies zu, so finden Tagebücher historischer Persönlichkeiten nicht nur unter Geschichtswissenschaftlern, Tagebuchaufzeichnungen bekannter Schriftsteller nicht nur unter Literaturwissenschaftlern und -kritikern ihr Publikum. Wen aber, außer die Germanisten, interessieren die Aufzeichnungen eines Germanisten?

Die Frage stellt sich bei dem Bändchen »Literatur und Fahndung«, in dem der Hamburger Literaturwissenschaftler Klaus Briegleb über seine Lehr- und Vortragtätigkeit, seine Reflexionen und politischen Aktivitäten im Jahre 1978 Rechenschaft ablegt.

Briegleb hat sich als Schlegel- und Lessingkenner sowie als Herausgeber der Heine-Ausgabe des Hanser-Verlags einen Namen gemacht; in die Schlagzeilen geraten ist er aber durch seine entschiedenen linksorientierten politischen Stellungnahmen. Er war Gutachter der Verteidigung im Prozeß um das Buch des ehemaligen Berliner Stadt-Guerillero »Bommi« Baumann, er erklärte sich mit dem in Hannover vom Dienst suspendierten Peter Brückner solidarisch und nahm seit 1976 an der Kampagne für den inhaftierten Schriftsteller Peter-Paul Zahl teil; ein »Bild«-Artikel stempelte ihn zum Terrorismus-Sympathisanten.

Wer wie Briegleb seinen Hochschullehrer-Beruf als Operationsfeld für politische Aktivität und sein öffentliches politisches Auftreten als Feld literaturwissenschaftlicher Praxis versteht, liefert sich auch jenen Spannungen aus, die das politische Leben beherrschen. Er kann nicht beides zugleich haben: den Hörsaal als öffentliche Tribüne und als akademischen Schutzraum, der ihn vor aller öffentlichen Kritik sichert. Ein paarmal schlägt in den Aufzeichnungen Empfindlichkeit durch, Gekränktheit darüber, daß auf Attacken Gegenattacken folgen. Im übrigen aber sorgt schon das hohe Maß an Reflexion und Selbstreflexion für das Bewußtsein vom Risiko »praxisbezogener« Lehrtätigkeit. Und was Briegleb von der Kritik selbstverständlich erwarten und verlangen kann, ist Fairneß.

Wo es also um den Zusammenstoß des Germanisten mit der politischen und publizistischen Öffentlichkeit geht, können die Aufzeichnungen ein allgemeineres Leserinteresse beanspruchen. Nach Briegleb hat Literatur mit »Fahndung« zu rechnen, sobald sie mit einer zur höchsten Norm erklärten Staatssicherheit in Konflikt gerät. »Fahndung« ist nicht Zensur, kann aber zur Selbstzensur führen.

Was nun macht diesen Jahresbericht eines Literaturwissenschaftlers zu einem großenteils verfehlten Versuch? Zunächst: Das Buch ist ein Konglomerat von Bruchstücken, offensichtlich unter dem Drängen von Verlagslektoren und dem Druck des Termins zusammengezimmert und geleimt. Reflexionen und Erinnerungen, Berichte und Polemiken, Materialien und Splitter zu Vorlesungen, Skizzen zu Vorträgen und Ankündigungen von Plänen zu Büchern, Thesen zu einer Anklageschrift und eine »Phantasie« über Schriftsteller-Sätze, Briefe und ein Flugblatt, in dem für das eigene Seminar über Till Eulenspiegel geworben wird – dies und anderes ist unter den Rubriken von Monatsgruppen montiert (ausgeführt sind nur ein Gerichtsgutachten und ein Vortrag). Das Fragment kann eine »vollendete« literarische Form sein, aber hier sind die Bruchstücke Ausdruck von Gedankenkonzepten, die im Ansatz steckenbleiben.

Der Band nimmt die Freiheiten des literarischen Tagebuchs in Anspruch. Wissenschaft, so heißt es ausdrücklich, müsse sich dergestalt »sozialisieren«, daß sie sich an die Gattung literarischen Sprechens annähern könne. Gut gesagt, aber ebendies gelingt Briegleb nur in den besten Teilen des Buches. Mit dem entwickelten theoretischen Bewußtsein, das ihn als Literaturwissenschaftler auszeichnet, steht er sich selbst im Wege. Er findet vom Theorie-Kothurn nicht herunter und teilt sich nur jenen mit, mit denen zu diskutieren er gewohnt ist. Der Schlußbericht des Bandes verdeutlicht das Problem noch einmal: Briegleb hat sich mit seinem Heine-Vortrag dem Publikum der Hamburger Kunsthalle nicht verständlich machen können, er lernt nun als Literaturwissenschaftler »sein Abseits leichter zu begreifen«.

Die Resignation, die sich da andeutet, ist ein Grundtenor des Buches, und wenn mich an den »Bekenntnissen« Brieglebs etwas bewegt hat, so ist es der Eindruck, hier spreche ein tief Verwunderter. Aber diese Resignation muß offensichtlich kompensiert werden durch Ichbespiegelung, durch einen Narzißmus, den man hinnehmen würde in einem Dokument dichterischer Selbstbeobachtung, der aber mit wissenschaftlicher Attitüde versehen unerträglich wirkt.

Briegleb rechtfertigt seine ständige Selbstpräsentation mit dem Begriff der »Inneren Öffentlichkeit«. Das ist überzeugend, sofern in dieser kleinsten »Öffentlichkeit« tatsächlich die Reibungen des Subjekts mit den Mitmenschen und der Gesellschaft zur Sprache kommen, nicht aber, sofern der Begriff nur als Alibi dafür dient, sich unentwegt selbst wichtig zu nehmen.

Da wird die Gerichtsverhandlung zum Anlaß für ein Gutachten, das als ein Stück politischer Literatur den Prozeß überleben soll, da werden Probleme eines Vortrags an einer hessischen Universität zu Fragen des »Schicksals«, da widerfährt dem Hamburger Germanisten während einer Vortragsreise durch Ostasien (vor ihm haben »Klischeegermanisten« den Fernen Osten »heimgesucht«) in einem Haus in Kyoto, mitten im »kapitalistischen« Japan, ein mystisches Erlebnis von »Aufhebung der Klassenwirklichkeit«.

Eben diese Ich-Monomanie aber nimmt den Angriffen gegen »Fahndung« in der Bundesrepublik manches von ihrer Glaubwürdigkeit, weil sie dem Verdacht Vorschub leistet, Kritik könne Reaktion des verletzten Elitebewußtseins sein, das sich nicht allgemein bestätigt sieht. Doch wäre es unredlich zu verschweigen, daß es im Band auch Beispiele sympathischer Offenheit, ehrlicher Selbstbezweiflung gibt. Und bei etwas mehr Ehrlichkeit wäre sogar, im Bericht von der Ostasien-Reise, ein anderes Eingeständnis denkbar gewesen: daß es das allerschlechteste Land wohl nicht sein kann, das zu den Botschaftern seiner Kultur auch seine radikalsten Kritiker rechnet.

(23. 2. 80)

Die Ästhetik des Schweigens
Reinhard Lettaus Essays »Zerstreutes Hinausschaun«

Seine Essays, Reden und Rezensionen aus zwei Jahrzehnten legt Reinhard Lettau nun gesammelt vor. In einem der letzten Beiträge, in der Besprechung von Stephan Hermlins »Abendlicht«, steht ein Satz, dessen Paradoxie zum Widerspruch herausfordert, der aber als Versuch einer Selbstrechtfertigung die Position des Schriftstellers Lettau treffend kennzeichnet. Es ist der Satz, daß »die Bedingung aller großen Literatur die Bereitschaft zur Aufgabe der Literatur« sei.

Geradezu »Ekel« empfindet Lettau vor der »sofortigen Überführung von Erlebnis in Dichtung«, vor der Überschätzung des Privaten. So wirft er der sogenannten Neuen Subjektivität in Westdeutschland schamlose Selbstentblößung und pornographische Indiskretion vor. Der Schriftsteller könne die Feindschaft zwischen eigenem Leiden und dessen Artikulation nur durch Schweigen beantworten.

Es fällt nicht schwer, zu erkennen, wogegen sich insgeheim solche Ästhetik »der verschwiegenen Mitteilung, der Stille« wendet: gegen die klassische Auffassung vom Dichter als ausdrucksmächtigem Sprachrohr menschlichen Leidens. Goethe hat sie in seinem Drama der Künstlerexistenz formuliert; zur Sentenz geworden ist Tassos stolz-verzweifeltes Bekenntnis »Und wenn der Mensch in seiner Qual verstummt,/gab mir ein Gott, zu sagen, wie ich leide.«

Erlebnisunmittelbarkeit und willentliche Beobachtung, so meint Lettau, verfälschen die Erfahrung, die sich nur aus großem zeitlichem Abstand authentisch aufzeichnen läßt: Im Moment der Erfahrung selbst sind Forderungen des Handelns zu erfüllen. Ebendies ist der Punkt, an dem sich in dieser Ästhetik des Schweigens Lettaus Absicht der Selbstrechtfertigung enthüllt. In seinem Bericht über die Jahre vor und nach 1970 wird die Enthaltsamkeit des Schriftstellers damit begründet, daß die eigentlichen literarischen Stoffe der Zeit gar nicht zum Schreiben, sondern zum Handeln aufforderten. Lettaus Ästhetik des Schweigens ist also zugleich eine Ästhetik der Aktion.

Wie er ihr zur Zeit der Studentenbewegung und der Proteste gegen den Vietnam-Krieg der Amerikaner entsprochen hat, ist noch in Erinnerung und kann nun noch einmal nachgelesen werden. Er nahm an Berliner Demonstrationen und als Professor für vergleichende Literaturwissenschaft an der Universität von Kalifornien (wo er zwölf Jahre lang in unmittelbarer Nachbarschaft Herbert Marcuses lehrte) an Aktionen gegen den Vietnam-Krieg teil: Man versuchte, Munitionszüge aufzuhalten, die Auswertung von Luftaufnahmen zu blockieren oder das Anwerben von Offiziersanwärtern auf dem Universitätscampus zu verhindern. Lettau machte Bekanntschaft mit dem Untersuchungsgefängnis und mit dem Gericht.

Hier hat sich ein Schriftsteller, der sich zur politischen Tat aufgerufen fühlte, nicht hinter seinem Schreibtisch versteckt. Kein Zweifel, daß die Qualität seines Handelns eine andere war als die von Kollegen, die geduldiges Papier unablässig mit ungeduldigen agitatorischen Appellen füllten. Aber hat das alles mit Bedingungen für große Literatur zu tun? Wenn Autoren wie Thomas und Heinrich Mann oder Bertolt Brecht zugunsten kämpferischer Aktionen aufs Schreiben verzichtet hätten, wäre dadurch der antifaschistischen Bewegung, wäre dadurch den Menschen ein größerer Dienst erwiesen worden als durch geistige Auseinandersetzung in Romanen und Stücken, mit denen sie die Literatur bereicherten?

Lettaus Motive und seine Argumente in Ehren, aber die »Bereitschaft zur Aufgabe der Literatur« wird dem leichter fallen, der da nicht viel aufzugeben hat, und politischer Aktionismus mag auch als Alibi für nicht eingestandene Schwierigkeiten beim Schreiben willkommen sein. Man kann Lettaus Satz geradezu umkehren: Unabdingbar für große Literatur ist die Bereitschaft, die Literatur nicht aufzugeben, sie gegen alle Widerstände der Zeit und der Realität durchzusetzen. Die Brüder Mann und Brecht hatten recht, das zu tun, was sie besser als andere verstanden: schreibend zu handeln.

Nun blieb Lettaus Schreibtisch während der Zeit des politischen Aktionismus ja durchaus nicht verwaist. Aber der erzählerische Atem reichte nur noch für »Immer kürzer werdende Geschichten« aus (so der Titel des Buches von 1973). Die Antriebe zum Schreiben drängten ins Manifest, in die aktuelle politische Analyse. Beim Wiederlesen von Auszügen aus dem Dokumentationsband »Täglicher Faschismus« (1971) besticht erneut die Genauigkeit, mit der die Tarnsprache der Gewalt analysiert wird, erneuert sich das Erschrecken über die Manipulierbarkeit von Sprache überhaupt. Aber Lettaus alarmierende Bilder vom Vietnam-Krieg der Amerikaner nimmt man angesichts von Nachrichten der Zwischenzeit, von Bildern über Bruderkämpfe kommunistischer Staaten und die Leiden der »befreiten« Völker in Indochina nur noch wie durch einen Mattfilter wahr. Absolutheitsansprüche der politischen Verdammung von damals sind hohl geworden.

In Lettaus frühe Erzählungen hat gelegentlich Kafka seinen Schatten geworfen. Zwei Essays aus den letzten Jahren knüpfen die vergessene Verbindung neu, und in keinen anderen Beiträgen des Sammelbandes präsentiert sich Lettau so sehr als Literaturwissenschaftler wie hier, auch wenn die Untersuchungen zur Sinnlichkeit der Prosa und zu vier Erzählmodellen Kafkas ihre Überzeugungskraft vor allem der streng-sachlichen Eleganz des schriftstellerischen Stils verdanken. Überraschend ist Lettaus Rückkehr zu einer Interpretation, die ihr Interesse und ihr Beobachtungsfeld ganz auf innerwerkliche Erscheinungen eingrenzt. Es scheint, daß Lettau hier Abstand zu gewinnen sucht von seiner eigenen Ästhetik der Aktion. Der politische Schriftsteller kasteit sich in wissenschaftlicher Askese.

(5. 7. 80)

Von Trittbrettfahrern und Obdachlosen
Michael Schneider über die »melancholische Linke«

Konservative und linke Kulturkritik der Gegenwart unterscheiden sich dadurch, daß die eine in der Verabsolutierung des »homo politicus« als Leitfigur ein Übel und die andere gerade im Schrumpfen des politischen Bewußtseins die Gefahr der neueren Kunstentwicklung sieht. Doch treffen sich beide, trotz gegensätzlicher Therapie-Vorstellungen, in der Diagnose von Verfall und Dekadenz.

So beschreibt Heinz Friedrich in seinen »Nachrufen auf das Abendland« den derzeitigen Zustand als »Kulturkatastrophe« und beklagt die Sinnentleerung der abendländischen Zivilisation; so konzentriert Michael Schneider im neuen Essayband »Den Kopf verkehrt aufgesetzt oder Die melancholische Linke« seine Kritik auf die »Aspekte des Kulturzerfalls in den siebziger Jahren«. Nicht nur also der »Club of Rome«, die Atomgegner und die »Grünen« malen in Schwarz. Kassandra ist vielmündig geworden, ihre Rufe dringen aus allen Lagern.

Michael Schneider, der sich schon als Essayist (weniger mit seinen drei Stücken als Theaterautor) hat durchsetzen können, wurde für seine 1980 erschienene Novelle »Das Spiegelkabinett« mit dem »Aspekte«- Literaturpreis und dem erst kürzlich gestifteten Preis der Stadt Wiesbaden ausgezeichnet. Seine neue Essay-sammlung ist die bisher schärfste Abrechnung mit der versagenden Generation der Studentenbewegung, mit der versandenden 68er Revolution, die bisher brisanteste und niveauvollste Selbstkritik aus dem Lager der linken Intelligenz.

Schneider gehörte noch zu den »frischgebackenen leninistischen Parteikadern« von 1969/70. Hier zieht also jemand Bilanz, der selbst die Algebra des ideologischen Kampfes bis zur Erschöpfung studierte, in den endlosen Debatten um jenen »großen Entwurf«, der schließlich »im Kopf stecken« blieb. Diese Bilanz spricht, indem sie ein gewaltiges Defizit zutage bringt, ein vernichtendes Urteil. Ist Schneider deshalb ein eifernder Abtrünniger? Vom Renegaten trennt ihn, daß er zwar Konsequenzen gezogen, nicht aber den »Glauben« gewechselt hat.

Dennoch wird er sich nicht gegen etwas wehren können, was er als den Beifall von falscher Seite empfinden muß. Seine Analyse rechtfertigt nachträglich die Kritik derer, die ihres Urteils schon von Anfang an sicher waren. Doch ist gegenüber dieser ehrlichen Selbstprüfung, die einer goldenen Legende über die APO-Zeit entgegenwirken möchte, weder Hohn noch Triumph angebracht. Der hier die »APO-Veteranen« entglorifiziert, sucht keine Gemeinschaft mit ihren Gegnern, allerdings auch keine mit jenen Genossen von einst, deren ideologischer Salto mortale in den Terrorismus führte, oder mit denen, die es sich jetzt in Selbstmitleid und Narzißmus bequem machen.

Zum Ausgangspunkt seines Essays über das »beschädigte Verhältnis zweier Generationen« nimmt Schneider die literarischen Auseinandersetzungen mit der Vatergestalt, die sich in den letzten Jahren so auffällig häuften: in den Büchern von Christoph Meckel, Peter Härtling, Paul Kersten, Sigfrid Gauch, Brigitte Schwaiger, Ruth Rehmann und anderen. Auch für Schneider ist das schuldhafte Schweigen der Väter, die Undurchsichtigkeit ihrer Vergangenheit eine Ursache der Verachtung, ja des Vaterhasses. Freilich sieht er die Mitläufer des Nationalsozialismus zugleich als Opfer, nämlich als Opfer einer restaurativen Nachkriegspolitik, die sie daran hinderte, sich über ihre eigenen Motive klarzuwerden. Schwer verstört gewesen sei nicht nur die junge Generation, sondern auch die der Väter.

Den üblich gewordenen Schematismus der Schuldaufrechnung aber durchbricht Schneider entschieden, wenn er auch das Anmaßende, die »monströse Rolle« der Kinder, die sich zu Richtern über ihre Erzeuger setzten, zu bedenken gibt. Die Väterliteratur der letzten Jahre ist ihm allein schon durch ihre Verspätung problematisch, dadurch, daß die schreibenden Söhne und Töchter ihre Fragen den Vätern ins Grab nachschicken. Ob nur Kinder an ihren Vätern, oder ob nicht vielleicht umgekehrt auch Väter an Liebesentzug gelitten hätten, fragt er.

Vollends an die Wurzel liebgewordener Selbstgerechtigkeit und Selbsttäuschung geht er in seinem Einspruch gegen ein »Kultbuch der Linken«, gegen Bernward Vespers autobiographisches Romanfragment »Die Reise« (1977) und die später herausgekommenen Ergänzungen. Er erinnert daran, daß Vesper, bevor er sich den Orgien des Vaterhasses hingab, mit Gudrun Ensslin zusammen die nationalsozialistische Lyrik eben dieses Vaters, Will Vesper, neu herausbringen wollte. Noch im totalitären Denken und Fühlen, das Vesper dann in die Nähe der Terroristen brachte, sei die Erbschaft des Vaters wiederzuerkennen: das in Linksfaschismus umgeschlagene Erbe.

Vespers »Reise« ist für Schneider ein literarischer Schmelztiegel neuer linker Stimmungen, in dem sich ein weinerlicher Geschichtspessimismus, Märtyrerbewußtsein, Drogenrausch und Heroisierung des Selbstmords verbinden. Die Wirkung des Buches ist sicherlich nicht zuletzt daraus zu erklären, daß Vesper ihm durch seinen Selbstmord nachträglich den Anschein der Authentizität verlieh. Aber gerade die Heroisierung des Selbstmords, die Märtyrerlegenden, wie sie »auch um die Stammheimer Selbstmörder gerankt wurden«, versucht Schneider als neue Lebenslügen zu entlarven.

Die den Drogen verfallene Linke flüchtet sich – wie Vesper – aus der Misere in Größenwahn- und Omnipotenz-Phantasien. Kaum nachsichtiger beurteilt Schneider die (französische) »Neue Philosophie«, die Gruppe um André Glucksman, die sich im Jahre 1968 vom Marxismus noch die »Erlösung« erhoffte, nun aber – unter dem »Gulag«-Trauma – in sozialistischen Revolutionen nur noch Vorläufer von »Endlösungen« (Konzentrationslagern) sieht. In der »Neuen Philosophie«, so faßt Schneider zusammen, ist der Katzenjammer der Linken zur Theorie erhoben.

Es gibt in den Essays gelegentlich auch den spöttischen Ton, etwa wenn Schneider die einstigen Politclownerien der Kommunarden Fritz Teufel und Rainer Langhans als Ausdruck verspäteter Pubertät wertet (wobei er sicherlich das Moment der Theatralisierung politischer Wirklichkeit unterschätzt, das eine Zeitlang zu dem Mißverständnis führte, man habe in Peter Handke einen Verbündeten gefunden). Süffisant auch sind die Bemerkungen über die trotz Marx-, Lenin- und Mao-Studien Kantianer gebliebenen Linken, denen die Losung »Sei sinnlich!« zum »kategorischen Imperativ« werde.

Doch das eigentliche Element der Kritik Schneiders ist die Polemik. Sie wechselt die Richtung in den Essays über die Verfallssymptome in Werken von Heiner Müller, Thomas Brasch und Botho Strauß. Und hier zielen die Angriffe weniger auf die Autoren selbst als auf jene Organe der Öffentlichkeit, die sie haben groß werden lassen: die Literatur- und Theaterkritik, die Theater in der Bundesrepublik, das »bürgerliche Feuilleton«.

Aber vermarkten die westdeutschen Bühnen, die sich den Stücken des DDR-Dramatikers Heiner Müller geöffnet haben, wirk-

lich nur die Krise eines Autors? Die Geschichte als Schlachthaus –
das ist auch in Westdeutschland durchaus keine Weltsicht, in der
sich der Bürger heimisch fühlt, mit der man Publikumsmassen ins
Theater holt. Doch verdient es ein Autor, dem die Geschichte in
lauter Fragmente zerfällt und der einen sinnvollen Zusammenhang zwischen ihnen nicht mehr zu entdecken vermag, ernst genommen zu werden. Schon gar nicht geht es an, Müllers »Intel-
lektuellenkrankheit« psychoanalytisch auf den Todestrieb zu re-
duzieren.

Nur als »Trittbrettfahrer auf dem Schnellzug westlicher Be-
wußtseinsmoden« will Schneider den Lyriker und Dramatiker
Thomas Brasch gelten lassen; den paradigmatischen Dichter des
derzeitigen Lebensgefühls aber findet er in Botho Strauß. Fäulnis
in Belletristik verwandelt, preziöse Verinnerlichung, Müllhalden
des Alltags – das sind nur ein paar seiner Stichworte für die Dramatik und Prosa von Strauß.

In Strauß' literarischen Seismogrammen des Scheiterns zwischenmenschlicher Kommunikation erneuert sich auch Spätzeitstimmung der sogenannten Dekadenzpoesie und der Fin-de-
siècle-Literatur. Daß Schneider gegen den Pessimismus solcher
Poesie seine Ästhetik der Hoffnung setzt, ist sein gutes Recht. Und
man sollte nicht gleich vermuten, daß sich dahinter ein Dogma
von Lukács' »sozialistischem Realismus«, die Forderung nach der
positiven »Perspektive«, verbirgt.

Aber eben im Problem der Zukunftsperspektive steckt sein eigenes Problem. Schneider ist der narzißtischen Linken – auch dem
theoretisierenden Reinhard Lettau – weit voraus, indem er ihr
Dilemma erkennt und analysiert. Zugleich aber ist er in ihr Dilemma verstrickt, weil seine Ästhetik der Hoffnung nirgendwo ins
Konkrete deutet (schüchterne Hinweise, etwa auf Brechts Begriff
der »Freundlichkeit«, sind da zu wenig). So verdeckt auch diese
brillante Selbstanalyse der 68er Rebellen nicht die derzeitige »Obdachlosigkeit« ihrer Hoffnungen.

(6. 6. 81)

VI Rezensionen wichtiger Literaturgeschichten

Sozialistische Literaturgeschichte:
wie Herakles' Kampf mit der Hydra
Die »Geschichte der deutschen Literatur« aus der DDR

Herakles' Ringen mit der vielköpfigen Hydra kann nicht verbissener gewesen sein als der Kampf, den die klassenbewußte Literatur des 20. Jahrhunderts mit dem vielgestaltigen »Imperialismus« zu führen hat. Diesen Eindruck jedenfalls drängen die – von Autorenkollektiven unter Leitung Hans Kaufmanns verfaßten – Bände 9 und 10 der in der DDR erschienenen »Geschichte der deutschen Literatur« dem Leser auf.

Der Imperialismus-Begriff, mit unendlicher Monotonie wiederholt, wird zur Beschwörungsformel: Ein Ungeheuer von mythischem Ausmaß bedroht die Menschheit und ist letztlich für alle, aber auch alle in der Literatur unseres Jahrhunderts zur Sprache gebrachten Leiden verantwortlich. Oft genug freilich entpuppt sich der neue Herakles als ein Don Quichotte: anstürmend gegen Riesen, die Windmühlenflügel sind.

Mit welcher Ausschließlichkeit von »Imperialismus« (als der letzten Stufe des »Kapitalismus«, als dem zu negierenden Negativen) her gedacht wird, zeigt das Urteil über eine der liberalen Gruppen um 1900, die von Verlegern wie Samuel Fischer oder Albert Langen repräsentiert wird – ein Urteil, das auch ein gut Teil des typischen Vokabulars der Bände zusammenfaßt: »Die objektive Funktion dieser bürgerlichen Schicht im Literaturprozeß bestand darin, antiimperialistische Impulse gegen die politische Radikalisierung der Literatur, gegen ihre Annäherung an die wirkliche antiimperialistische Opposition, die Arbeiterklasse und den Sozialismus, praktisch und geistig abzuschirmen. Die Existenz einer gesellschaftlichen Sphäre, die von der herrschenden monopolkapitalistischen und junkerlichen unterschieden, aber doch spezifisch bürgerlich war, schuf für viele Künstler die Voraussetzung, sich subjektiv aus der bestimmenden reaktionärsten Sphäre der herrschenden Kultur und Gesellschaft ausgliedern und gleichzeitig auf die Assoziierung mit antiimperialistischen Kräften verzichten zu können.«

Andere Ausdrücke, die sich wie Zuchtmittel eines sprachlich-symbolischen Strafrituals ausnehmen, sind: Revisionismus (das luziferische Prinzip, der Abfall von der wahren Lehre), Perspektivelosigkeit (das Fehlen sozialer Heilsgewißheit) und damit im Wechselverhältnis stehend Fatalismus und irrationaler Subjektivismus, oder schließlich kleinbürgerlich-intellektuell (solcher Haltung verdächtig zu werden, muß der Verfasser dieser Kritik auf sich nehmen).

Nun kann kaum jemand von dieser Terminologie überrascht sein. Man kennt sie seit Jahrzehnten von der Literaturkritik und Literaturwissenschaft der DDR, durch sie ist dem Leser sofort die Blickweise signalisiert, unter der sowohl die gesellschaftlichen wie die literarischen Erscheinungen gesehen werden.

Daß die Wertmaßstäbe verschleiert würden, wäre der letzte Vorwurf, den man dieser Literaturgeschichte der Zeit zwischen 1900 und 1945 machen könnte. Dem marxistisch-leninistischen Dogma gemäß sind »alle wesentlichen geistigen und literarischen Strömungen, die im Übergang zum Imperialismus auftraten, nur im Hinblick auf die wachsende geschichtliche Macht der Arbeiterbewegung zu verstehen.« Der Kommunismus wird als der »geheime« – den Autoren nur nicht bewußte – Bezugspunkt auch der »bürgerlichen Literaturästhetik« dekretiert. Und unbezweifelbar während des »Übergangs vom Kapitalismus zum Sozialismus« ist die Vorbildlichkeit der Sowjetliteratur.

Es gibt in dieser Literaturgeschichte ein eklatantes Beispiel für die Fragwürdigkeit der Methode, Literatur und ihre gesellschaftlichen Bezugsfelder immer nur von trigonometrischen Punkten aus zu vermessen, die auf der jeweiligen Parteilinie liegen. Den Namen eines Mannes, der für mehr als zwei Jahrzehnte die Kulturpolitik der Sowjetunion bestimmte und dessen »führende Rolle« für die sozialistische Literatur man vor zwei, drei Jahrzehnten nicht genug rühmen konnte, den Namen Stalins, verzeichnet keine der 754 Seiten des zehnten Bandes (Lenins Name findet sich auf mehr als 30 Seiten). »Ins Nichts mit ihm!« – dieser Urteilsspruch des Brechtschen Lukullus-Stücks gewann hier eine ungeahnte Aktualität.

In einer Darstellung, die geschichtlich zu sein beansprucht, ist solche Liquidation historischer Fakten durch nichts zu rechtfertigen. Immerhin hat sie ihre blanke Kehrseite: in der Abkehr von Personenkult und parteigenehmer Hagiographie. Nur in den Kapiteln über Johannes R. Becher, den langjährigen Kulturminister der DDR, zumindest in den Elogen auf sein nachexpressionistisches Werk, hängt noch der alte Weihrauch.

Daß Autoren der Arbeiterbewegung, Verfasser autobiographischer, lyrischer, erzählerischer und dramatischer Literatur, aufgenommen wurden – Namen, die keine der westdeutschen Literaturgeschichten nennt, sollte dem Leser grundsätzlich willkommen sein. Problematisch wird der neue Kanon aber dort, wo lediglich Parteigehorsam belohnt wird und Gesinnungstüchtigkeit zum Qualitätsmerkmal aufrückt.

Andererseits enthüllt bei solcher Gelegenheit der offizielle Literaturbegriff nicht nur seinen Traditionalismus, sondern auch dessen epigonale Züge. Sogar die Ritter- und Heldenballade des 19. Jahrhunderts darf ihren Ton und Rhythmus, ja, ihr Vokabular der Arbeiterballade weiterreichen. Und »Schatzkästlein«-Vorstellungen werden wieder wach, wenn man Erich Weinerts heroische Ballade, überhaupt seine »im politischen Kampf geschliffene politische Dichtung« als »bleibenden ›Kunstkristall‹ im Schatz sozialistischer Literatur« feiert.

In der Diskussion um den »sozialistischen Realismus« (trotz der Einwände gegen Ernst Bloch und Georg Lukács auch im Bericht über den bekannten Streit in der Exilzeitschrift »Das Wort«) hat sich der Titel von Brechts Aufsatz über »Weite und Vielfalt der realistischen Schreibweise« als Leitsatz durchgesetzt – auch wenn die Liberalität an der Leine bleibt und »Weite und Vielfalt« mit Vorliebe an Werken unumstrittener Autoren, etwa an der komplizierten Struktur von Anna Seghers' Roman »Die Toten bleiben jung«, demonstriert werden. Immerhin sind Vertreter der zeitgenössischen »bürgerlich-humanistischen« Literatur in bestimmten Grenzen als Lehrmeister zugelassen. Und es ist keine Kleinigkeit, wenn sich, umstellt von Lobsprüchen auf die »Parteilichkeit« der Literatur, ein Wort wie »epische Gerechtigkeit« behaupten kann.

»Demokratisch-humanistische« Schriftsteller der »bürgerlichen Literatur« schneiden, auch wenn ihnen letztlich »soziale Heimatlosigkeit« attestiert werden muß, in der literarischen Rangordnung verhältnismäßig günstig ab. Die Würdigung Thomas Manns hätte – die Wertungskriterien dieser Bände einmal vorausgesetzt – überhaupt gar nicht positiver ausfallen können. Ganz oben in der Hierarchie, zu Füßen der Meister des sozialistischen Realismus, sitzt Heinrich Mann, dessen Roman »Henri Quatre« (ein »Kunstgebilde, das in deutscher Sprache seinesgleichen sucht«) schon in Gefahr gerät, überschätzt zu werden. Im Gegensatz dazu wird Gottfried Benn, der »jede humanistische Hoffnung auf den Menschen« verleugnende »Pessimist« und Befürworter des »völkischen Aufbruchs« von 1933, auf die untersten Stufen verbannt (wovon ihn auch der Sinneswandel und das Alibi des Schreibverbots von 1937 nicht mehr zu erlösen vermögen).

Im übrigen ist der Darstellung Sinn für Proportionen zu bescheinigen. Kritische Musterung der »bürgerlichen« Literatur hindert nicht daran, die Autoren nach ihrer Bedeutung zu wägen. Das gilt sowohl für Wedekind und Sternheim wie für Rilke (den »größten spätbürgerlichen Lyriker«). Fast generös behandelt werden Oskar Loerke und Reinhold Schneider. Alle Erwartungen übertrifft der Tenor von Kommentaren zu Arthur Schnitzler und das Resümee: Schnitzler solle mit seinen besten Stücken »vom sozialistischen Theater eine Chance erhalten«. Erreiche das Wort seine Adressaten!

Einen Prüfstein bildet das Urteil über Kafka, und hier verheißt das herabsetzende Epitheton »Galionsfigur des Modernismus« nichts Gutes. Bei genauerem Lesen freilich erkennt man, daß sich die Polemik weniger gegen das Werk Kafkas als gegen dessen Rezeption richtet, und dabei wiederum nicht eigentlich gegen die westliche Kafka-Mode der Nachkriegszeit, die – wie man zugeben wird – beängstigende Formen anzunehmen drohte, sondern gegen das, was nach der bekannten Kafka-Konferenz bei Prag (1963) im sozialistischen Lager in Bewegung geraten war. Und da liegt es wohl in der Natur von deutschen Musterschülern des Literaturdogmas, brüderliche, aber strenge Zensuren zu verteilen – deutlich zu machen, wie sehr die Erzählprosa Kafkas geeignet war, »in den sozialistischen Ländern kleinbürgerliches Bewußtsein neu zu beleben«.

Zum Stichwort Musterschüler noch eine Beobachtung: Um den Anmerkungsapparat nicht aufzuschwellen, mußte man den Nachweis von Sekundärliteratur aufs äußerste einschränken. Der fast völlige Verzicht auf »bürgerliche« Studien befremdet da nicht. Daß aber auch die wichtigsten marxistischen Arbeiten aus der DDR (zu Thomas und Heinrich Mann, zu Brecht und anderen) nicht genannt, belanglosere russische dagegen geflissentlich angeführt werden, spiegelt im Kleinen den das Ganze beherrschenden Gestus: die Verneigung vor der Sowjetunion, eine als

politische Gelehrigkeit auftretende neue Form von Untertanen-
denken.

Trotz vieler Hinweise auf die Sowjetliteratur wird diese Literaturgeschichte einem Anspruch, den sie selber setzt, nicht gerecht:
Sie konstatiert zwar den »internationalen Charakter der Litera-
turprozesse«, verschließt sich aber der komparatistischen Methode (die einem DDR-Romanisten wie Werner Krauss ganz
selbstverständlich ist). Dabei hätten sich gerade mit der Arbeits-
weise eines »Autorenkollektivs« die Möglichkeiten vergleichen-
der Literaturbetrachtung nutzen lassen.

Daß die Darstellung von einem zu engen (und auch überholten)
Verständnis von »Nationalliteratur« geleitet wird, zeigt nicht zuletzt der Versuch, eine »sozialistische deutsche Nationalliteratur«
zu konstituieren (deren Entstehung in die Vorkriegszeit zurück-
datiert wird und als deren Kronzeuge Johannes R. Becher
dient).

Nun kann man das Auseinanderstreben zweier Strömungen der
deutschsprachigen Literatur seit spätestens 1945 wohl beklagen,
nicht aber bestreiten. Wie selbst die Begriffssprache in den beiden
deutschen Staaten in eine zentrifugale Bewegung geraten ist, weiß
man hinlänglich. Ein Anschauungsbeispiel liefert im neunten
Band der Begriff der »zwei Kulturen«. Wo dort Lenins Trennung
einer »demokratischen und sozialistischen« Kultur von der offiziellen nationalen Kultur (vorsozialistischer Gesellschaften) gemeint ist, wird der westliche Leser zunächst an die von C. P. Snow
eingebürgerte Terminologie, an die beiden »Kulturen« der literarisch Gebildeten und der Naturwissenschaftler denken.

Selbstverständlich existiert eine sozialistische Literatur deutscher Sprache, die in dem Maße auf »Abgrenzungskurs« gegen
die sogenannte bürgerliche Literatur geht, wie sie sich den Literaturen sozialistischer Länder anschließt. Aber dafür den Begriff
»Nationalliteratur« zu übernehmen, mutet merkwürdig anachronistisch an. Literaturkritik und Literaturwissenschaft haben sich,
da die Rezeption der Literatur weniger denn je eine bloß nationale Angelegenheit ist, längst emanzipiert. Und die Namen von
Grillparzer und Peter Handke oder Gottfried Keller und Dürrenmatt in einer deutschen Literaturgeschichte – sie sind kein Beweis
mehr für nationales Annexionsstreben. Historisch unsinnig wäre
der Versuch, eine deutsche Literaturgeschichte zum Tummelplatz
der Grenzstreitigkeiten von drei – oder nun vier – »Nationallite-

raturen« zu machen. Zu welchen Ungereimtheiten es da kommen kann, weil sich die Grenzgänger nicht arretieren lassen, deutet Kindlers viergeteilte »Literaturgeschichte der Gegenwart« an.

Inkonsequent ist das Bestehen auf einer sozialistischen deutschen »Nationalliteratur« auch insofern, als die entscheidende Wende der deutschen Literatur dieses Jahrhunderts in das Jahr der russischen Oktoberrevolution verlegt wird (dem entspricht die Gliederung der Bände). Das Jahr 1917 bringt aber, bei aller epochalen Bedeutung des Ereignisses, keinen wesentlichen Einschnitt in der deutschen Literaturgeschichte (der fällt eher in die Zeit nach dem Kriegsende und der Novemberrevolution). Hier widerlegt das Verfahren, literarische Perioden rigoros zwischen Daten der politischen und Sozialgeschichte einzuklemmen, sich selbst. Es bedenkt nicht den Verzögerungseffekt des Echos in der Literatur. (Daß im Jahre 1933 mit Bücherverbrennung und Ausbürgerung schlagartig neue Verhältnisse geschaffen wurden, gehört in einen anderen Zusammenhang.)

Die Grundfrage dieser Literaturgeschichte, die für alle Einzelperioden (Ausgang des 19. Jahrhunderts bis 1910, 1910-1917, 1917-1923, 1924-1933, 1933-1945) wiederholt wird, lautet: »Wirklichkeitsverhältnisse und literarische Gestaltung«. Sie wird gestellt, nachdem jeweils die »Literaturverhältnisse und Standpunkte« (gesellschaftliche Voraussetzungen und Hauptprobleme der Literatur) geklärt sind. In breitem Umfang wird Zeitschriftenliteratur einbezogen.

Die interessantesten unter den Illustrationen laden zum Verweilen ein, weil sie, wo sonst unablässig Zensuren gegeben werden, einfach durch Anschaulichkeit informieren und dem Leser Raum für eigene Urteile lassen.

Es gibt zur Zeit für die erste Hälfte unseres Jahrhunderts keine Literaturgeschichte von ähnlicher Materialfülle und Breite. Die von Kaufmann und seinen Mitarbeitern praktizierte Aufgabenteilung zahlt sich aus. Epochenpanoramen sind von einzelnen immer weniger zu erwarten. Die Autoren der Bände arbeiten zum überwiegenden Teil in der Akademie der Wissenschaften und der Akademie der Künste in der DDR. Wer die Schwierigkeiten kennt, für befristete Forschungsunternehmen qualifizierte Kräfte zu gewinnen (weil niemand gern das Risiko eines späteren Berufswechsels eingeht), wird sich für die Bundesrepublik ähnliche Forschungsinstitutionen wünschen.

Dieser Gedanke ist schon vor Jahrzehnten diskutiert worden, leider vergeblich. Die Folgen werden sichtbar. Sollte es nicht möglich sein, daß die Akademien der Bundesrepublik, einige Stiftungen und die Deutsche Forschungsgemeinschaft gemeinsam die Voraussetzungen schaffen für ein zentrales Institut? Es wäre an der Zeit. Wer nicht zurückfallen will, muß den Wettbewerb ernst nehmen.

(12. 11. 74)

Die österreichische Literatur –
unser »Fin de siècle«?
Kindlers Literaturgeschichte
und eine Anthologie

Als in einem Vortrag um die Mitte der fünfziger Jahre Friedrich
Sieburg – nicht geneigt, seinem Wiener Publikum nach dem
Munde zu reden – auf die Abwesenheit österreichischer Gegen-
wartsliteratur im deutschen Sprachraum anspielte, war seine Dia-
gnose eigentlich bereits überholt. Denn schon hatten, in den Jah-
ren 1952 und 1953, Ilse Aichinger und Ingeborg Bachmann den
Preis der »Gruppe 47« erhalten. In der Zwischenzeit sorgten Autoren wie Heimito von Doderer, Thomas Bernhard oder Peter
Handke, die »Wiener Gruppe« (H. C. Artmann, Gerhard Rühm,
Konrad Bayer, Oswald Wiener, Friedrich Achleitner), das Ge-
spann Friederike Mayröcker und Ernst Jandl sowie die »Grazer
Gruppe« (Alfred Kolleritsch, Michael Scharang, Gert F. Jonke,
Barbara Frischmuth, Elfriede Jelinek und andere) dafür, daß man
den Satz Sieburgs auch umkehren und in Wien den österreichischen Anteil an der deutschsprachigen Nachkriegsliteratur zum
»vielleicht lebendigsten Beitrag« aufwerten konnte.

Trotzdem besteht kein Grund, politisches Kleinstaat-Bewußt-
sein durch literarisches Großmacht-Bewußtsein zu kompensieren.
Damit vertrüge sich schlecht die geringe Anziehungskraft Österreichs gerade auf seine bekanntesten Schriftsteller. Nicht von so-
genannter Nestbeschmutzung ist hier die Rede, sondern davon,
daß so viele österreichische Schriftsteller, eben flügge geworden,
das Nest verlassen.

Ilse Aichinger und Ingeborg Bachmann, Peter Handke und
Franz Tumler, H. C. Artmann, Gerhard Rühm oder Oswald Wiener (und andere) wurden für lange Zeit oder für immer »freiwillig
landflüchtig«. Elias Canetti und Erich Fried kehrten aus dem englischen Exil nicht zurück. Und den Anspruch auf Paul Celan, der
sein Asyl und seinen Tod in Paris suchte, kann nur eine gewisse
geographische Nähe Österreichs zu seinem Geburtsland Rumänien begründen.

Gerade im Falle Celans demonstriert der nun – nach den Bänden
zur Literatur der DDR, der Bundesrepublik und der Schweiz –
erschienene vierte Band von »Kindlers Literaturgeschichte der

Gegenwart« deren unhaltbare Konzeption: die Fragwürdigkeit eines Literaturbegriffs, der den Geburtsschein des Schriftstellers in den Rang eines literarischen Passes erhebt und sich übereifrig staatlichen Grenzen anbequemt (die keine kulturellen Grenzen sein müssen), der so, ohne Rücksicht auf den Zusammenhang der Literatur mit ihrem Publikum, ein Geflecht unmittelbarster Beziehungen zerreißt.

Die Autoren des Bandes »Die zeitgenössische Literatur Österreichs« folgen ihm schlechten Gewissens. Sie übernehmen zwar notgedrungen die Konzeption der viergeteilten deutschsprachigen Literatur und damit der Autonomie österreichischer Literatur, weisen aber »literarischen Patriotismus« von sich. Es wären sonst, da so entscheidende Autoren wie Ingeborg Bachmann, Celan, Fried und Handke ihren Platz auch schon in Kindlers Literaturgeschichte der Bundesrepublik gefunden hatten, Grenzstreitigkeiten unausweichlich geworden.

Die Herausgeberin des Bandes, Hilde Spiel, ist zugleich die Verfasserin einer Einführung, die das Vorfeld der österreichischen Nachkriegsliteratur absteckt (über Musil bis zu den »Vätern der Moderne«, vor allem Schnitzler und Hofmannsthal, Rilke und Kafka) und die historisch-politischen Grundlinien der Ersten Republik und der »Sieben Jahre Ostmark« (1938-1945) skizziert, damit zugleich das Problem der österreichischen Identitätssuche.

Das durch den Zusammenbruch des habsburgischen Vielvölkerstaats erschütterte Nationalbewußtsein wieder ins Gleichgewicht zu bringen und auf das Rumpfgebilde einzuschwören, gelang der Ersten Republik nur unzulänglich. Daß im Kleinstaat nun der Wunsch aufkam, die Bismarcksche Amputation Österreichs rückgängig zu machen und sich an den großen deutschen Bruder anzulehnen, war historisch so abwegig nicht. Nur so überhaupt wird der Jubel verständlich, mit dem Teile der österreichischen Bevölkerung im Jahre 1938 den »Anschluß« begrüßten – eine Tatsache, die in den ersten Jahren der Zweiten Republik nur allzu bereitwillig aus dem Bewußtsein verdrängt wurde.

Andererseits half gerade dieser Verdrängungsvorgang dem neuen österreichischen Staat, seine Identität zu finden. Deutschland war zu offensichtlich durch die Verbrechen des Hitlerstaates diskreditiert, als daß noch ein Begriff der Nation hätte bewahrt werden können, wie ihn Hofmannsthal – entgegen seinem früheren Ruf nach betontem »Austriazismus« der Literatur – 1927 in der Münchener Rede »Das Schrifttum als geistiger Raum der Nation« formuliert hatte, wenn er die »deutsche« zu seiner »eigenen Nation« erklärte und »eine neue deutsche Wirklichkeit« erhoffte, »an der die ganze Nation teilnehmen könne«.

Ungleich stärker als in der Ersten war also in der Zweiten Republik, dem neuen Selbstverständnis Österreichs entsprechend, der Gedanke einer besonderen, eigenständigen und unabhängigen österreichischen Literatur. Als legitime Väter oder Initiatoren empfahlen sich außer Schriftstellern wie Albert Paris Gütersloh, dem während der Kriegsjahre Schreibverbot auferlegt war, die ins Exil Verbannten. Und tatsächlich übernahmen Emigranten, nämlich Hans Weigel und Friedrich Torberg, nach ihrer Rückkehr (1945 und 1951) den wichtigen Lotsendienst durch die ersten unsicheren Jahre einer neuen deutschen Literatur in Österreich.

Bei allen Verdiensten der beiden, zumal Weigels, des Mentors vieler junger Schriftsteller, treten in der Rückschau doch auch die bedenklichen Seiten ihrer Autorität hervor und müssen noch eindeutiger, als es im Band geschieht, beim Namen genannt werden. Selbstverständlich hat Torberg nichts zu tun mit einem so fatalen Wort wie dem von Alexander Lernet-Holenia: Wir brauchen »nicht voraus-, sondern nur zurückzublicken«. Doch entwickelte er eine Strategie der Abschirmung, die schlimme Folgen haben sollte.

Gemeint ist der von Torberg mit großer Hartnäckigkeit betriebene und durchgedrückte Brecht-Boykott, dem Weigel zuwenig Widerstand entgegensetzte. Als Antibiotikum gegen Brecht glaubte Torberg den Österreichern die liebenswert-spielerische, aber in Gegenwartsferne versponnene Poesie Herzmanovsky-Orlandos verabreichen zu können. Erst 1963 kam es zur ersten Brecht-Aufführung in Wien, erst 1966 zur ersten im Burgtheater.

An dieser literarischen Visumsverweigerung interessiert mehr deren Symptomcharakter als die Person oder das Werk Brechts. Mit Verboten läßt sich, zumal im Namen der Kultur, nun einmal schlecht für die Freiheit werben. Zugleich verweigert wurde auf diese Weise die Teilnahme an der europäischen Diskussion um das epische, das absurde und das dokumentarische Theater, überhaupt um moderne Möglichkeiten des Dramas. So haben die bedeutendsten Theaterautoren der benachbarten Schweiz, Frisch und Dürrenmatt, auf der Bühne Österreichs nicht Fuß fassen können. In unmißverständlicher Sprache nennt man solche Abwehrhaltung Provinzialismus.

Im Laufe der sechziger Jahre entglitten den beiden Mentoren Weigel und Torberg die Zügel. Eine zunehmende Polarisierung führte schließlich zum Bruch zwischen einem »traditionellen« und einem »experimentellen Lager« und zugleich zur offenen Konfrontation des österreichischen PEN und der »Literaturproduzenten«.

Hilde Spiels Einleitung schöpft aus souveräner Kenntnis der Literaturverhältnisse nach 1945. Doch ist das Verwachsensein der Verfasserin mit der Wiener Szene wohl auch dafür verantwortlich, daß sich Namensgruppen gelegentlich zu Namensschlangen formieren, als gelte es, ja keinen Autor zu vergessen und ja niemandem wehzutun. Und ein paarmal fällt die Darstellung in den Ton literarischer Hofberichterstattung, etwa in dieser Weise: Beim Empfang des Bundespräsidenten in der Hofburg saß Thomas Bernhard »am Prominententisch in nächster Nähe des Staatsoberhauptes, neben Ingeborg Bachmann, die sich in einem Pagenkostüm, mit schwarzen Kniehosen und Cherubino-Wams, eingefunden hatte, und Christine Lavant, die in ihrem üblichen Bauerndrillich mit Kopftuch gekommen war«. Aber solche Beispiele von Kleider- oder Detailverliebtheit sind nur Seitensprünge eines sehr anschaulichen Stils.

In der Gliederung nach Literaturgattungen schließt sich der Band den vorhergehenden Bänden an. Zur Prosa, Lyrik und Dramatik kommen aber, durch besondere Essays vertreten, das Hörspiel (Hilde Haider-Pregler), unterschieden nach Illusions- und Neuem Hörspiel, sowie die Literatur der nationalen Minderheiten in Österreich, der Slowenen, Kroaten, Magyaren und Tschechen (Stanislaus Hafner und Erich Prunč).

Den auch Essayisten wie Manès Sperber, Jean Améry und Günther Anders, Ernst Fischer oder Friedrich Heer einschließenden II. Teil, »Prosa«, eröffnet Paul Kruntorad mit der Analyse von »Verdrängungsmechanismen und Fluchtimpulsen« während der ersten Nachkriegsjahre. Hier den Namen von Karl Heinrich Waggerl zu finden, überrascht ebensowenig wie das Ergebnis einer Umfrage (um 1970), wonach sich fast das ganze Drittel der Österreicher, das überhaupt Bücher liest, zu den österreichischen Erzählern Waggerl und Johannes Mario Simmel als Lieblingsautoren bekennt. Aber auch der »Lordsiegelbewahrer« (Kurt Klinger) der Adelstradition in der österreichischen Literatur erscheint in diesem Abschnitt: Alexander Lernet-Holenia, der Meister des eleganten Stils, dem allerdings dann bei der Verleihung des Nobelpreises an Heinrich Böll keine elegantere Reaktion einfiel, als mit Eklat das Amt des österreichischen PEN-Präsidenten niederzulegen.

Die Erzählkunst des Jahrzehnts zwischen 1950 und 1960 steht im Zeichen der Romantrilogie Heimito von Doderers (»Die erleuchteten Fenster«, »Die Strudlhofstiege« und »Die Dämonen«). Kruntorad stuft Doderer als »aufgeklärt-konservativ« ein und rückt in seine Nähe Gütersloh sowie Herbert Eisenreich, den Schüler und »Ideologen« der beiden. (»Die Kunst des Romans als die Wissenschaft vom Leben«). Schon beginnt allerdings die »Wiener Gruppe« mit ihrer Montagetechnik und Sprachkombinatorik, auch ihrem Laborieren mit dem Dialekt das Verständnis der Gattungen und der Literatur überhaupt zu erschüttern, und schon setzt die Sprachverunsicherung durch die Philosophie Wittgensteins ein.

Zwischen der Wiener und der »Grazer Gruppe« porträtiert Kruntorad den noch immer nicht voll wiedereingemeindeten Elias Canetti sowie Thomas Bernhard mit seiner »Psychologie des Autismus« und Peter Handke mit seiner Optik des »doppelten ästhetischen Filters« in kräftigeren Umrissen. Nicht alle Abschnitte des Prosa-Teils sind mit gleicher Kompetenz geschrieben.

Essayistische Pointierungen bevorzugt Kurt Klinger im nächsten Teil des Bandes. Schon die Auseinandersetzung mit Josef Weinheber, dem Lyriker, der seine Dichtung der nationalsozialistischen Ideologie zum Mißbrauch überließ, am Ende aber sich selbst zur Rechenschaft zog, überzeugt durch Differenziertheit und Ausgewogenheit. Das Selbstgericht Weinhebers wird nicht verkleinert, wohl aber relativiert durch die Entdeckung, daß schon in den zwanziger Jahren die charakteristische Reue-Dialektik eines Dichters begann, der im übrigen immerzu von »Maß« sprach, »weil er selber kein Maß fand«.

Unter dem Stichwort »Experiment und Engagement« bilden die Einzelessays über den »Wiener Villon« beziehungsweise den »Hexenküchenmeister der Avantgarde« H. C. Artmann und sein »lyrisches Sprachtheater«, über den »lyrischen Alleinunterhalter«

Ernst Jandl sowie über Friederike Mayröcker und ihre »Loopings der Textkonstruktion« die Höhepunkte. Dem »permanenten Kritiker« Ernst Fried, der auf jeden Reiz »mit einem Blitzkrieg der Worte« reagiert, wird zwar die »sokratische Qualität« Brechts abgesprochen, nicht aber der Rang des »potentesten politischen Dichters im deutschen Sprachraum«.

Die Analyse von Peter Handkes »Individualismus-Lektionen für Fortgeschrittene«, denen die Lyrik einen »Zuwachs an Subjektivität« und »autobiographischer Neugier« verdanke, bereitet Klingers frappierende Schlußthese vor; sie lautet: Die emanzipierte Subjektivität im Gedicht hat das *Fin de siècle* des 20. Jahrhunderts eingeleitet.

Zu einfach gemacht hat es sich Gotthard Böhm mit dem IV. Teil, »Dramatik«. Das methodische Credo, ein Drama sei ohne seine Verwirklichung auf der Bühne nicht denkbar und das literarhistorische Verfahren dem Gegenstand unangemessen, dient als Vorwand für das unablässige Zitieren von Theaterkritiken (zum Teil bloßen Inhaltsangaben der Stücke). Selten kommt es zur Analyse von Dramen, noch seltener zur Analyse der Dramaturgie eines Autors. Max Mell wird, unter Berufung auf die österreichische Presse, gegen Handke ausgespielt; ehrfürchtig werden Heinz Kindermanns auf dem Kothurn daherstelzende Formeln vom Adel der Einfachheit, von der Harmonie des Gleichgewichts aus dem Innern, der Suche des Göttlichen im Ewigmenschlichen oder vom Verkünder des Unzerstörbaren übernommen; den Ehrentitel des *poeta laureatus* erhalten gleich mehrere Autoren. Die für das österreichische Theater kennzeichnende Verwechslung von Konvention und Tradition und die mangelnde Offenheit für die Innovation des europäischen Theaters rächten sich. Das Festhalten an Regeln der klassizistischen Dramaturgie hat nur bei Fritz Hochwälder zu überzeugender Form geführt. Verkrustungen gelöst haben sicherlich das Antitheater der »Wiener Gruppe« oder die mehr kabarettistischen Versuche von Künstlern wie Helmut Qualtinger, so daß neuerdings Peter Handke und Thomas Bernhard, Wolfgang Bauer, Harald Sommer oder Peter Turrini die Isolation österreichischer Dramatik aufbrechen konnten.

Was im Österreich-Band der Kindlerschen Literaturgeschichte zu einem breiten Panorama auseinandergezogen ist, das bietet in einem Konzentrat an Texten die Anthologie österreichischer Gegenwartsliteratur »Zwischenbilanz« – und zwar in spiegelbildlicher Form, weil die Herausgeber, Sigrid Schmid und Walter Weiss (der auch eine Einführung beisteuert), die gewöhnliche Chronologie umkehren, also den jüngsten Beitrag an den Anfang setzen und dann die Entwicklung rückwärts belegen.

Von einigen Ausnahmen abgesehen, umfaßt die Anthologie Textbeispiele aus der Nachkriegszeit. Zu einer Auswahl aufgefordert, würde ich nennen: ein Stück »gegen den Strich« geschriebener Dorfliteratur von Franz Innerhofer, das Beispiel eines erzählerisch durchgehaltenen geistreichen Einfalls in Gert F. Jonkes »Wolken«, Christine Bustas epigrammatisches Gedicht »Herbst über Wien« und dazu Ingeborg Bachmanns (auch als Hölderlin-Hommage zu lesende) »Große Landschaft bei Wien«, eines der »epigrammata in teutschen alexandrinern« von H. C. Artmann und schließlich Hertha Kräftners Gedicht »Wer glaubt noch« und ihre Erzählung »Das Liebespaar«, deren unendliche Verlorenheit die Leere der Welt ahnen läßt, der sich die Autorin, dreiundzwanzigjährig, im Jahre 1951 durch Freitod entzog.

Die Anthologie ist im Salzburger Residenz Verlag erschienen, ohne den eine Geschichte des Drucks neuerer österreichischer Literatur nicht zu schreiben wäre. Schärfer noch fassen die Autoren der Kindlerschen Literaturgeschichte das Problem, wenn sie die Frage andeuten, was aus der Literatur in Österreich ohne die Verlage (auch die Funkhäuser) und das Publikum im übrigen deutschen Sprachraum, vor allem in der Bundesrepublik, geworden wäre. Die literarischen Texte sind noch in ganz anderer Weise »landflüchtig« als ihre Autoren – wie viele seit den sechziger Jahren allein der Suhrkamp Verlag aufgenommen hat, ist kein Geheimnis.

Hier sind freilich Probleme der Literaturgeschichtsschreibung überhaupt berührt. Verlagsprogramme spiegeln und repräsentieren Entwicklungen und Tendenzen der Literatur. Nach Verlagen wie beispielsweise Cotta (um und nach 1800), S. Fischer (um 1900) oder Kurt Wolff (um 1920) lassen sich Autoren ebenso sinnvoll gruppieren wie nach Geburtsländern oder literarischen Einzelgattungen. Vor einiger Zeit forderte Harald Weinrich eine »Literaturgeschichte des Lesers«. Aber »der« und »die« Leser sind schwer zu fassen. Wie wäre es vorerst mit einer Literaturgeschichte nach Verlagen?

(Kindlers Literaturgeschichte der Gegenwart: »Die zeitgenössische Literatur Österreichs«, hrsg. von Hilde Spiel.

»Zwischenbilanz«. Eine Anthologie österreichischer Gegenwartsliteratur, hrsg. von Walter Weiss und Sigrid Schmid.)

(16. 11. 76)

Das Verschweigen hat Methode
Vom Elend unserer Literaturgeschichten

Durch Reisen lernen wir unser Zuhause besser kennen. Geschichtliche Traditionen anderer Länder machen die eigene Situation bewußter, lassen uns die Brüche in unserer Geschichte schärfer sehen – einer Geschichte, von der die Literaturgeschichte ein Teil ist. – Nähern wir uns der Sache über einige Impressionen.

Princeton in den USA, die Nassau Hall auf dem Campus der Universität. Hier trat in der Frühzeit des unabhängigen Amerikas, im Jahre 1783, der Kongreß zusammen. Die Geschichte des demokratischen Staates und einer seiner berühmtesten Universitäten (hier lehrte auch der exilierte Thomas Mann), Politik und Geist unter einem Dach. In Steinwurfnähe die Abteilungen für Sprache und Literatur.

Anderthalb Jahre zuvor in Wroclaw, dem früheren Breslau. Die wiederaufgebaute Aula der Universität, ein Meisterwerk polnischer Restaurierungskunst. Unter den Schätzen der Bibliothek viel deutsche Literatur des 17. Jahrhunderts, aus jener Zeit also, da Breslau eines der großen Zentren deutscher Dichtung war. Heute ist das Germanistik-Institut das bedeutendste des Landes, aber kein landessprachliches. Deutsche Literatur- und Staatsgeschichte haben sich voneinander gelöst.

Zwischenaufenthalt in Weimar. Im Goethe-Haus am Frauenplan, inmitten eines Stromes von Besuchern aus dem Arbeiter- und Bauern-Staat. Atmosphäre von Kirchenbesichtigungen: Gedämpftheit der Schritte und der Stimmen, Mischung von Neugier und Ehrfurcht. Ein Dichterhaus als Nationalheiligtum. Im »Elephanten« übernachten gerade Angehörige des Vorstandes der Goethe-Gesellschaft, Mitglieder aus dem östlichen und dem westlichen Europa, auch aus der Bundesrepublik. Die deutsche Gemeinsamkeit in der Goethe-Gesellschaft als eine der letzten verbliebenen. Aber an die politische Wirklichkeit erinnert jeder Grenzübertritt.

In Weimar spürt man das ganze Dilemma unserer Geschichte. Keine der neuesten Darstellungen kommt daran vorbei. Die jetzt in der Metzlerschen Verlagsbuchhandlung erschienene »Deutsche Literaturgeschichte von den Anfängen bis zur Gegenwart« macht das Elend besonders deutlich. Zwar ist das Verhältnis zu unseren

Klassikern nicht der einzige Prüfstein heutiger Literaturgeschichtsschreibung, aber doch ein neuralgischer Punkt.

Wir sind in der Bundesrepublik drauf und dran, die Klassiker der deutschen Literatur an die DDR zu verlieren. Man muß es einmal so drastisch ausdrücken. Der Besucher von Weimar sieht sich umgeben von nationalen Forschungs- und Gedenkstätten. Die fast kultische Pflege des klassischen Erbes nimmt Formen einer Besitzergreifung an, die schon verdächtig sein mag – immerhin, es ist der sozialistische Staat, der zur Achtung vor der großen »bürgerlich-humanistischen« Literatur erzieht. In der Bundesrepublik, im – vorwiegend von seinen Kritikern so genannten – bürgerlichen Staat, ist ein entweder verlegener oder sauertöpfischer Umgang mit den bürgerlichen Klassikern üblich geworden.

Nichts, wohlgemerkt, gegen eine kritische Klassiker-Rezeption. Denn viel zur Unlust hat beigetragen, daß Ideen Schillers und Goethes wie ein weltliches Evangelium verkündet wurden, das zum Allgemeinmenschlichen hinaufläutert. Die unsere Klassiker ganz ins Zeitlose aussiedelten, durften sich nicht wundern, wenn sie die Zeit schließlich nicht mehr erreichten. Geschichtliche und kritische Interpretation nimmt die Klassik ernst, indem sie auch ihre Widersprüche ernst nimmt.

In der neuen Literaturgeschichte des Metzler Verlages, einem Gemeinschaftswerk von neun Autoren (Wolfgang Beutin, Klaus Ehlert, Wolfgang Emmerich, Helmut Hofacker, Bodo Lecke, Bernd Lutz, Ralf Schnell, Peter Stein, Inge Stephan) ist die Literatur des Jahrhunderts etwa zwischen 1730 und 1830 zusammengezogen im Kapitel »Aufklärung und klassisch-romantische Kunstperiode«. Auf diese Weise wird der Zusammenhang der Klassik mit der Aufklärung verdeutlicht, ein Zusammenhang, den frühere Epochengliederungen zum Verschwinden brachten. Aber welcher Preis für die scheinbar weise Lösung! Dieses Kapitel über ein an literarischen Formen und bedeutenden Autoren unvergleichlich reiches Jahrhundert erhält nur wenig mehr Seiten zugebilligt als die folgenden beiden Jahrzehnte, der »Vormärz«. Bei allem Respekt vor Herwegh oder Freiligrath, vor Börne oder Weerth, bei aller Hochachtung vor Heine und Büchner – dies ist ein Skandal.

Es geht nicht um den Stil der knappen Übersichtsdarstellung, mit dem die Bearbeiterin des ersten Teils den Leser in zwei anderen Kapiteln durchaus überzeugt, auch nicht um die sachlichen Erträge des Vormärz-Kapitels, dessen Verfasser zum Ganzen ein besonnenes Vorwort geschrieben hat. Es geht um die – nicht eingestandene – Konzeption des Bandes, die solche Disproportion forderte oder zuließ. Wenn schon der »Vormärz« zu einem Lieblingskind der Geschichtsschreibung wird – und gewiß gab es hier manches Versäumte nachzuholen –, so darf darüber nicht die Literatur von Lessings »Minna von Barnhelm« bis Goethes »Faust II« zur Waise werden.

Es ist nützlich, daß wir in dieser Literaturgeschichte viel über sozialgeschichtliche Voraussetzungen der Literatur erfahren, auch über mittelalterliche Klöster als Bildungszentren, den neuzeitlichen Buchmarkt und die Zensur, über Lesegemeinschaften, das Theaterpublikum und die Literaturkritik, kurz: über die Formen des literarischen Lebens in den verschiedenen Epochen. Literarische Werke stehen, auch als Gebilde dichterischer Phantasie, in einem Geflecht von Beziehungen, das weder durch die Stil- und die Geistesgeschichte noch durch die Geschichte von Schriftsteller-Persönlichkeiten hinreichend erfaßt wird. Literatur ist keine Insel der Seligen inmitten der großen politischen Strömungen. Aber ebensowenig ist sie nur die Wetterfahne, die jeweils anzeigt, woher gerade der politische Wind weht.

Hier muß vom Kapitel über den »Anbruch der Neuzeit in der Literatur zwischen 1400 und 1600« gesprochen werden. Sein Verfasser rehabilitiert eine Literatur, die über der Dichtung der Renaissance und des Humanismus, der Reformation und der Gegenreformation weitgehend in Vergessenheit geraten war: die mit den Bauernaufständen sympathisierende, die Literatur der niedergeschlagenen Revolution. Das ist gut so. Aber die Absicht zur Wiedergutmachung trübt den Blick für die Dimensionen. Die konfessionelle Auseinandersetzung in der dramatischen Parabel – einer Form, die in unserem Jahrhundert Brecht wiederaufnahm – bleibt unbeachtet.

Zu den Prosaschriften Herders finden wir in diesem Band kein Wort, über Goethes »Faust« einen mageren Absatz, zu Lessings »Nathan« ein paar allgemeine Bemerkungen und über »Minna von Barnhelm« einen nichtssagenden Satz. Nun ließe sich sagen, diese Werke seien aus vielen anderen Darstellungen bekannt. Eine Literaturgeschichte wird aber nicht gebraucht von dem, der sich ohnehin auskennt; wer sie kauft, erwartet sich von ihr zu Recht

Informationen – gedrängte zwar, aber hilfreiche. Auch verfängt nicht das Argument des Vorworts, die Darstellung sei gattungsorientiert. Wenn in ihren Gattungen die genannten Stücke nicht zählen, welche denn sonst?

Goethes und Schillers Dramen aus der Zeit der Klassik im engeren Sinne (um die Jahrhundertwende) fallen als »klassizistische Tragödien« unter die Kategorie des »Rückschritts«. Gewiß lassen sich anachronistische Elemente in der Anlehnung an die französische *tragédie classique* des 17. Jahrhunderts nicht übersehen. Anderthalb Jahrhunderte »Verspätung« der deutschen Klassik hinterlassen Brüche und Widersprüche. Deshalb aber die »klassizistischen« Dramen Schillers – als Klassizisten haben auch Grillparzer und Hebbel in dieser Literaturgeschichte keine Chance – zum Signal für den »Beginn der restaurativen Phase der bürgerlichen Gesellschaft in Deutschland« stempeln, heißt Schiller in eine falsche Front einreihen. Es wären nicht nur die Defizite, sondern auch die besonderen Leistungen der klassischen Form zu erörtern.

Verdienstvoll ist ein Abschnitt über »Klassikerverehrung« im 19. Jahrhundert. Für die Rezeptionsgeschichte im 20. Jahrhundert dient eine Theaterstatistik über Aufführungen zwischen 1947 und 1975 als Ersatz. Das Ergebnis muß den Leser frappieren, denn mit dem Abdruck der Statistik korrigiert diese Literaturgeschichte sich selbst. Lessing, Goethe, Schiller und Kleist behaupten nämlich in den Spielplänen souverän die Spitze. Und die westdeutsche Bühne der letzten Jahrzehnte kann nun wahrlich nicht als Ort einer musealen Klassikerpflege gescholten werden.

Das Vorwort bestreitet die Gültigkeit eines kanonisierten Anspruchs der literarischen Überlieferung. Trotzdem kommt es einem Eingriff gleich, wenn Gebiete der Literatur, die bisher zum Grundbestand von Literaturgeschichten – auch der DDR – gehörten, ausgetrocknet werden. Klopstock und der Göttinger Hainbund schrumpfen zur Bedeutungslosigkeit zusammen, Matthias Claudius ist nicht mehr vorhanden, die Natur- und Lehrdichtung der Aufklärung findet keinen Platz, die Namen von Brockes und Haller entfallen ganz. Von den Dramatikern der schlesischen Dichterschulen des 17. Jahrhunderts ist nur Gryphius übriggeblieben, nicht einmal – außer in einem beziehungslos dastehenden Porträt – Lohenstein. Schon oft in der Geschichte der Literatur haben sich Totgesagte als Scheintote enthüllt.

Das Verschweigen hat Methode. Die Konzeption, die dieser Literaturgeschichte zugrunde liegt – eine Konzeption, die freilich durch viele Zugeständnisse verwischt wird – ist die einer oppositionellen Literatur. Ich halte eine geschichtliche Darstellung, die einem bestimmten Literaturverständnis folgt und Dichtung nach ihrem kritischen Gehalt bemißt, für durchaus legitim; und sicher wäre eine Darstellung »Deutsche Literatur in der Opposition« von außerordentlichem Erkenntniswert. Nur muß die Absicht offengelegt, über die Perspektive Rechenschaft gegeben werden. Daran fehlt es im Metzler-Band. In diesem Punkt lobt man sich die Literaturgeschichten der DDR.

Angekündigt wird die klare Begünstigung der modernen Literatur. Tatsächlich nehmen die Kapitel zum 20. Jahrhundert die Hälfte des Gesamtumfangs ein. Das Prinzip läßt sich vertreten. Es entspricht den Lesegewohnheiten und dem Bedürfnis nach Information über Gegenwartsautoren und die Literatur aus jüngster Vergangenheit.

Wie die Praxis, den darstellenden Text immer durch Kurzinterpretationen, Zitate und Datenmaterial zu kommentieren, zählen die beiden ersten Kapitel über die Gegenwartsliteratur zum Erfreulichen dieses Bandes. Einem abgewogenen, durchaus kritischen, aber nicht von Vorurteilen festgelegten Beitrag über die Literatur der DDR entspricht eine um Ausgewogenheit bemühte Übersicht über die Literatur der Bundesrepublik. Die Funktionen der Literatur dort, der Literaturbetrieb hier, die Lebensräume gegenwärtiger Literatur werden klar skizziert. Die Bearbeiter beschreiben nicht nur die Rolle der Literaturkritik, sie werten auch ihre Ergebnisse aus.

Das Problematische der Darstellung hängt wieder mit jener Situation zusammen, in die politische und Staatsgeschichte die Literaturgeschichte gebracht hat. Nicht sinnvoll ist es, den Literaturgeschichten der DDR zu folgen und von jener »nationalstaatlichen Konsolidierung« zu sprechen, mit der die Existenz einer »sozialistischen deutschen Nationalliteratur« begründet wird. Die Begriffe der Nation und der Nationalliteratur können von ihrer Entwicklung im 19. und 20. Jahrhundert nicht einfach gelöst werden, ein rein formaler Wortgebrauch im Sinne der Gleichsetzung von Staat und Nation (»Vereinte Nationen«) ist in Deutschland nicht möglich. Und einen vom Klassenbegriff her bestimmten »bürgerlichen Nationalstaat« (wie der Bearbeiter des

Barockkapitels annimmt) hat es in Deutschland nicht gegeben.

Die Verschiedenartigkeit der Literatur in der Bundesrepublik und der DDR, in einer von Marktwirtschaft und einer von staatlicher Lenkung bestimmten Buchproduktion kann heute nur noch übersehen, wer die Augen vor der Realität verschließt. Von gleicher Blindheit geschlagen ist aber, wer den durch die gemeinsame deutsche Sprache bewahrten Zusammenhang leugnet. Die Metzlersche Literaturgeschichte, die ost- und westdeutsche Autoren unter dem einen Dach der »Deutschen Literatur« beläßt, überbrückt wenigstens einen der Gräben, den die Kindlersche Literaturgeschichte mit ihren vier Einzelbänden zu den Gegenwartsliteraturen der DDR, der Bundesrepublik, Österreichs und der Schweiz aufgerissen hat.

Einem anderen Dilemma weicht sie aus, ohne ihm zu entgehen. Sie hat keinen rechten Ort für die Autoren Österreichs und der Schweiz, von deren Gegenwärtigkeit in unseren Buchhandlungen und auf dem Theater, von deren breiter Resonanz bei unserem Publikum jedermann weiß. So wird die dosierte Berichterstattung gewählt: einiges über Dürrenmatt und Frisch, Partielles über Peter Handke, Dürftiges über Thomas Bernhard, also so viel, daß ihre Abwesenheit nicht beklagt, aber auch der Vorwurf der »Annexion« nicht erhoben werden kann. Bei aller Anerkennung des diplomatischen Geschicks – diese halben Schritte sind keine Lösung.

Am Ende der »Hamburgischen Dramaturgie« klagt Lessing, daß die Deutschen kein Nationaltheater haben könnten, solange sie keine Nation seien. Heute ließe sich sagen, daß wir keine (eine) Nationalliteratur mehr haben, weil wir keine (geeinte) Nation mehr sind. Aber muß es denn überhaupt eine »Nationalliteratur« sein? Ich meine, in einem Zeitalter, da die Idee vom autarken Staat wie die von der autarken Literatur eines Landes absurd geworden ist, hat der Gedanke einer mannigfaltigen deutschen Literatur, in die sich mehrere deutschsprachige Länder teilen, geradezu etwas Zukunftweisendes.

Zu der Literaturgeschichte des Metzler Verlages (und der voraufgegangenen des Athenäum Verlages) sind bald weitere mehrbändige und als Gruppenunternehmung angelegte Literaturgeschichten zu erwarten: bei Hanser, bei Rowohlt und bei Beck/Metzler. Sie alle stehen vor gleichen Schwierigkeiten. Aber das Elend muß nicht andauern.

(2. 4. 80)

Kritische Lehr- und Wanderjahre
Elisabeth Endres:
»Die Literatur der Adenauerzeit«

Der schlimmste Feind eines Buches sind die falschen Erwartungen, gegen die es sich durchsetzen muß. So klärt man am besten zunächst, was die Darstellung von Elisabeth Endres nicht ist: Kein Nachschlagewerk wie ihr »Autorenlexikon der Gegenwartsliteratur« aus dem Jahre 1975, kein Handbuch zur Literatur der Adenauerzeit. Keine Sammlung von Autorenporträts, Werkanalysen oder Literaturkritiken. Und keine Literaturübersicht von der Warte des unbeteiligten Historikers.

Ein »Augenzeuge« blickt zurück, auf seinen eigenen Werdegang und auf seine Begegnungen mit den Werken der Schriftsteller. So wird dieser Band zur Geschichte nicht nur der Literatur, sondern auch eines – halbwegs repräsentativen – jungen Lesers und Kritikers in den ersten anderthalb Jahrzehnten der Bundesrepublik. Dem biographischen, genauer autobiographischen Kern entspricht ein erzählerischer Grundzug des Buches.

Der Anfang blendet sich in eine Szene ein: Im Herbst 1963 beobachtet ein junger Literaturkritiker – ein »nur halb imaginärer, halb existierender Literaturkritiker«, eben Elisabeth Endres selbst – das Treiben auf der Frankfurter Buchmesse und lernt Günter Grass kennen, dessen Roman »Hundejahre« gerade Furore macht. Es ist der gleiche Herbst, da der greise Kanzler zurücktritt und die Adenauerära endet – also Anlaß zu einer politisch-literarischen Bestandsaufnahme.

Erst die weiteren Kapitel, beginnend mit den ersten Nachkriegsjahren, folgen der Chronologie. Und in allen wird zunächst der biographische Faden wiederaufgenommen, so daß die Lebensstationen des »Augenzeugen« von der Schülerzeit über das Studium zum Kritikerberuf deutlich werden. Elisabeth Endres bettet aber diese persönliche Biographie in die allgemeinere Biographie der Bundesbürger ein, in die politische und soziale, die Wirtschafts- und Kulturgeschichte der neugegründeten Republik. Und läßt auch die Autorin gelegentlich dem Plaudertrieb die Zügel locker und gerät ins bloße Beschreiben, so kenne ich doch keine Darstellung, die das politische und kulturelle Umfeld der Nachkriegsliteratur so umfassend skizzierte und dabei so entschieden auf jeglichen Fachjargon verzichtete. Nirgendwo klinkt sich der Bericht in Denk- und Begriffsschablonen ein.

Aber auch nirgendwo macht es sich Indifferenz gemütlich. Die Erziehung durch Walter Dirks' und Eugen Kogons »Frankfurter Hefte«, so heißt es, »ließ uns an der Richtigkeit der offiziellen Bundespolitik zweifeln«; später neigt sich das Engagement der Sozialdemokratischen Wählerinitiative zu.

Einspruch gegen eine mißverstandene Ästhetik der »heilen Welt«; kritische Skepsis gegenüber der Benn-Renaissance um 1950; Distanzierung vom eigenen Lehrer, dem Literaturwissenschaftler Emil Staiger, der später mit seinem Bannspruch gegen die modernen Schriftsteller den sogenannten Zürcher Literaturstreit mit Max Frisch auslöste; und immer wieder die Auseinandersetzung mit der literatur- und kulturkritischen Methode Friedrich Sieburgs; schließlich das Eingeständnis, im Jahre 1959 durch drei Bücher in der Entscheidung für den freien Beruf des Literaturkritikers bestimmt worden zu sein: durch Günter Grass' »Blechtrommel«, Heinrich Bölls »Billard um halbzehn« und Uwe Johnsons »Mutmassungen über Jakob« – dies alles kennzeichnet eine zwar nicht bedingungslose, aber weitreichende Sympathie für die literarische Moderne. Bei solcher Offenheit kann auch Helmut Heißenbüttel zu einem der wichtigsten deutschen Autoren des ganzen Jahrhunderts avancieren.

An der Hauptthese: die Gruppe 47 sei »die genaue intellektuelle Entsprechung zu der gesellschaftlichen Entwicklung« in der Adenauerzeit, überrascht zunächst die Parallele: »Die Gruppe war liberal. Auch Ludwig Erhards Wirtschaftspolitik war liberal.« Doch die Begründung klingt dann fast wie Widerruf: Im Wirtschaftswunder triumphierte die Marktfreiheit des Bourgeois, die Gruppe 47 aber meinte die republikanische Freiheit des Citoyen – Entsprechung ist hier also zugleich Opposition. Noch heute, so lautet das kühne – oder gar nicht so kühne? – Fazit, kann ein Feuilleton, in dem Autoren der Gruppe 47 nicht mitreden, kein gutes Feuilleton sein.

Wie sollten in einer Darstellung, die jeden Systemzwang vermeidet, also auch den der Vollständigkeit, nicht Lücken zu finden sein? Draußengebliebene Emigranten wie Hermann Kesten und Elias Canetti bleiben leider auch hier draußen. Ohne jene literarischen Ebenen, auf denen Hans Helmut Kirsts »08/15«-Trilogie oder Hans Habes konservative Polemik und Ernst von Salomons skandalöser »Fragebogen« (1951) liegen, läßt sich das widerspruchsvolle und schillernde Literaturspektrum der Adenauerzeit kaum hinreichend erfassen. Über Stiefmütterlichkeit der Autorin könnten sich Dramatiker wie Leopold Ahlsen (»Philemon und Baukis«, 1956) oder Heinar Kipphardt (»Der Hund des Generals«, 1962) beklagen.

Schwerer wiegt ein anderer Einwand. Politische Strömungen der Adenauerzeit (wie Antikommunismus, Protest gegen die Wiederbewaffnung, Europabegeisterung der Jugend), philosophische Tendenzen (vertreten durch Heidegger, Jaspers, Horkheimer und Adorno, Bloch), literaturkritische und -wissenschaftliche Richtungen, Zeitschriften als wichtiges Forum der Ideen zur Neuorientierung, literarische Gruppen und Einzelgänger – alles zusammen ergibt ein imponierendes Panorama. Aber nicht gezeigt wird, in welcher Weise unsere großen (und kleinen) Verlage das Bild der Nachkriegsliteratur bestimmt, Taschenbuchreihen und Buchgemeinschaften den Büchermarkt verändert haben. So stellt Elisabeth Endres Literatur zwar wie ein lebendiges Wesen in seinem Lebensraum vor, vergißt aber das, was dieses Lebewesen erst auf die Beine stellt.

Gleichwohl: ein kenntnisreiches und ehrliches Buch, eines, das nirgendwo prätentiös wird; ein Buch, in das die Autorin ihre eigene Person mit einbringt und dessen Subjektivität dennoch niemals aufdringlich ist. Ein Buch über die Literatur der bundesrepublikanischen Wunderjahre und die Lehr- und Wanderjahre der Elisabeth Endres.

(20. 12. 80)

In jedem Buch steckt ein weiteres Buch
Zu den neuen Sozialgeschichten der Literatur bei Athenäum, S. Fischer, Hanser und Rowohlt

Traum eines Verlegers: Auch die letzten Schriftsteller sind jetzt unter Kontrolle. Sie »texten« nach den Anweisungen der Lektoren in einer Halle mit langen Schreibtischreihen. Vor den Buchmessen stehen Akkordarbeit oder Überstunden zur Wahl, danach werden Kurzarbeitsschichten eingelegt. Setzer sind überflüssig geworden, da die Schriftsteller ihre Werke gleich in die Maschine für den Lichtsatz schreiben.

Ein »Traum«, der übertreibt, gewiß. Aber er bezieht sich auf Wirklichkeit. Wunschbild einerseits, Warnbild andererseits, verdeutlicht er den Zug zur industriellen »Fertigung« von Literatur.

Auch Bücher über Literatur entstehen nicht mehr wie früher. Immer seltener geschieht es, daß jemand an ein selbstgewähltes Thema viele Lebensjahre verwendet und das Ergebnis dem Verleger anbietet. Literaturgeschichtliche Bücher werden in zunehmendem Maße in den Verlagslektoraten oder – als Sammelbände – vom Verleger und einem Herausgeber geplant. Immer mehr wird literaturwissenschaftliche und -kritische Arbeit zur Auftragsarbeit, der Mitarbeiter eines Bandes zum Arbeitnehmer (freilich noch auf der Stufe der »Heimarbeit«).

Unwiderruflich dahin ist wohl die Zeit, da sich einzelne an große literaturgeschichtliche Entwürfe wagen konnten. Wer soll sich heute durch den immer bedrohlicher wachsenden Berg von Literatur über die deutsche Literatur noch allein durcharbeiten? Teamwork lautet die Losung der Stunde.

Noch bewähren sich auch Zwischenformen: Einzelbände (Einzelepochen) werden ausgewiesenen Sachkennern übertragen – so in der (immer noch unvollständigen) de Boor/Newaldschen Literaturgeschichte, so in der des Reclam Verlags. Der gerade bei Reclam herausgekommene Band »Vom frühen Mittelalter bis zum Ende des 16. Jahrhunderts« zeigt den Vorteil dieser Form von Arbeitsteilung: man gewinnt einen hervorragenden Fachmann (Max Wehrli) und bewahrt so wenigstens für einen geschichtlichen Teilbereich die Einheit der Perspektive.

Noch nie gab es eine solche Konkurrenz neuer deutscher Literaturgeschichten wie jetzt. Wir erleben zur Zeit einen Wettlauf zwischen dem Athenäum, dem Rowohlt und dem Hanser, dem Metzler und dem Fischer Verlag, zu denen sich bald noch gemeinsam Beck und Metzler gesellen werden. Das erklärt sich aus dem Zusammentreffen zweier Bedürfnisse. Überall bemerken wir eine Wiedergeburt des Geschichtsinteresses, ein Verlangen nach Aufklärung über unsere Vergangenheit, über historische Zusammenhänge. Zum anderen drängen die rezeptions- und die sozialgeschichtliche Betrachtungsweise, die im vergangenen Jahrzehnt vor allem jüngere Germanisten in ihren Bann gezogen haben, nach Dokumentation in neuen Literaturgeschichtsentwürfen: Literatur soll weniger von der Entwicklung des Geistes her, dafür mehr in ihrem gesellschaftlichen Entstehungs-, Lebens- und Wirkungsraum gesehen werden. So verstehen alle Herausgeber ihre neuen Literaturgeschichten (auch wenn es der Titel nicht ausdrücklich ankündigt) als Sozialgeschichten der Literatur, und so gehört die Mehrzahl der Mitarbeiter den Germanisten-Generationen von jungen Dozenten und Assistenten an.

Sowohl die mehrbändigen Literaturgeschichten von Athenäum, Rowohlt und Hanser (»Geschichte der deutschen Literatur vom 18. Jahrhundert bis zur Gegenwart«, Herausgeber Viktor Žmegač; »Deutsche Literatur. Eine Sozialgeschichte«, Herausgeber Horst Albert Glaser; »Hansers Sozialgeschichte der deutschen Literatur vom 16. Jahrhundert bis zur Gegenwart«, Herausgeber Rolf Grimminger) wie die einbändigen von Metzler und Fischer (»Deutsche Literatur von den Anfängen bis zur Gegenwart«; »Sozialgeschichte der deutschen Literatur von 1918 bis zur Gegenwart«) rücken mit Kolonnen von Bearbeitern an, mit Kolonnen von Spezialisten. Aber die Nachfrage nach guten Beiträgen überstieg offensichtlich das Angebot (daß umgekehrt das Angebot von Literaturgeschichten die Nachfrage übersteigen wird, ist zu befürchten). Der eine oder andere Mitarbeiter war wohl überfordert: Gerhard Kaiser, Verfasser einer Literaturgeschichte zum 18. Jahrhundert, hat sogar Anlaß zu einem – wenn auch verhüllten – Plagiatvorwurf gesehen.

Die Vielzahl der Einzelbeiträge zersplittert das Gesamtbild der deutschen Literatur nach Art einer Bodenreform in lauter kleine Parzellen. Freilich sind Unterschiede zur Praxis in der DDR zu beachten. Die in Ostberlin erscheinende vielbändige »Geschichte der deutschen Literatur von den Anfängen bis zur Gegenwart«

wird von »Autorenkollektiven« bearbeitet, wobei zwar die Mitwirkenden genannt, nicht aber die Einzelbeiträge durch Verfassernamen gekennzeichnet sind, so daß die Bände tatsächlich als das Produkt einer Kollektivarbeit erscheinen. Für die ideologische »Richtigkeit« und die Einheitlichkeit der Wertungen sorgen Leiter und »Redaktionsgruppen«, abgesegnet werden die Bände durch Gruppen von »Hauptgutachtern«. In den westdeutschen Literaturgeschichten kennzeichnen die Bearbeiter ihre Kurzbeiträge ausdrücklich als ihr geistiges Eigentum – auch wenn es mit dessen Rechtmäßigkeit, wie der Protest Kaisers zeigt, nicht in jedem Falle zum besten steht.

Die besondere Sachkunde der einzelnen wird zum Danaergeschenk, wenn sich das Wissen der Spezialisten nur summiert und die Literaturgeschichte ein verkappter Sammelband von Aufsätzen bleibt. Diese Gefahr, daß sich die Geschichte der Literatur in lauter Facetten auflöst, ist gerade bei der am umfassendsten geplanten, der des Rowohlt Taschenbuch Verlags, erkennbar.

Sozialgeschichten der Literatur wollen weder eine Darstellung von Dichterpersönlichkeiten noch von mustergültigen Werken geben. Sie sind an den Bedingungen der Buchproduktion und -verbreitung, an Formen des Verlagswesens und des Buchhandels, am wirtschaftlich-sozialen Status der Schriftsteller und an der Zusammensetzung des Publikums sowie an den historischen, zumal gesellschaftlichen Voraussetzungen bestimmter literarischer Themen und Formen interessiert; sie schließen theoretische und bloße Gebrauchstexte, Erbauungsschriften und sogenannte Unterhaltungs- und Trivialliteratur nicht mehr aus.

Mit solcher Horizonterweiterung vermitteln die neuen Literaturgeschichten in ganz anderer Weise als die früheren ein Bild davon, auf wie vielfältige Weise Literatur in die allgemeinen Lebensprozesse – sei es nun einer Stadt, eines Hofes oder der Familie – hinein verästelt ist, wie sehr sie als ein Ferment des religiösen, des politischen, des geselligen und kulturellen Daseins wirkt. Beispielsweise erfährt der Leser genau, wie die Literatur im 18. Jahrhundert mit der explosionsartigen Vermehrung der Buchpublikationen, der Zeitschriften und der Lesergruppen zu einer sozialen Großmacht wird.

Darstellung der Literatur als einer sozialen Großmacht läßt aber die Großen der Literatur kleiner werden. Die Aufmerksamkeit, die sich den Entstehungs- und Wirkungsbedingungen von Literatur zuwendet, wird von den bedeutenden literarischen Leistungen abgelenkt. Wo alle Ausdrucks- und Zweckformen der Literatur wichtig werden, tritt die Frage nach der Funktion an die Stelle der Qualitätsfrage.

Kann solche Erweiterung des Wissens den Leser auch zu wirklich neuen literarischen Entdeckungen anregen? Kaum. Die große Masse von Gebrauchs- und Trivialliteratur früherer Epochen besitzt allenfalls noch einen soziologischen, einen historischen Zeugniswert, bleibt auch weiterhin tote Literatur. Wer eine Literaturgeschichte vor allem als Kompendium des Überliefernswerten versteht, wird in den neuen Entwürfen sogar einen Rückschritt sehen, den Rückschritt zu einer historischen Methode des 19. Jahrhunderts, der alles Gewesene und Geschriebene gleich würdig war. Bereichern die Sozialgeschichten unser Bild vom literarischen Leben der Epochen, so muß doch dafür ein Zug zur Nivellierung und zur musealen Sichtung von Literatur in Kauf genommen werden.

Nun fällt allerdings auf, daß die neuen Literaturgeschichten in Wahrheit so umstürzlerisch nicht sind, wie sie in den Verlagsankündigungen erscheinen. Nicht nur beherzigen die Herausgeber ein Gebot, wie es beispielsweise Max Wehrli formuliert hat: daß Literaturgeschichte trotz ihrer Verflochtenheit in die allgemeine Historie ebensowenig wie einst in Geistesgeschichte jetzt in Sozialgeschichte aufgelöst werden darf. Manche der Beiträge gehen in ihrer Enthaltsamkeit sogar noch weiter. Da wird vom neuen Programm nur dieser oder jener Ratschlag übernommen, im übrigen aber nach gewohntem Rezept verfahren.

Das hängt gewiß mit dem zeitlichen Abstand zwischen Plan und Verwirklichung der neuen Literaturgeschichten zusammen. Die Forderung, »idealistische« durch »materialistische« Literaturinterpretation zu ersetzen und Literaturgeschichte als einen Teil der Gesellschaftsgeschichte zu betrachten, wurde vor allem von der Studentenbewegung erhoben. Und die Entwürfe zu den neuen Literaturgeschichten reichen alle bis in die Zeit unmittelbar nach der Studentenbewegung zurück. Inzwischen ist mancher der Revolutionäre von einst auf vorsichtige Distanz gegangen. Und wenn auch kein zu enger Zusammenhang konstruiert werden darf (es gab sehr ernst zu nehmende sozialgeschichtliche Richtungen vor und außerhalb der Studentenbewegung), so berufen sich doch die Kritiker einer Sozialgeschichte der Literatur gern auf deren Herkunft aus der Studentenbewegung.

Einschränkung und Zurücknahme lassen sich schon den Einführungen der Herausgeber entnehmen. So hält sich Grimminger eine Hintertür offen, wenn er in die Sozialgeschichte neben der Politik-, Wirtschafts- und Gesellschaftsgeschichte die »Bewußtseinsgeschichte« einbezieht und damit ein Sammelbecken bereitstellt, in dem auch für die – von den einbändigen Literaturgeschichten des Metzler und Fischer Verlags noch geschmähte – »Geistesgeschichte« wieder Platz geschaffen wird. Bis zum Kompromiß geht Glaser, der »weniger eine Wende in der Literaturgeschichtsschreibung« anstrebt als den Anschluß an die »großen Darstellungen« der Nachkriegszeit, etwa an Heinz Otto Burgers »Annalen der deutschen Literatur« oder Arnold Hausers »Sozialgeschichte der Kunst und Literatur«. Daraus spricht der Wunsch, möglichst vielen Erwartungen entgegenzukommen, und vielleicht erklärt sich so auch der etwas nebulöse Satz: »Der Geist der Werke soll denn weniger idealistisch als materialistisch mit dem Geist der Epoche vermittelt werden«. Daraus folgt aber zugleich, daß die Rowohltsche Sozialgeschichte der Literatur auch Werk- und Autorengeschichte, »Ich-Geschichte« bleibt. So finden wir hier besondere Porträts von Jean Paul (Ralph-Rainer Wuthenow), dem späten Goethe (Gert Mattenklott), von Heine (Albrecht Betz) und Büchner (Walter Hinderer).

Selbstverständlich ist das kein Nachteil. Aber daß es hier weniger um eine Sozialgeschichte der Literatur als um eine Kopplung von Sozialgeschichte und Literaturgeschichte geht, verrät der Aufbau der Bände: Die ersten Beiträge, jeweils von Fachhistorikern geschrieben, geben eine Einführung in die Sozialgeschichte der Epoche, ohne überhaupt auf Literatur Bezug zu nehmen. Solche Artikel (etwa von Horst Möller oder Otto Dann), so gut sie sein mögen, dienen nur als Alibi für ungelöste methodische Probleme, sie sind in diesem Rahmen bloße geschichtswissenschaftliche Lektionen.

Am wenigsten Schwierigkeiten mit der Konzeption hatte offensichtlich der Herausgeber der Literaturgeschichte im Athenäum Verlag, Viktor Žmegač, der in Jugoslawien (Zagreb) lehrt, wo sich eine gemäßigt-liberale marxistische Literaturbetrachtung hat einbürgern können. Für ihn sind sozialgeschichtliche Themen das tägliche Brot der Germanistik. Ihm kommt es »auf ein Panorama der gesellschaftlichen Institution ›Literatur‹ und deren Funktionen im geschichtlichen Wandel« an, auf die Darstellung sich ändernder »Produktions- und Kommunikationsbedingungen« der Literatur. Hervorzuheben wären außer Žmegač' eigenen Beiträgen die ausgewogenen Artikel von Dieter Borchmeyer (Weimarer Klassik und Naturalismus), auch von Christoph Siegrist (Aufklärung) oder Dietmar Goltschnigg (Gründerzeit).

Aber eine Neigung aller Literaturgeschichten: Sozialgeschichte weitgehend als politische Geschichte zu begreifen, wird in den Athenäum-Bänden auf die Spitze getrieben. Den Aufriß der Epochen zwischen 1815 und 1918 durchbrechen Sonderbeiträge zur liberalen und radikaldemokratischen, zur sozialistischen und sozialdemokratischen Literatur. Es ist zu hoffen, daß dieses Prinzip nicht im noch ausstehenden letzten Band ad absurdum geführt wird durch Artikel zur SPD-, CDU-, FDP- und DKP-Literatur der Bundesrepublik. Zur Parteiengeschichte sollte die Sozialgeschichte der Literatur nicht werden.

Ist die Athenäum-Literaturgeschichte so rigoros auf die neuere deutsche Literatur eingeschworen, daß sie sogar die Zeit der Reformation, der Gegenreformation und des Barock noch ausklammert und programmatisch mit der »bürgerlichen« Aufklärungsliteratur einsetzt, so beginnt die Hansersche Literaturgeschichte mit dem Schnittpunkt von »spätmittelalterlicher Tradition« und »frühbürgerlicher Innovation«, also um 1500. Von zwölf Bänden ist bisher nur der dritte, »Deutsche Aufklärung bis zur Französischen Revolution. 1680-1789«, ausgeliefert. Das Stichjahr 1789 läßt glauben, die Siegesglocken der Bastille-Erstürmer in Paris hätten für Deutschland sogleich eine neue literarische Epoche eingeläutet, es deutet auf einen fatalen Hang, Literaturgeschichte mit der politischen Geschichte in den totalen Gleichschritt zu zwingen. Aber das Niveau von Grimmingers Einleitungsessay widerruft die grobe Markierung. Die drei Hauptteile des Bandes beschreiben die »Institutionen« und die »Phasen« der Aufklärung sowie das Verhältnis der literarischen Gattungen zum »sozialen Wandel«. Ihre große Sachkenntnis bringen Gerhard Sauder (fünf Beiträge), Anselm Maler (Versepos) oder Gert Ueding (Popularphilosophie) in diesen anspruchsvollen Band ein.

Alle drei mehrbändigen Literaturgeschichten bevorzugen die Literatur der Aufklärung. Dadurch entlastet sich offensichtlich das immer noch schlechte Gewissen der Germanistik, die nach dem

Abdanken der aufklärungsfeindlichen völkischen »Deutschkunde« einige Nachholarbeit zu leisten hatte. Von der Rowohltschen Literaturgeschichte in zehn Bänden, die als einzige außer der einbändigen Metzlerschen zu den Anfängen deutscher Dichtung zurückgeht, sind im Augenblick drei Bände greifbar. Betreut von Ralph-Rainer Wuthenow, Bernd Witte und dem Gesamtherausgeber, umfassen sie die Literatur zwischen etwa 1740 und 1848. Die Ungleichzeitigkeit im Verlauf sozial- und literaturgeschichtlicher Bewegungen wird nicht geleugnet. So gilt als ein entscheidender Einschnitt nicht die Französische Revolution von 1789, sondern der Beginn des »weimarerischen Klassizismus« (Versfassung von Goethes »Iphigenie«) im Jahre 1786.

Keine der mehrbändigen Literaturgeschichten ist bisher bis zur Gegenwart fortgeführt. Hier springt jetzt die bei Fischer erschienene »Sozialgeschichte der deutschen Literatur von 1918 bis zur Gegenwart« ein, für die eine Gruppe von zehn Autoren verantwortlich ist. Den Aufbau kennzeichnen Kapitelüberschriften wie »Proletarisch-revolutionäre Literatur« und »Arbeiterdichtung« der Weimarer Republik, »Geschichte und Gesellschaft im bürgerlichen Roman« oder »Von den antifaschistisch-demokratischen Anfängen bis zum ›Bitterfelder Weg‹« in der Literatur der DDR. Die westdeutschen, österreichischen und schweizerischen Autoren finden unter dem Dach »Literatur in der Bundesrepublik« zusammen.

Eindeutiger noch als in den anderen Literaturgeschichten wird hier die Sozialgeschichte als Teil der politischen Entwicklung gesehen. Manchmal scheinen die Schriftsteller zu bloßen Vollzugsorganen sozialgeschichtlicher Antriebe oder kulturpolitischer Direktiven entmündigt zu sein. Eine Nebensache ist symptomatisch. In den sechzehn Überschriften zur Literatur der DDR kommen keine Autorennamen vor, wohl aber die Namen zweier Staatsratsvorsitzenden (»Von Ulbricht zu Honecker: Wandlungen in der Kulturpolitik«).

Wenn zur Zeit Literaturgeschichten auf den Markt gebracht werden, als gelte es das 1500jährige Jubiläum der deutschen Literatur zu feiern, so ist nur zu hoffen, daß schwindendes verlegerisches Interesse sie nicht als Bauruinen stehen läßt. Noch scheint mir das Problem, wie literarische Formen auf sozialgeschichtliche Verhältnisse zu beziehen sind, wie man sich die Osmose, also den Übergang eines realgeschichtlichen Sachverhalts in eine literarische Struktur, vorzustellen hat, nicht hinreichend durchdacht zu sein. So bleibt die Gefahr, daß die Wechselwirkungen zwischen Sozial- und Literaturgeschichte vereinseitigt werden, daß sich in die Darstellung sozialgeschichtliches Material drängt, dessen Bedeutung für die Literatur gar nicht einsichtig ist, oder aber sich Literaturinterpretation nur ein sozialgeschichtliches Mäntelchen umhängt.

Nur selten haben die Herausgeber germanistischen Fachjargon durchgehen lassen. Allgemeinverständlichkeit der Darstellung gehört zum Programm vor allem da, wo in größerem Umfang ausländische Mitarbeiter verpflichtet worden sind (in den Rowohlt-Bänden). Enttäuschend ist, daß die vergleichende Literaturbetrachtung nicht über Ansätze hinausgelangt. Hier muß das von Klaus von See herausgegebene, mittlerweile schon auf zwölf Bände gediehene »Neue Handbuch der Literaturwissenschaft«, das die Literatur in den europäischen und weltliterarischen Zusammenhängen vorstellt, Rahmenfunktion für die neuen Literaturgeschichten wahrnehmen.

Literaturwerke haben die Tendenz, sich zu potenzieren. Über ein bedeutendes Buch wird ein Buch geschrieben, das seinerseits mit seinen Ergebnissen in einen literaturgeschichtlichen Überblick eingeht. So steckt in jedem Buch ein weiteres Buch, und man wird an Ludwig Tiecks »Verkehrte Welt« erinnert, wo das reale Publikum auf der Bühne Zuschauer sitzen sieht, die ein Stück sehen, in dem ein Publikum einem Stück zuschaut, das wiederum Zuschauer zeigt, die der Aufführung eines Stücks beiwohnen. Ob die begonnenen und geplanten Literaturgeschichten alle zu Ende geführt werden, ist noch ungewiß. Man weiß nur, welcher Band mit Sicherheit zu erwarten ist: ein Buch (wahrscheinlich eine Doktorarbeit) über die neuen Sozialgeschichten der Literatur.

(21. 2. 81)

VII Schlußessay

Haben wir heute vier deutsche Literaturen oder *eine*?
Plädoyer in einer Streitfrage

Der Ausgang des Zweiten Weltkriegs, der Zusammenbruch des Deutschen Reiches und die Grenzziehung zwischen einer in Ost und West geteilten Welt führten in Mitteleuropa zu einer staatlichen Neuordnung, die tief in den Überlieferungszusammenhang der Kultur eingegriffen hat, ohne ihn jedoch aufheben zu können. Staatengründungen hängen ab von Machtkonstellationen, Verfassungen lassen sich mit sofortiger Wirkung in Kraft setzen, aber Kulturen entstehen und ändern sich nicht durch Machtspruch und nicht von einem Tag auf den andern. Staatengeschichte und Kulturgeschichte – und als deren Bestandteil Literaturgeschichte – gehen ihren Gang nach unterschiedlichem Zeittakt, sind im Kräftespiel von Macht und Geist verschiedenen Regeln unterworfen.

Selbstverständlich gibt es enge Wechselbeziehungen zwischen ihnen. Kultur bildet sich nicht im politischen Leerraum, zur Geschichte eines Staates gehört die seiner Kultur. Kunst und Literatur des antiken Athen lassen sich von den religiösen, politischen, sozialen und rechtlichen Institutionen der Stadt nicht abstrahieren. Und dennoch entwickelt die Kultur einen Überhang, der frei verfügbar wird. Nur so kann die Antike über das Mittelalter hinweg und über die mächtigen Brückenpfeiler von Renaissance und Humanismus der Neuzeit ihr Kulturerbe zuleiten. Glanzzeiten des Staates und der Literatur können zusammenfallen, müssen es aber nicht. Der Ruhm der ersten Elisabeth von England wird erreicht und übertroffen vom Ruhm des großen Elisabethaners Shakespeare. Ludwig XIV. von Frankreich ist »Sonnenkönig« nicht nur kraft Anspruch und durch Repräsentation, sondern auch, weil über seinem Zeitalter mit Corneille, Racine und Molière das große Dreigestirn des französischen Theaters aufgeht. In Spanien verdeckt und überlebt das Goldene Zeitalter der Kunst und Literatur den Verfall der staatlichen Macht unter Philipp II. Und die klassisch-romantische Hoch-Zeit der deutschen Literatur muß ganz ohne den Hintergrund von Staatsgröße auskommen; sie wird der politischen Entwicklung, einer Zeit des Partikularismus und der nationalen Niederlagen, geradezu abgetrotzt – fernab der politischen Machtzentren, in Weimar, Jena und Heidelberg. Die Deutschen erleben den Höhepunkt ihrer »Nationalliteratur«, als sie noch gar keinen Nationalstaat besitzen, ja, im eigentlichen Sinne noch gar keine Nation sind.

Am Ende seiner »Hamburgischen Dramaturgie« (1768/69) nimmt Lessing bitteren Abschied von seinen zu frühen Hoffnungen auf eine eigenständige, aller Nachahmung entsagende deutsche Literatur und von dem »gutherzigen Einfall, den Deutschen ein Nationaltheater zu verschaffen, da wir Deutsche noch keine Nation sind!« Sind wir heute weiter? Scheinbar nicht, wenn man das »noch nicht« gegen ein »nicht mehr« austauscht: An den Verlust der nationalen Einheit war der Verlust der einen Nationalliteratur gekoppelt. Und so lautete denn auch das Tagungsthema der »Deutschen Akademie für Sprache und Dichtung« auf ihrer Frühjahrssitzung 1980: »Gibt es verschiedene ›Nationalliteraturen‹ deutscher Sprache?«

Die Wahl dieses Themas ist symptomatisch für ein verbreitetes Interesse und bringt nur Fragen, die fast alle Diskussionen über die deutsche Gegenwartsliteratur bewegen, in eine zugespitzte Form. Lassen wir aber zunächst das Sonderproblem der »Nationalliteratur« außer acht, zumal ja der Nationalstaat für die Existenz einer hochrangigen deutschen Literatur keine Vorbedingung war, und konzentrieren wir uns auf die allgemeinere Frage: Haben wir heute vier deutsche Literaturen oder *eine*?

Die Frage scheint zunächst müßig, die Antwort einfach zu sein. Es gibt heute vier Staaten mit Deutsch als Landessprache – sehen wir von Randfällen wie Liechtenstein und Luxemburg einmal ab –: die Bundesrepublik Deutschland, die DDR, Österreich und die Schweiz (wo Deutsch zumindest die erste Sprache, nämlich die des überwiegenden Teils der Bevölkerung ist). Also haben wir auch vier deutsche (deutschsprachige) Literaturen. Dem entspricht ein organisatorischer Rahmen: Wer zwischen der Schweiz und Österreich, Österreich und der Bundesrepublik und der Bundesrepublik und der DDR die Grenze passiert, betritt den Zuständigkeitsbereich eines jeweils anderen Schriftstellerverbandes, einer anderen Sektion des Internationalen PEN-Clubs. Das größte Literaturgeschichtswerk für die deutschsprachige Literatur nach 1945, »Kindlers Literaturgeschichte der Gegenwart«, hat auch mit seinen vier voluminösen Bänden daraus die Konsequenz gezogen. Hier die Begründung des Verlags (Umschlagtext): »Die Katastrophe des Dritten Reiches und die Entwicklung im Nachkriegs-Europa haben zur Entstehung zweier deutscher Literaturen bzw. von vier deutschsprachigen Literaturen geführt. Von der Literatur in Westdeutschland, die aus einem ›Nullpunkt‹-Bewußtsein entstand, ist die Literatur der sowjetischen Besatzungszone und dann der DDR zu trennen. Österreich hat dank seiner Neutralität ein eigenes politisches und nationales Selbstverständnis zurückgewonnen, und die deutschsprachige Literatur in der Schweiz hat ihre aus regionalen Traditionen stammende Eigenständigkeit bewahren und weiterentwickeln können.«

Hieran knüpfen sich nun bereits eine Reihe von Fragen. Wenn man soviel Gewicht auf die regionalen Traditionen in der schweizerischen Literatur legt, wird man dann nicht auch innerhalb der Literatur der Bundesrepublik regional differenzieren müssen? (Ich spreche hier nicht von Mundartdichtung, die ein Sonderproblem ist – Dialektliteraturen haben wir viele.) Darf oder muß man dann nicht auch eine im bayerisch-süddeutschen Gebiet entstandene Literatur von der im rheinischen oder im norddeutschen Raum zu lokalisierenden Literatur sondern? Heben sich beispielsweise nicht durch regionale Merkmale Texte von Franz Xaver Kroetz und Martin Sperr ganz entschieden von Texten Heinrich Bölls oder Walter Kempowskis ab (unabhängig davon, ob es sich im einen Falle um Theaterstücke und im anderen Falle um Romane handelt), und ist nicht grundsätzlich die Affinität von Texten bayerischer Autoren zu denen österreichischer stärker als zu denen holsteinischer Autoren? Das unbestreitbare Vorhandensein starker landschaftsspezifischer Literaturmerkmale kann also kein Argument für die Trennung von vier deutschen Literaturen sein – wir hätten sonst deren weit mehr. Und konsequent wäre dann letztlich die Rückkehr zu Josef Nadlers »Literaturgeschichte der deutschen Stämme und Landschaften« (1912-1928) – die Rückkehr zu einer völkisch-biologischen Betrachtungsweise, die niemand wünschen kann.

Zu einer weiteren Frage nötigt die Aufteilung der Schriftsteller auf die vier Bände der Kindlerschen Literaturgeschichte. Geborene Österreicher – die Kärntnerin Ingeborg Bachmann, die in Rom lebte und starb, der Wiener Erich Fried, der sein Londoner Exil bisher nicht verlassen hat – sie erhalten ihr Kapitel sowohl in der Literaturgeschichte Österreichs wie der Bundesrepublik, ebenso Paul Celan, obwohl er in Rumänien geboren wurde und in Paris lebte, also weder eindeutig Österreich noch der Bundesrepublik zuzuordnen ist. Zweifellos aber gehört Celan in eine deutsche Literaturgeschichte (wie früher schon Rilke, Kafka und der Kreis anderer Prager Autoren, die nicht einfach der österreichischen Literatur zuzuschlagen sind). Man sieht, das Teilungsprinzip der Kindlerschen Literaturgeschichte ist fragwürdig. Es weiß mit den Grenzgängern nichts Rechtes anzufangen. Entscheidet der Geburtsort oder der Wohnsitz (oder beides nicht) über die Zuweisung eines literarischen Reisepasses? Es gibt nur ein sicheres Kriterium: die Sprache. Sie aber ist bei allen diesen Autoren eben das Deutsche. Von den vielen Grenzgängern her empfiehlt es sich, von *einer* deutschen Literatur zu sprechen.

Die nächste Frage hat zu sein, wie weit die durch Staatsgrenzen und Schriftstellerverbände gegebene Teilung der Literatur tatsächlicher literarischer Wirklichkeit entspricht. Dabei ist an die Funktion der »Gruppe 47« zu erinnern. Diese lockere, von Hans Werner Richter geleitete Gruppe von Schriftstellern und Literaturkritikern hat bis in die sechziger Jahre hinein eindrucksvoll eine Klammer zwischen den Autoren der vier deutschsprachigen Länder gebildet, ja – zumindest symbolisch – eine Einheit der deutschen Literatur dokumentiert. Stellvertretend für die Teilnehmer der Gruppentagungen mögen die Namen der Preisträger stehen. Neben bundesdeutschen Autoren wie Günter Eich und Heinrich Böll, Martin Walser, Günter Grass und Jürgen Becker erhielten Ilse Aichinger und Ingeborg Bachmann aus Österreich, Johannes Bobrowski aus der DDR und Peter Bichsel aus der Schweiz den Preis der »Gruppe 47«. Daß diese Gruppe so gut wie aufgehört hat zu existieren – die Jubiläumstagung im Jahre 1977 scheint die letzte gewesen zu sein –, ist nicht die Folge eines Auseinanderfallens der deutschen Literatur, sondern ist ein Generationsproblem. Das wurde im Jahre 1966 bei der Tagung in Princeton deutlich, als der junge Peter Handke durch seinen provokatorischen Auftritt, durch seine »Gruppenbeschimpfung« das Selbstbewußtsein der Etablierten in der »Gruppe 47« empfindlich beschädigte. 1967 waren es dann eindringende Erlanger Studenten, die die Literatur durch die Politik ersetzt wünschten und dazu beitrugen, daß die Tagung in der »Pulvermühle« (in Oberfranken) die letzte der regelmäßigen Jahrestagungen der Gruppe war. Schließlich hängt das Ende der »Gruppe 47« auch zusammen mit jener kulturrevolutionären Bewegung in der zweiten Hälfte der sechziger Jahre, die ihr Organ vor allem in der Zeitschrift »Kursbuch« (Kursbuch 15, 1968) fand und die den Tod der bürgerlichen Literatur proklamierte. (Einer der Wortführer, Hans Magnus Enzensberger, kehrte allerdings schon unmittelbar nach der Todeserklärung – und zwar ausgerechnet mit Gedichten – zu den alten literarischen Formen zurück.) Kurz: die Auflösung der »Gruppe 47« war eine Folge der Auflösung des Literaturbegriffs, der die Schriftsteller 1947 und später zusammengeführt hatte.

Daß unter den Angehörigen und den Preisträgern der »Gruppe 47« selbstverständlich Staatsbürger Österreichs und der Schweiz waren, daß also die Wirklichkeit des literarischen Lebens staatliche Grenzen ignoriert, entspricht einer langen Tradition. Die Vertreter der Theorie von den vier deutschen Literaturen wollen vergessen machen, daß sich in die deutsche Literatur immer schon mehrere Staaten teilen mußten: vor der Reichsgründung von 1871 unzählige deutsche Territorialstaaten. Selbstverständlich fühlten sich im 18. Jahrhundert Autoren wie Bodmer, Breitinger und Salomon Geßner in Zürich oder wie Albrecht von Haller in Göttingen als Schweizer, nicht als Deutsche, und dennoch rechneten sie ihre Werke zur deutschen Literatur. Und keine der zahllosen deutschen Literaturgeschichten, in denen mit Selbstverständlichkeit Gottfried Keller und Conrad Ferdinand Meyer zu finden waren, machte den Dichtern ihr Schweizertum streitig. Keine deutsche Literaturgeschichte, die Franz Grillparzer und Adalbert Stifter aufnahm, wollte die aus der Geschichte legitimierte Eigenständigkeit Österreichs in Zweifel ziehen.

Sicherlich hat der Begriff der Nation, hat die nationalstaatliche Politik im 19. Jahrhundert Rückwirkungen auf den Literaturbegriff gehabt. Eine Folge nationalen Denkens ist die Konzentration des Interesses auf die eigene Literatur und die Vernachlässigung ihrer Beziehungen zu den übrigen europäischen Literaturen. Der Begriff der deutschen Nationalliteratur hatte zugleich etwas Einschränkendes und Expansives. Aber, von Ausnahmen abgesehen: die Aufnahme Franz Grillparzers und Adalbert Stifters in die deutschen Literaturgeschichten schloß kein politisches Annexionsstreben ein. Man kann z. B. keine direkte Linie von der Idee der *einen* deutschen Literatur zur Annexion Österreichs durch Hitler im Jahre 1938 ziehen.

Im Interesse einer emotionslosen, von Vorurteilen wie von Ressentiments freien Diskussion sollte man heute am Begriff der (deutschen) Nationalliteratur nicht festhalten. Hierüber besteht freilich keine Übereinstimmung. Den Begriff weiterhin zu verwenden, nur in anderer Funktion, schlägt Paul Michael Lützeler in seinen Überlegungen zum Thema »Nationalliteratur« vor.[1] Dafür sei es nötig, den Terminus »vom Ideologiegestrüpp des letzten Jahrhunderts« zu befreien, »wie es Historiker und Politologen mit dem Begriff der Nation bereits getan« hätten. So sei nach neueren formalen Definitionen Österreich zweifellos eine Nation, und in einem derart formalen Sinne könnte heute »von einer österreichischen Nationalliteratur gesprochen werden«. Damit diene »Nationalliteratur« als untergeordnete Kategorie innerhalb einer abgestuften »Literatur der Sprachen«, hier der deutschen Sprache. Würde man diesem Vorschlag folgen, so hätte man also innerhalb der deutschsprachigen Literatur die Nationalliteraturen der DDR, der Bundesrepublik Deutschland, Österreichs und der Schweiz zu unterscheiden.

Für Lützeler sind Staat und Nation in demselben Sinne identisch wie im Begriff der »Vereinten Nationen«. Aber so nutzvoll eine völlig formale und damit neutrale Definition sein mag, um in einem internationalen Gremium ein Mindestmaß an Konsensus zu erreichen, so problematisch ist sie doch in Verwendungszusammenhängen, wo der Begriff mit Geschichte angereichert ist, mit dem Bewußtsein von Gemeinsamkeiten der Tradition, die durch neue Staatsgründungen und neue Grenzlinien nicht einfach zu zerschneiden sind. So betont denn auch Theodor Schieder in seinem Bericht über Probleme der Nationalismus-Forschung (mit Bezug auf die europäischen Nationalbewegungen), »daß Nationalismus und Nation nicht nur formal verstanden werden und nicht als Bezeichnung für jede beliebige Integrationsideologie politischer Großgruppen oder auch beliebige Form der Kommunikation gelten können«.[2] Der Begriff der Nation hat in Europa eine geschichtliche Tiefendimension, die ihm nicht einfach genommen werden kann.

Einen rein formalen Gebrauch des Terminus Nationalliteratur durchzusetzen, ist um so schwieriger, als das 19. Jahrhundert etwas hervorgebracht hat, was Beda Allemann in seinem Beitrag zur Tagung der Darmstädter Akademie den »Mythos von einer Nationalliteratur« nennt.[3] Ihm liege zugrunde die fragwürdige

»Annahme, die Nation müsse sich nicht zuletzt literarisch verwirklichen, eben in ihrer Nationalliteratur«. Die Gleichsetzung
von Nation und Sprachbereich leuchte einem in der – mehr-
sprachigen – Schweiz Geborenen überhaupt nicht ein. Die
Schweiz sei zu ihrem »Nationalstück« durch den »Tell« von
Schiller gekommen. Und so lautet Allemanns Antwort auf die
Frage des Tagungsthemas, daß es weder vier »Nationalliteraturen« deutscher Sprache gebe noch eine.

Allemann bewegt sich mit seinen Überlegungen in einer guten
schweizerischen Tradition, der Literaturhistoriker in den Spuren
des großen Schriftstellers Gottfried Keller. Keller sieht die schweizerische Kultur nicht nur an die europäische, sondern in besonderem Maße an die deutsche Kultur gebunden, so daß ihm eine
Trennung der schweizerischen von der »reichsdeutschen« Dichtung unsinnig erscheint. Der besondere Nationalcharakter der
Schweizer ist ihm eine Realität, eine »schweizerische Nationalliteratur« aber ein Scheingebilde. Im Jahre 1880 antwortet er auf
einen englischen Artikel, in dem seine Dichtung als spezifisch
schweizerische Literatur gekennzeichnet wird: »Denn bei allem
Patriotismus verstehe ich hierin keinen Spaß und bin der Meinung, wenn etwas herauskommen soll, so habe sich jeder an das
große Sprachgebiet zu halten, dem er angehört.«[4]

Ähnlich argumentiert, hundert Jahre später, der schweizerische
Schriftsteller und Literaturwissenschaftler Adolf Muschg: »Eine
Schweizer Nationalliteratur? Es gibt sie nicht, ja es darf sie nicht
geben, die deutsche Schweiz will nicht den Weg Hollands in die
Sondersprache gehen. Sie lebt kulturell davon, daß sie nach drei
Seiten wirklich offen bleibt . . .«[5] Doch gebe es auch Abwehrre-
flexe des Schweizers, sobald er auf einen deutschen Überlegen-
heitsanspruch stoße. Was Muschg den deutschen »Kultur-Kolonialismus« nennt, äußert sich etwa in der überheblichen Praxis
von Kritikern, mit dem Beiwort »schweizerisch« oder »österreichisch« auf die bloß lokale Bedeutung und damit die Zweitran-
gigkeit eines Autors hinzuweisen.

Nun ist zwar nach Muschg dieser deutsche Kultur-Kolonialismus in seiner kruden Form nicht mehr zu vernehmen – es be-
stünde auch für ihn derzeit wenig Anlaß, hat doch der Beitrag von
schweizerischen Autoren wie Max Frisch, Friedrich Dürrenmatt
und anderen (nicht zuletzt Muschg selbst) zur deutschen Literatur
der Gegenwart ein sehr beachtliches Gewicht. Doch hilft solcher

Vorwurf Klarheit schaffen darüber, welche Vorstellung in den Begriff der *einen* deutschen Literatur auf keinen Fall eingehen darf: daß die Literaturen in der Schweiz und in Österreich bloße Satelliten deutscher Literaturen seien.

Gottfried Keller verstand sich als deutscher Dichter schweizerischer Nationalität. Muschg stellt ihn deshalb in eine Reihe mit Franz Grillparzer, der sich auch durch das Lob, der bedeutendste österreichische Autor zu sein, nicht bestechen lassen und als deutscher Schriftsteller gelten wollte. Am bedrängendsten empfand das Dilemma des Österreichers ein Autor, der sowohl Angehöriger der Donaumonarchie wie dann der Republik Österreich war: Hugo von Hofmannsthal.

In seinem 1916, also kurz vor dem Ende des Habsburgerreiches geschriebenen Essay »Österreich im Spiegel seiner Dichtung« redet Hofmannsthal noch »radikalem, sehr radikalem, eingreifendem, momentanem Austriazismus« das Wort. Er verwirft natürlich den nationalen »Machtstaat«, nimmt jedoch in einem »rein geistigen oder sittlichen« Sinne durchaus den Begriff der Nation für Österreich in Anspruch. Zugleich aber erkennt er einen »Dualismus des Gefühles« an: »Unsere Zugehörigkeit zu Österreich, unsere kulturelle Zugehörigkeit zum deutschen Gesamtwesen müssen wir uns zu erhalten wissen . . .«[6]

Hier begegnet uns der entscheidende Gedanke: Es gibt einen die deutsche und die österreichische Nation übergreifenden Kulturzusammenhang. Und dieser Kulturzusammenhang, der sich u. a. in der gemeinsamen Sprache manifestiert, schafft auch eine die Nationen übergreifende Literatur.

In dem Essay bzw. der Rede »Das Schrifttum als geistiger Raum der Nation« von 1927 modifiziert Hofmannsthal seinen Begriff der Nation. Inzwischen war der Vielvölkerstaat Österreich zerbrochen, es hatte sich die (Erste) Republik Österreich konstituiert. Für Hofmannsthal ist nun der Begriff der Nation etwas die Österreicher und die Deutschen Umschließendes, ja ein Begriff nur noch von geistig-kultureller Qualität: »Alle Zweiteilungen, in die der Geist das Leben polarisiert hatte, sind im Geiste zu überwinden und in geistige Einheit überzuführen . . . Hier werden diese Einzelnen zu Verbundenen, diese verstreuten wertlosen Individuen zum Kern der Nation.« So gelte es zu dem Höchsten zu gelangen: ». . . daß der Geist Leben wird und Leben Geist, mit anderen Worten: zu der politischen Erfassung des Geistigen und der geistigen des Politischen, zur Bildung einer wahren Nation«.[7]

Zugegeben, der Begriff der »wahren Nation« bleibt etwas vage. Doch wird so viel deutlich, daß für Hofmannsthal der Begriff der Nation nicht mehr im Sinne der Nationalstaatsidee verstanden werden kann. Im übrigen ist die Rede über »Das Schrifttum als geistiger Raum der Nation« ein betontes Bekenntnis zur Einheit einer Literatur, der Goethe und Stifter gleichermaßen angehören. Und wie Grillparzer setzt sich Hofmannsthal energisch zur Wehr gegen Versuche, ihn aus dieser Literatur herauszutrennen. In einem Brief an den Münchner Literaturwissenschaftler Walther Brecht vom 12. Januar 1928 heißt es: »So wahr es ein Oesterreich und oesterreichisches Wesen gibt, und so wahr ich ein Oesterreicher zu sein mir bewusst bin, so wenig gibt es oder hat es je etwas gegeben wie Oesterreichische Litteratur – und so unannehmbar erscheint es mir, für etwas anderes genommen zu werden als für einen deutschen Dichter in Oesterreich.«[8]

Hier ist einem Mißverständnis vorzubeugen. Natürlich sollen länderspezifische Entwicklungen der Literatur nicht geleugnet werden. So fällt auf, daß sich nach dem letzten Kriege in Österreich Autoren wie Bertolt Brecht oder die Schweizer Max Frisch und Friedrich Dürrenmatt lange Zeit nicht haben durchsetzen können. Mächtige, einflußreiche Kritiker wie Friedrich Torberg und Hans Weigel setzten nach der Rückkehr aus dem Exil alles daran, das österreichische Theater gegen die neuen Tendenzen des epischen, aber auch des absurden Theaters abzuschirmen. So hat sich in Österreich weit mehr als in den anderen deutschsprachigen Ländern eine vergleichsweise konventionelle Dramaturgie behaupten können. Andererseits entwickelte sich auch spezifisch Modernes in der deutschen Literatur Österreichs. Die Diagnose Kurt Klingers, eines Autors im Österreich-Band der Kindlerschen Literaturgeschichte, lautet sogar, daß hier das Fin de siècle des 20. Jahrhunderts eingeleitet worden sei. Die Fin de siècle-Literatur des 19. Jahrhunderts war gewiß eine vor allem österreichische Besonderheit, und das mag auch für die Gegenwart zutreffen, denkt man an Autoren wie etwa den Erzähler Thomas Bernhard oder an Peter Handke, auf dessen Individualismus und Subjektivität Klinger seine These vor allem stützt.[9] Versteht man unter Fin de siècle-Kunst eine Literatur, die von nervöser Sensibilität, gelegentlich sogar Morbidität ist und Spätzeitstimmung auffängt, so mögen wohl österreichische Autoren innerhalb der deutschen Literatur bereits ein neues »Fin de siècle« vorwegnehmen.

Neuerdings häufen sich die Untersuchungen zu Eigenart und Unverwechselbarkeit der österreichischen Literatur, und zwar nicht nur der Gegenwart, sondern auch schon des 18. und 19. Jahrhunderts. Eine mehrbändige Dokumentation zur historischen Entwicklung der österreichischen Literatur wird, in Zusammenarbeit mit dem Institut für Österreichische Kulturgeschichte, von Herbert Zeman herausgegeben. Zeitschriften zur österreichischen Literatur erscheinen in Österreich wie in Westdeutschland. Eine wissenschaftliche Tagung zum Thema »Literatur aus Österreich/Österreichische Literatur« fand 1980 in der Hauptstadt der Bundesrepublik Deutschland statt, wobei selbstverständlich auch Thomas Manns Bemerkungen über die Besonderheit der österreichischen Literatur (1936) zitiert wurden.[10] In den USA hat man mittlerweile einige Universitätsprofessuren für österreichische Literatur eingerichtet.

Besondere Aufmerksamkeit zog das Buch von Claudio Magris über den habsburgischen Mythos in der österreichischen Literatur auf sich.[11] Eine ebenso lebhafte Diskussion entfachte Ulrich Greiners Versuch, das »Österreichische« in der österreichischen Literatur durch vier Hauptmerkmale zu bestimmen: 1. Entpolitisierung und Resignation mit dem Ende des Josephinismus, 2. Veränderungsverbot und Handlungslosigkeit (Stifters »Nachsommer«, das »Hohelied des schönen Nichthandelns«, als Inkarnation österreichischer Literatur), 3. Wirklichkeitsverweigerung, Fehlen einer republikanisch-aufsässigen Tradition, 4. Traumatisches Nachwirken des Untergangs der Donaumonarchie.[12] (Demgegenüber hatte Joseph Strelka als Nachspiel des Zusammenbruchs gerade eine Hochblüte der spezifisch österreichischen Literatur konstatiert.[13])

In den Streit um die Frage der Autonomie österreichischer Literatur greift Hilde Spiel, Herausgeberin des Österreich-Bandes in der Kindlerschen Literaturgeschichte, mit einem maßvollen Ja ein. Schon seit 1806, seit dem Herausfallen der Habsburgermonarchie aus dem Heiligen Römischen Reich Deutscher Nation, habe sich in Österreich eine Literatur von eigener Bedeutung entfaltet, wobei nun allerdings die Abgrenzung zur Deutschen Literatur keine prinzipielle, sondern eine je individuelle gewesen sei.[14] Kräftige Schützenhilfe wird den Anhängern des Autonomie-Gedankens von dem in Ungarn geborenen und in Australien lehrenden Lesli Bodi zuteil, der auch – gegen Wendelin Schmidt-Denglers Warnung vor dem Terminus »österreichischer Nationalliteratur«[15] – auf dem Begriff der Nation insistiert: Deutsch sei eine »plurizentrische« Sprache mit gleichwertigen »Nationalvarianten«. Der Sprache und Literatur seien im Deutschland und im Österreich des 18. und 19. Jahrhunderts geradezu gegensätzliche Funktionen zugefallen. Dort sollte ein zersplittertes Staatsgebilde aufgrund sprachlicher Einheit zu einem modernen Nationalstaat umgebildet, hier das Zerfallen eines bestehenden Staates in viele nationalstaatliche Gebilde verhindert werden.[16]

Selbstverständlich gibt es für die verstärkten Autonomiebestrebungen in der österreichischen Literatur nicht nur literarische Motive. Deutschland war durch Hitlers Gewaltregime zu sehr diskreditiert, als daß man nach dem Zweiten Weltkrieg weiter an jenen nationalen Zusammenhang erinnert werden wollte, den immerhin noch Hofmannsthal in seiner Rede von 1927 beschworen hatte. Es entspricht dem neuen Selbstverständnis Österreichs, wenn der Gedanke einer besonderen, eigenständigen und unabhängigen österreichischen Literatur in der Zweiten Republik seit 1945 ungleich stärker ist als in der Ersten Republik. Literatur wird auch verstanden als Mittel, die nationale Identität zu finden. Im übrigen läßt sich politisches Kleinstaatbewußtsein durch literarisches Großmachtbewußtsein kompensieren.

Darin offenbart sich denn auch ein wesentlicher Unterschied zur Situation in der Schweiz. Das durch Jahrhunderte gewachsene Selbstbewußtsein der Schweizer und ihr republikanisches Selbstverständnis – »im 19. Jahrhundert wird man es auch Stolz nennen dürfen«[17] – verbürgen jenes sichere Gefühl nationaler Identität, das der Affirmation durch den Autonomieanspruch der Literatur nicht bedarf.

Der Beitrag Österreichs zur deutschsprachigen Nachkriegsliteratur ist bedeutend. Ich nenne an Namen neben Ilse Aichinger, Ingeborg Bachmann und Peter Handke Erzähler wie Albert Paris Gütersloh, Heimito von Doderer und Thomas Bernhard, das Lyrikergespann Friederike Mayröcker und Ernst Jandl, die sog. Wiener Gruppe, zu der H. C. Artmann, Gerhard Rühm und andere gehörten, jetzt die sog. Grazer Gruppe mit Gert F. Jonke, Barbara Frischmuth und anderen. Man hat sogar den österreichischen Anteil an der neueren deutschsprachigen Literatur den lebendigsten genannt. So konnte es zu einem »literarischen Patriotismus« in der Kulturpolitik Österreichs kommen.

Dagegen überwiegt bei Schriftstellern selbst eher ein antipatriotischer Zug. Ilse Aichinger und Ingeborg Bachmann, Peter Handke und Franz Tumler, H. C. Artmann, Gerhard Rühm, Oswald Wiener und andere wurden für lange Zeit oder für immer »freiwillig landflüchtig«. Neben Erich Fried ist Elias Canetti im Londoner Exil geblieben. Gegen einen übersteigerten österreichischen Literaturpatriotismus war wohl auch der Wutausbruch des Lyrikers H. C. Artmann auf der Frankfurter Buchmesse im Herbst 1977 gerichtet. Bei einem Empfang des Salzburger Residenz Verlages – jenes österreichischen Verlages, der sich um die neuere Literatur besonders verdient gemacht hat – fiel während einer Diskussion das Wort »österreichischer Dichter«. Artmann protestierte laut, er sei ein deutscher Dichter. Hier verleugnete nicht ein Autor seine Staatsangehörigkeit, wohl aber verwahrte er sich gegen literarischen Provinzialismus oder Nationalismus und bekannte sich zu *einer* deutschen Literatur.

In diesen Zusammenhang gehört ein anderes Phänomen. Mehr noch als österreichische Autoren sind die literarischen Texte »landflüchtig«. Fast immer wechselten neuentdeckte Autoren mit ihren Werken zu Verlagen der Bundesrepublik, vor allem zum Frankfurter Suhrkamp Verlag. Und man hat mit Recht gefragt, was wohl aus der österreichischen Literatur ohne die Verlage, die Funkhäuser und das Publikum im übrigen deutschen Sprachraum, besonders der Bundesrepublik, geworden wäre.

Damit erweist sich ein weiterer Gesichtspunkt als wichtig: die Verbreitung und Aufnahme (Rezeption) von Literatur. Zu 90% waren um 1978 die Autoren des Salzburger Residenz Verlages Österreicher, aber 75% seines Absatzgebietes bildeten die Bundesrepublik und die Schweiz.[18] Tatsache ist, daß – jedenfalls in den zur westlichen Welt gehörenden deutschsprachigen Ländern – Buchproduktion und -rezeption Grenzen nicht kennen, heute weniger denn je. Selbst Autoren der DDR ist es immer wieder gelungen, Erstdrucke von Werken in bundesrepublikanischen Verlagen herauszubringen. Daß neben vielen österreichischen Autoren auch einer der beiden bedeutendsten Schriftsteller der Schweiz, daß Max Frisch Autor des Suhrkamp Verlages ist, findet niemand ungewöhnlich. Die Gesetze des literarischen Marktes sind nicht an den Landesgrenzen orientiert.

Das gilt zwar in gewissem Sinne für Literatur allgemein – und man kann selbstverständlich nicht umgekehrt argumentieren, daß der literarische Markt überhaupt die Zugehörigkeit eines Buches zu einer Literatur aufhebe (eine deutsche Lizenzausgabe oder Übersetzung eines amerikanischen Werkes wird nicht zu einem Stück deutscher Literatur). Wenn aber das Gebiet des Marktes für die Literatur mit einem geschlossenen Sprachgebiet identisch ist, wenn also sowohl Markt- wie Sprachbarrieren entfallen, hat das sehr wohl Einfluß auf den Zusammenhang einer Literatur. Die Rezeptionsästhetik und Rezeptionsgeschichte hat uns die Bedeutung des Lesers, des Publikums für die Konzeption und Verbreitung von Literatur bewußter gemacht. Publikumskriterien haben in die Bestimmung von Literatur mit einzugehen. Noch deutlicher mag das beim Drama sein, weil hier eine zweite Rezeptionsebene, die der Bühnenaufführung, hinzukommt. Die Schweizer Dramatiker Frisch und Dürrenmatt sind vor allem durch westdeutsche Bühnen zu ihrer breiten Wirkung gelangt.

Von der »Geschwisterschaft« in der Sprache hat Max Frisch gesprochen. Das Schicksal der Schweizer, so sagte er nach dem Kriege (1946), sei nicht identisch mit dem deutschen, wohl aber mit ihm verkettet.[19] Verkettet durch die räumliche Nachbarschaft und durch »die Geschwisterschaft in der Sprache, die für das Geistesleben ... mehr bedeutet als ein bloß äußeres Mittel der Verständigung. Die Sprache ist eine Wurzel wesentlicher Verwandtschaft, und auch ihr können wir nicht entfliehen, ohne daß wir uns selber entwurzeln und aufgeben«.[20] Deshalb auch widerrief Frisch den zunächst einleuchtenden Gedanken, die Rolle der Schweizer gleiche – wenn auch mit Einschränkungen – der Rolle des Chors in der antiken Tragödie.[21]

Für Frisch schlossen einander Distanz und Betroffensein, Drinnen und Draußen als Standort nicht aus, so daß sowohl Kritik an der Schweiz wie an den Deutschen möglich wurde. Es gilt auch diese Seite, diese Chance einer auf mehrere Länder verteilten Literatur zu sehen. Ein Schweizer Autor wie Max Frisch konnte während des Krieges und nachher eine Funktion wahrnehmen, die weder von der heimatgebundenen schweizerischen noch von der spezifisch österreichischen, weder von der deutschen Exilliteratur noch von der Literatur der sog. inneren Emigration erfüllt werden konnte. Frisch konnte Kritiker und Anwalt einer deutschen Sache sein, die sich selber nicht mehr zu rechtfertigen vermochte. Und zwischen 1933 und 1945 bewährte sich die deutsche Literatur der Schweiz als Korrektiv der Literatur im »Dritten Reich«.

Dringlich wird nun eine Auseinandersetzung mit den Bestrebungen, die Existenz einer eigenständigen sozialistischen Nation in der DDR und einer sozialistischen deutschen Nationalliteratur zu begründen. Dieses Konzept liegt den letzten Bänden der großen Geschichte der deutschen Literatur zugrunde, die im Volk und Wissen Verlag in Ostberlin erscheint. In der Einleitung zum Band 10, »Geschichte der deutschen Literatur 1917 bis 1945«, werden »sozialistischer Realismus« und »sozialistische Nationalliteratur« eng miteinander verknüpft. Dies sind die Argumente: Der Begriff der (bürgerlichen) Nationalliteratur habe sich gegen den Feudalabsolutismus gerichtet und habe die Interessen aller Klassen und Schichten vertreten, aber unter der Führung bürgerlicher Kreise. Im Laufe des 19. Jahrhunderts jedoch seien die Interessen des Bürgertums und der werktätigen Klassen und Schichten auseinandergefallen. Der Begriff der bürgerlichen Nationalliteratur habe seine fortschrittliche Bedeutung verloren.[22]

Hierzu ist sogleich kritisch zu sagen, daß der Begriff der Nationalliteratur vom Begriff der Nation her gewonnen worden ist und sich nie mit dem Begriff des Bürgerlichen verbunden hat. Zwar steht der »bürgerliche Charakter der Nationalbewegungen im 19. Jahrhundert« außer Zweifel, aber mit gutem Grund warnt Theodor Schieder davor, »eine notwendige Verbindung zwischen dem bürgerlich-liberalen und dem nationalstaatlichen Prinzip herzustellen und das eine als den Ausdruck des anderen zu verstehen«. Denn so richtig es auch sei, »daß der ›klassische‹ Nationalstaat des 19. Jahrhunderts ... mit seinem noch fast überall beschränkten Wahlrecht, mit Gewerbefreiheit und zuerst noch freihändlerischen Wirtschaftsprinzipien das Bürgertum in vieler Hinsicht privilegierte«, so gehöre doch auch »zum Bild des älteren Nationalstaats, daß in ihm starke agrargesellschaftliche aristokratische Einflüsse lebendig waren, die auf dem Wege über die nationalen Armeen noch vermehrt wurden«. Und bei aller Abstufung der ständischen und politischen Rechte sei doch »die Zugehörigkeit auch der Minderberechtigten zur Nation« nicht in Frage gestellt worden, denn »grundsätzlich wurde die Nation im Nationalstaat als das Ganze, Umfassende verstanden«.[23] Diesem Befund des Geschichtswissenschaftlers entspricht die Beobachtung des Literaturhistorikers genau. Unter dem Begriff Nationalliteratur wurde die Literatur aller Schichten: des Rittertums bzw. des Adels, des Bürgertums und später der Arbeiterschaft, wurde das Ritterepos und das bürgerliche Trauerspiel wie das Weber-Drama subsumiert. Der Idee der Nationalliteratur widersprach es geradezu, die Dichtung irgendeines Standes auszuschließen. Insofern wird der Begriff der sozialistischen Nationalliteratur aus einer Unterstellung, aus einer falschen Voraussetzung abgeleitet.

Aber hören wir weiter die Argumentation in der Literaturgeschichte der DDR. Sozialistische Nationalliteratur werde erst möglich nach der russischen Oktoberrevolution von 1917. Sie bilde sich in der bewußten Parteiliteratur am Ende der zwanziger Jahre und dann mit Werken des sozialistischen Realismus in den dreißiger und vierziger Jahren. »In der Epoche des Übergangs vom Kapitalismus zum Sozialismus konnte nur die Arbeiterklasse, vom Marxismus-Leninismus ausgehend, den Begriff der Nationalliteratur in seinem progressiven und humanistischen Sinn aufgreifen.« Sozialistische Nationalliteratur sei eine Literatur, die gegen den deutschen Imperialismus kämpfe und den Sozialismus als Alternative für das deutsche Volk erstrebe. Sie stimme ihrem Gehalt nach überein mit der »geschichtlichen Tendenz zur Herausbildung einer sozialistischen Nation auf deutschem Territorium«, in der DDR.[24]

Nun ist die Existenz einer sozialistischen deutschen Literatur seit den zwanziger Jahren nicht zu bestreiten. Es genügt, Autoren wie die Erzählerin Anna Seghers oder die Dramatiker Friedrich Wolf und Bertolt Brecht zu nennen. Unterscheiden wir aber nach der politischen und der Geisteshaltung der Schriftsteller, so haben wir zwischen den Kriegen zumindest noch zwei andere deutsche Literaturen: eine Literatur, die man die bürgerlich-humanistische nennen könnte (ihre Repräsentanten wären Autoren wie Thomas Mann, Robert Musil oder Hermann Hesse), und die völkisch-nationale, die sog. Blut- und Boden-Literatur der Nationalsozialisten. Und auch heute könnte man die Literatur in der Bundesrepublik leicht nach verschiedenen politischen Grundhaltungen teilen. Gegensätze zwischen einer mehr staatskonformen und mehr oppositionellen Literatur gibt es aber seit jeher. Sie bleiben gegensätzliche Richtungen innerhalb *einer* Literatur.

Unverkennbar ist die Sonderentwicklung der deutschen Literatur in der DDR. Ohnehin kann Literatur – das ist zu wiederholen

– nicht abgelöst von ihren sozialen Grundlagen betrachtet werden. In einem sozialistischen Staat wie der DDR, wo die Funktionen der Literatur durch die herrschende Ideologie klar umrissen sind, rangiert diese Gesellschaftsgebundenheit von Literatur überdies noch als oberster ästhetischer Grundsatz. Es fällt selten schwer, nach den ersten Szenen eines Dramas oder nach den ersten Seiten eines Romans zu sagen, ob es sich um einen literarischen Text aus der DDR oder der Bundesrepublik handelt. Die Unterschiedlichkeit der Gesellschaftssysteme schafft darüber hinaus zwei Lager innerhalb der deutschen Gegenwartsliteratur: die Literatur der DDR dort – die Literatur der Schweiz, Österreichs und der Bundesrepublik hier.

Auf das Trennende zwischen den Autoren der DDR und der Bundesrepublik bezieht sich die These von den zwei deutschen Literaturen, die in der ersten Hälfte der sechziger Jahre auch in westdeutschen Publikationen auftauchte. Sie beruft sich auf den grundsätzlichen Unterschied des »literarischen Lebens«[25], auf die Gegensätze in der Produktion und Verteilung von Literatur, auf die an unterschiedlichen gesellschaftlichen Realitäten orientierte Thematik[26] oder sogar auf die ›verschiedenen Sprachen‹ der Autoren.[27] Im Vorwort zu Kindlers Literaturgeschichte der DDR heißt es kurz und bündig: »Die beiden deutschen Staaten gemeinsame Vergangenheit, die gemeinsame Sprache täuschen eine Gemeinsamkeit der Literaturen beider deutschen Staaten nur vor.«[28] Einen zusammenfassenden Überblick über die Diskussion gibt Eberhard Mannack in seiner Studie »Zwei deutsche Literaturen?«[29]

Schon daß Mannack die These als Frage formuliert, deutet auf Distanz. Und tatsächlich läßt sich neuerdings wieder ein stärkeres Interesse für die Gemeinsamkeiten als für die Gegensätze der Literatur diesseits und jenseits der Grenze erkennen. Stellte Fritz J. Raddatz im Jahre 1972 noch an den Anfang seines Sammelbandes zur Literatur der DDR den apodiktischen Satz »Es gibt zwei deutsche Literaturen«[30], so hat er diese Lehrmeinung mittlerweile mehrfach öffentlich widerrufen. Und während eines Kolloquiums zur Literatur der DDR im Jahre 1978 bezeugte Jürgen Link in seinem Vortrag die Tendenz zur Umkehr ausdrücklich in der Titel-Frage »Von der Spaltung zur Wiedervereinigung der deutschen Literatur?« Zumindest für die siebziger Jahre gelte, daß der größte Teil der DDR-Literatur der westdeutschen Literatur nicht fremder sei als die der Schweiz und Österreichs, also »durch keinen epochalen kulturellen Bruch von uns getrennt«. Ja, es deute sich sogar eine »verstärkte kulturelle, ästhetische und auch allgemein-ideologische Konvergenz zwischen großen Teilen der DDR-Literatur und der des Westens« an.[31]

Man darf andererseits die verstärkten ideologischen Divergenzen nicht übersehen, die sich aus der Abgrenzungsstrategie der offiziellen Kulturpolitik in der DDR ergaben. Und daß die Gegensätze oder Unterschiede nicht bagatellisiert werden sollen, mag beispielhaft der Vergleich zweier 1977 erschienener Romane zeigen. Es sind dabei mit Absicht zwei Schriftsteller gewählt, die – obwohl der eine in der DDR wohnt und der andere in der Bundesrepublik – ein Höchstmaß an gemeinsamer politischer Überzeugung verbindet: Hermann Kant und August Kühn. Hermann Kant ist zur Zeit Vorsitzender des Schriftstellerverbandes in der DDR und Autor der auch in Westdeutschland erfolgreichen Romane »Die Aula« (1965) und »Das Impressum« (1972). (Zu dem Ergebnis, »daß Literatur aus der DDR in der Bundesrepublik einen guten Markt hat«, kommt übrigens Sabine Brandt in einem Überblick über die seit 1977 in der Bundesrepublik rezipierten Werke von Autoren aus der DDR.[32]) August Kühn, dem Münchner Schriftsteller, gelang 1975 der Durchbruch mit seinem Roman »Zeit zum Aufstehen«, einem Roman, der – als Chronik einer Arbeiterfamilie – durch hundert Jahre deutscher Geschichte führt. Kühn steht politisch der DKP nahe, die in der Bundesrepublik weitgehend das Sprachrohr der Staatspartei der DDR, der SED, ist.

Beide Autoren nehmen in ihren Romanen die Auseinandersetzung mit dem »Dritten Reich« wieder auf, beide wählen als Hauptfiguren junge Deutsche, die im Jahre 1933 noch Kinder waren, aber beide in Hitlers Krieg hineingerissen werden.

In Hermann Kants Roman »Der Aufenthalt« heißt dieser junge Deutsche Mark Niebuhr. In einer Kleinstadt in Dithmarschen aufgewachsen, wird er zum Kriegsende hin, als Achtzehnjähriger, zur Wehrmacht eingezogen. Er gerät in Polen in Gefangenschaft und begegnet dem Haß der Polen, die unter deutscher Besatzung gelitten haben und auf deren Boden die meisten der Juden-Vernichtungslager standen. Das Bemerkenswerte an dem Roman ist, daß der Autor Hermann Kant auch diesen Haß und die Leiden deutscher Kriegsgefangener schildert, also ein Thema aufnimmt, das in der Literatur der DDR lange Zeit tabu war. Niebuhr wird verdächtigt, in Lublin Polen ermordet zu haben; er ist aber schuldlos, was man erst nach monatelangen quälenden Verhören entdeckt. Bei vielen hätte diese Behandlung als Kriegsverbrecher wohl tiefe Ressentiments hinterlassen. Aber Mark Niebuhr lernt im Gefängnis auch wirkliche Kriegsverbrecher und unverbesserliche Nationalsozialisten kennen. Und in der Konfrontation mit ihnen vollzieht sich etwas wie eine Läuterung Niebuhrs: Er erkennt ein Teil Mitverantwortung auch für sich an, weil er weiß, daß ohne Menschen wie ihn »die Unmenschlichkeit nicht gegangen«, nicht möglich gewesen wäre. Diesen Erkenntnisprozeß versteht Kant als »Entwilderung« des Mark Niebuhr.

August Kühn nennt seinen neuen Roman »Jahrgang 22« einen »Schelmenroman«. Wie Grimmelshausens Simplicissimus, der Schelm und Held des bekanntesten Romans aus dem 17. Jahrhundert, ist auch der Münchner Arbeitersohn Fritz Wachsmuth in eine Zeit der politischen und kriegerischen Auseinandersetzungen hineingeboren. Aber wie schon der allererste Schelm oder Picaro, der spanische Lazarillo de Tormes (»Lazarillo de Tormes«, 1554), schlägt sich Wachsmuth mit List, ja, wenn nötig, auch mit Schurkerei durch die Widrigkeiten einer unbarmherzigen Welt. Als Soldat versäumt er absichtlich die Abfahrt seiner Truppe, wird ergriffen und zu Frontbewährung verurteilt. Gegen Kriegsende kehrt er heimlich nach München zurück und verbirgt sich, entgeht aber nur mit Glück dem Militärgericht. Er macht bei Kriegsschluß Beute in Verpflegungslagern und ist während der Nachkriegszeit in den Schwarzmarkthandel verstrickt.

In die Gestalt dieses Schelms sind auch Züge der Figur des Schwejk eingegangen. Seine Selbstbehauptung verdankt Wachsmuth der Anpassung. Er redet mißtrauischen Vorgesetzten beflissen nach dem Munde, verblüfft sie durch seinen Wunsch, »endlich einmal an eine richtige Front zu kommen«, oder betet »ständig die letzte Führerrede aus dem Radio« nach. Fritz Wachsmuth nutzt bedenkenlos jede Gelegenheit zu eigenem Vorteil, er hält sich für die Nachteile der Geburt und der sozialen Lage schadlos. In einer aus den Fugen geratenen Welt fischt er im Trüben, bringt sein Schäfchen ins Trockene. Aber er lernt nichts aus der geschichtlichen Katastrophe, deren Opfer er ist.

August Kühn läßt seinen Romanhelden ungebessert; der Autor leiht der Figur nicht seine eigenen politischen Ansichten. Er macht den Leser zwar mit Alternativmöglichkeiten des Handelns und Denkens bekannt und läßt auf diese Weise dem Leser gar keine andere Wahl, als sich kritisch zur Romanfigur zu stellen; aber er führt seinen Helden nicht zur Selbstkorrektur. Er rechnet mit einem mündigen Leser, der sich aus eigenem Urteil von der Romanfigur distanziert.

Hier wird ein entscheidender Unterschied zu Hermann Kants »Der Aufenthalt« deutlich. Es ist dies eine Differenz in der Realismus-Auffassung, die zwar nur eine Nuance zu sein scheint, aber in Wahrheit an ästhetische Grundpositionen rührt. Bei Kant weist die Entwicklung des Helden am Ende eine weiterführende Perspektive auf, die eine angestrebte Einsicht des Lesers vorwegnimmt. Bei »Jahrgang 22« hat der Leser solche Folgerungen selbst zu ziehen, Kühn versagt sich den »positiven« Schluß. In diesem Gegensatz wiederholt sich ein Streit, der vor gut einem Vierteljahrhundert von den Dramatikern Friedrich Wolf und Bertolt Brecht ausgetragen wurde, wobei Wolf die dogmatischere Position vertrat. Brecht dagegen faßte seinen ästhetischen Leitgedanken in einem grundlegenden Wort zu seinem Stück »Mutter Courage und ihre Kinder« zusammen: »Dem Stückschreiber obliegt es nicht, die Courage am Ende sehend zu machen . . ., ihm kommt es darauf an, daß der Zuschauer sieht.«[33]

Nicht aber die Position Brechts, sondern die Position Wolfs ist in der DDR in die offiziöse Theorie des sozialistischen Realismus eingegangen. Selbst ein Tabus brechender Roman wie der von Hermann Kant bezeugt es. In der Bundesrepublik kennen wir ein ähnliches Literaturdogma nicht, Kühns Roman deutet es an. Und war kaum anzunehmen, daß sein Schelmenroman ohne Kritik ein Verlagslektorat in der DDR passiert hätte, so ließ der Beweis nicht lange auf sich warten: Die in der DDR erschienene Fassung von Kühns Roman erhielt einen optimistisch-positiven Schluß.

Die kulturpolitischen, literatursoziologischen und literaturtheoretischen Voraussetzungen in der DDR sind also von denen in der Bundesrepublik grundsätzlich verschieden. Und dennoch gibt es keine Gräben, die eine wechselseitige Kommunikation oder gar Verflechtung unmöglich machten; es gibt viele Übergänge. Denn welcher Literatur sollten wir die Texte von Autoren zuzählen, die während der letzten Jahrzehnte die DDR zwangsweise oder freiwillig, für immer oder vorübergehend verlassen haben, wie Christa Reinig, Jutta Bartus oder Sarah Kirsch, Peter Huchel, Hans-

Joachim Schädlich oder Reiner Kunze, wie Martin Gregor-Dellin, Klaus Schlesinger oder Wolf Biermann, Jurek Becker, Siegmar Faust oder Jürgen Fuchs, Bernt Jentzsch, Günter Kunert oder Thomas Brasch, Erich Loest, Karl-Heinz Jakobs und andere? Wechseln sie von einer Literatur in die andere? Gehören sie mit dem einen Teil ihres Werkes zu dieser, mit dem anderen zu jener? Doch wohl nicht. Schriftsteller, die den Wohnsitz tauschen, in einem anderen Land Zuflucht suchen, wandern nicht auch in eine andere Literatur aus – sonst wären die Emigranten der Jahre zwischen 1933 und 1945 literarisch heimatlos geworden, wäre die deutsche Exilliteratur dieser Zeit eine in viele Literaturen zersplitterte gewesen. Pointiert drückt es Bernd Jentzsch aus, der von einer Auslandsreise nicht in die DDR zurückkehrte: »Deutschland ist geteilt. Seine Literatur ist unteilbar.«[34] Tatsächlich überstand die deutsche Literatur schon einmal eine ähnlich tiefgreifende Spaltung, nämlich die konfessionelle im Zeitalter der Reformation und Gegenreformation.

In diesem Zusammenhang bekommt der Heimatbegriff eine ungewöhnliche Bedeutung. Literatur wirklich als Heimat zu erfahren, bleibt wohl Schriftstellern des Exils und der inneren Emigration vorbehalten. Aber diese Erfahrung kann offensichtlich über solche Situationen hinweg andauern und ist heute immer dort möglich, wo sich Schriftsteller der deutschen Literatur politischem Druck ausgesetzt, in ihrem Staat isoliert oder ausgebürgert sehen. Ein gänzlich unverdächtiger Zeuge – für den nicht einmal dies zutrifft – sei aufgerufen: Stephan Hermlin, der im Jahre 1936 emigrierte, 1945 nach Deutschland zurückkehrte, 1947 in die sowjetische Besatzungszone übersiedelte und als Schriftsteller zweimal den Nationalpreis der DDR erhielt. Er ist auch weiterhin Bürger der DDR, was ihn nicht hinderte, in einem Interview zu bekennen: »Ich sage mir zuweilen, daß ich weniger in Deutschland gelebt habe als vielmehr in der deutschen Frage . . . Deutschland selbst hat etwas Unwirkliches . . . Letzten Endes bin ich aber beheimatet in der deutschen Dichtung und der deutschen Musik, in der bin ich zu Hause.« Von Hermlin stammt auch der Satz: »Die Existenz einer Literatur ist nicht deckungsgleich mit der Existenz von Staaten«.[35]

Kunst und Kultur lassen sich in Staatsgrenzen nicht einmauern, die geistige »Heimat« bildet einen umfassenderen Zusammenhang. Das gemeinsame historische Erbe, nicht zuletzt alles, was mit dem Begriff des literarischen, des klassischen Weimar verknüpft ist, kann nicht geteilt, eine Kontinuität durch Parteibeschlüsse nicht unter- oder abgebrochen werden. Ein Künstler aus der DDR formulierte es in seinem Beitrag zur Tagung der Darmstädter Akademie so: »Heute überwölbt das geistige Luftreich die beiden politischen Gebilde – wo die Straßen für die Leute enden, da gehen die Worte weiter.«[36]

Selbstverständlich existiert eine sozialistische Literatur deutscher Sprache (vorwiegend in der DDR, jedoch auch in der Bundesrepublik), die sich gegen die sog. bürgerliche Literatur abgrenzt. Aber eine sozialistische Nationalliteratur ist das nicht. Diese Inanspruchnahme eines Begriffs, dem nationalstaatliches Denken des 19. Jahrhunderts zu seinem Ansehen verhalf, wirkt geradezu anachronistisch. Man kann in einer Zeit, da die kulturellen Kommunikationsnetze immer dichter werden, nicht ohne Schaden für die Literatur Selbstisolation betreiben.

Es bleibt deshalb auch zweifelhaft, ob dem Versuch von Günter Grass, den Begriff der »Kulturnation« wieder zu Ehren zu bringen, Erfolg beschieden sein kann. Seinen Vorschlag, eine »Nationalstiftung« unter gemeinschaftlicher Verantwortung der DDR und der Bundesrepublik einzurichten, begründete Grass mit der Formel »Zwei Staaten, eine Kulturnation«. Zumindest für die Literatur hilft der Rückgriff auf Friedrich Meineckes Unterscheidung von »Staatsnation« und »Kulturnation« nicht weiter.

Denn – um wieder zum umgreifenden Thema und zugleich zu einem Resümee zu kommen – nicht zwei, sondern vier deutsche Literaturen stehen zur Debatte. Und ein Begriff wie »Kulturnation« kann kein Schlüssel sein für die Gemeinsamkeiten der Literaturen in Österreich, der Schweiz, der DDR und der Bundesrepublik, so sehr ihr Zusammenhang gerade kulturgeschichtlich begründet ist.

In einem Zeitalter übernationaler Zusammenschlüsse haftet dem Gedanken einer nationalen Autarkie etwas Widersinniges an. Endgültig gekommen ist die Zeit für jene »Weltliteratur«, von der zum erstenmal Goethe sprach. Nicht als Sammelbegriff für die großen Dichtungen aller Epochen und aller Völker, nicht als Literaturkanon verstand Goethe die »Weltliteratur«, sondern als ein Organ der Annäherung der Länder aneinander, der gegenseitigen Offenheit füreinander. Es sei die moderne Entwicklung, die fortschreitende wechselseitige Annäherung der Länder in Verkehr, Handel und Technik, die eine Weltkommunikation auch in der Literatur fordere. Goethes Idee der Weltliteratur zielt auf die Überwindung nationaler Schranken, auf Humanisierung.[37] Und wer wollte leugnen, daß die kultur- und rezeptionsgeschichtlich vorgegebene Einheit der Literatur deutscher Sprache bereits ein Brückenschlag zur Weltliteratur in solchem Sinne ist.

Aber man sollte hier nicht mit dogmatischen Antworten aufwarten, nicht alles zu einer Sache des Wortes machen. Mit der Vorstellung von *einer* deutschen Literatur soll nichts usurpiert, nichts annektiert werden. Nicht also um »Kultur-Kolonialismus« geht es hier. Selbstverständlich haben Begriffe wie österreichische oder schweizerische Literatur oder Literatur der DDR und der Bundesrepublik ihr volles Recht. Sie verweisen auf geschichtlich bedingte Differenzierungen der deutschsprachigen, der deutschen Literatur. Letztlich ist unser Thema eine Frage des Blickwinkels. Ich plädiere für eine Perspektive, in der das Gemeinsame Vorrang vor dem Trennenden hat und zumindest – um Max Frischs Bild von der »Geschwisterschaft« in der Sprache aufzunehmen – der enge Familienzusammenhang der Literaturen gesehen wird.

Der literarisch-geschichtlichen Kontinuität fühlen sich offensichtlich die Schriftsteller ehrlicher verpflichtet als viele der Politiker, zumal als jene Kulturpolitiker, die Literatur in den Dienst einer neuen nationalen Identitätsfindung stellen möchten. Da es keine Konformität von Kulturgeschichte und Staatengeschichte gibt, erweisen sich Kunst und Literatur immer wieder als resistent gegen die Schwankungen der je aktuellen politischen Entwicklung; sie können in bewahrender, aber auch in vorwegnehmender Funktion wirksam werden. »Ich weigere mich«, sagte in dieser Sache der Schriftsteller Martin Walser, »an der Liquidierung von Geschichte teilzunehmen.«[38] Literatur schafft und erhält sich Bewegungsräume jenseits der jeweiligen politischen Zwänge. Es gilt, diese Freiräume zu nutzen, nicht, sie preiszugeben.

Anmerkungen

1 Paul Michael Lützeler: Österreichische Gegenwartsdichtung? Überlegungen zum Thema »Nationalliteratur«. In: Akten des VI. Internationalen Germanisten-Kongresses Basel 1980. Teil 3, Bern 1980, S. 507-513; hier S. 508 f. Vgl. den noch mehr differenzierenden neueren Auf-

satz von Lützeler: Die österreichische Gegenwartsliteratur im Spannungsfeld zwischen Deutschsprachigkeit und nationaler Autonomie. In: Für und wider eine österreichische Literatur, hrsg. v. K. Bartsch u. a., Königstein/Ts. 1982, S. 100-115.

2 Theodor Schieder: Probleme der Nationalismus-Forschung: In: Sozialstruktur und Organisation europäischer Nationalbewegungen. Hrsg. von Theodor Schieder unter Mitw. von Peter Burian, München/Wien 1971, S. 9-18; hier S. 11.

3 Beda Allemann: Was heißt eigentlich Nationalliteratur? In: Deutsche Akademie für Sprache und Dichtung. Jahrbuch 1980. 1. Lieferung, Heidelberg 1980, S. 9-15; hier S. 12 f.

4 Rätus Luck: Gottfried Keller als Literaturkritiker, Bern 1970, S. 512. Vgl. auch S. 498, 500 f. und 503.

5 Adolf Muschg: Gibt es eine schweizerische Nationalliteratur? In: Ich hab im Traum die SCHWEIZ gesehn. 35 Schriftsteller aus der Schweiz schreiben über ihr Land, Salzburg/Wien 1980, S. 161-175; hier S. 174. Vgl. auch S. 165 und 161. Der Beitrag steht auch im Jahrbuch der Deutschen Akademie für Sprache und Dichtung, 1980, 1. Lieferung. Vgl. dort auch Hanno Helbling: Es gibt (k)eine Schweizer Nationalliteratur, S. 51-58.

6 Hugo von Hofmannsthal: Gesammelte Werke in Einzelausgaben. Prosa III, Frankfurt a. M. 1952, S. 333-349; hier S. 349, 344 und 345.

7 Hugo von Hofmannsthal: Gesammelte Werke in Einzelausgaben. Prosa IV, Frankfurt a. M. 1955, S. 390-413; hier S. 411 f.

8 ». . . daß ich ein Dichter werden mußte . . .« Unveröffentlichte Briefe Hugo von Hofmannsthals. Mitgeteilt und kommentiert von Rudolf Hirsch. In: Neue Zürcher Zeitung, Beilage Literatur und Kunst, 15./16. 3. 1980.

9 Kindlers Literaturgeschichte der Gegenwart. Die zeitgenössische Literatur Österreichs, hrsg. von Hilde Spiel. Zürich/München 1976, S. 473.

10 Literatur aus Österreich – Österreichische Literatur. Ein Bonner Symposion, hrsg. von Karl Konrad Polheim, Bonn 1981. Mit Beiträgen von Roger Bauer, Eugen Thurnher, Ulrich Fülleborn, Walter Weiss, Hans-Dietrich Irmscher, Claudio Magris, Zdenko Škreb, Burkhard Bittrich und Rudolf Hirsch. Zu den Themen vgl. die differenzierende Einleitung von Polheim. – Thomas Mann: [Gibt es eine österreichische Literatur?] In: Th. M.: Das essayistische Werk. Taschenbuchausgabe in 8 Bänden, Fischer Bücherei 1968, Bd. Miszellen, S. 194 f.

11 Claudio Magris: Der habsburgische Mythos in der österreichischen Literatur, Salzburg 1966.

12 Ulrich Greiner: Der Tod des Nachsommers. Aufsätze, Porträts, Kritiken zur österreichischen Gegenwartsliteratur, München 1979. Darin:

Der Tod des Nachsommers. Über das »Österreichische« in der österreichischen Literatur, S. 9-57. Vgl. S. 14 f.

13 Joseph Strelka: Brücke zu vielen Ufern. Wesen und Eigenart der österreichischen Literatur, Wien/Frankfurt a. M./Zürich 1966, S. 15.

14 Hilde Spiel: »der österreicher küßt die zerschmetterte hand«. *Über eine österreichische Nationalliteratur.* In: Deutsche Akademie für Sprache und Dichtung. Jahrbuch 1980. 1. Lieferung, Heidelberg 1980, S. 34-42; hier S. 34.

15 Wendelin Schmidt-Dengler: Europäische nationale Literaturen. I Österreich: »Pathos der Immobilität«. In: Frankfurter Hefte, 34. Jg. (1979), Heft 10, S. 54-62; hier S. 61.

16 Leslie Bodi: Österreichische Literatur – Deutsche Literatur. Zur Frage von Literatur und nationaler Identität. In: Akten des VI. Internationalen Germanisten-Kongresses Basel 1980, Teil 3. Bern 1980, S. 486-492; hier S. 487 f.

17 Adolf Muschg: A.a.O., (s. Anm. 5), S. 163.

18 Wolfgang Schaffler: Österreichisch oder »österreichisch«. In: Frankfurter Allgemeine Zeitung, 16. 11. 1978.

19 Max Frisch: Gesammelte Werke in zeitlicher Folge: Band II, 1. 1944-1949, Frankfurt a. M. 1976. Darin: Stimmen eines anderen Deutschland? S. 297-311; hier S. 311.

20 Kultur als Alibi (1949). Ebenda, S. 337-343; hier S. 337.

21 Über Zeitereignis und Dichtung (1945). Ebenda, S. 285-289; hier S. 287.

22 Geschichte der deutschen Literatur von den Anfängen bis zur Gegenwart. 10. Band: Geschichte der deutschen Literatur 1917 bis 1945. Von einem Autorenkollektiv unter Leitung von Hans Kaufmann in Zusammenarbeit mit Dieter Schiller, Berlin (Ost) 1973. Einleitung, S. 13-24; hier S. 24.

23 Theodor Schieder: A.a.O. (s. Anm. 2), S. 15.

24 A.a.O. (s. Anm. 22), S. 24.

25 Hans Mayer: Zur deutschen Literatur der Zeit, Hamburg 1967, S. 347.

26 Zur Thematik in der DDR u. a. Karl Otto Conrady: Zur Lage der deutschen Literatur in der DDR. In: Geschichte in Wissenschaft und Unterricht 17 (1966), S. 737-748; Marcel Reich-Ranicki: Zur Literatur der DDR, München 1974.

27 »Sie sprechen verschiedene Sprachen«. Schriftsteller diskutieren. In: alternative, Zeitschrift für Literatur und Diskussion, 7. Jg., Heft 4 (April 1964), S. 97-100.

28 Kindlers Literaturgeschichte der Gegenwart. Die Literatur der Deutschen Demokratischen Republik. Von Konrad Franke. Neubearbeitete Ausgabe mit drei einführenden Essays von Heinrich Vormweg, Zürich/München 1974. Vorwort.

29 Eberhard Mannack: Zwei deutsche Literaturen? Kronberg/Ts. 1977.

30 Fritz J. Raddatz: Traditionen und Tendenzen. Materialien zur Literatur der DDR, Frankfurt a. M. 1972, S. 7.

31 Jürgen Link: Von der Spaltung zur Wiedervereinigung der deutschen Literatur? (Überlegungen am Beispiel des Produktionsstücks). In: Literatur im geteilten Deutschland (= Jahrbuch zur Literatur in der DDR. Hrsg. von Paul Gerhard Klussmann und Heinrich Mohr. Bd. 1), Bonn 1980, S. 59-77; hier S. 61 und 77.

32 Sabine Brandt: Deutsche Literatur auf Umwegen. In: Frankfurter Allgemeine Zeitung, 11.5.1979.

33 Bertolt Brecht: Gesammelte Werke in 20 Bänden (= werkausgabe edition suhrkamp), Frankfurt a. M. 1967, Bd. 17, S. 1150.

34 Nach Martin Gregor-Dellin: Die vergebliche Teilung: In: Deutsche Akademie für Sprache und Dichtung. Jahrbuch 1980. 1. Lieferung, Heidelberg 1980, S. 23-33; hier S. 33.

35 Stephan Hermlin: Aufsätze. Reportagen. Reden. Interviews, hrsg. von Ulla Hahn. München (1980), S. 145 und 126 f.

36 Adolf Dresen: Nationalliteratur – eine Einheit von Widersprüchen. In: Deutsche Akademie für Sprache und Dichtung. Jahrbuch 1980. 1. Lieferung, Heidelberg 1980, S. 16-22; hier S. 22.

37 Vgl. Hans Joachim Schrimpf: Goethes Begriff der Weltliteratur, Stuttgart 1968. Zur Opposition von Nationalliteratur und Weltliteratur vgl. auch Beda Allemann, a.a.O. (s. Anm. 3), S. 14.

38 Martin Walser: Wer ist ein Schriftsteller? Aufsätze und Reden (= edition suhrkamp 959), Frankfurt a. M. 1979, S. 100.

Nur in Ausnahmefällen sind Kürzungen, die bei der Erstveröffentlichung aus Platzgründen nötig wurden, wieder aufgehoben. Sonst wurde, um die Unmittelbarkeit des Urteils nicht zu verwischen, im Wortlaut nichts verändert.

Alle mit Datum versehenen Rezensionen und Essays sind im Literaturteil der »Frankfurter Allgemeinen Zeitung« erschienen. Der Aufsatz »Literaturkritik – Werkinterpretation« ist bisher unveröffentlicht; »Theaterkritik als Opposition« ist die erweiterte Fassung eines Vortrags, der am 27. 11. 1981 auf der Jahrestagung der »Dramaturgischen Gesellschaft« in Frankfurt am Main gehalten wurde.

Zu den übrigen Beiträgen:

Der Literaturkritiker ein Sansculotte? In: Literatur und Kritik. Aus Anlaß des 60. Geburtstages von Marcel Reich-Ranicki hrsg. von Walter Jens, Stuttgart 1980, S. 246-251.

Aphorismus statt Roman. Wolfdietrich Schnurres Kehrtwendung. In: Merkur, Heft 5, 33. Jg., Mai 1979, S. 484-488.

In den Zimmern liegt Schnee. Jürgen Beckers »Gedichte 1965-1980« und »Erzählen bis Ostende«. Gesendet von Radio Bremen am 8. 5. 1982.

Haben wir heute vier deutsche Literaturen oder *eine*? Plädoyer in einer Streitfrage = Rheinisch-Westfälische Akademie der Wissenschaften. Vorträge G 252, Opladen 1981.

suhrkamp taschenbücher

st 825 Volker Erbes
Die blauen Hunde
Erzählung
190 Seiten
Die blauen Hunde erzählt die Geschichte einer Krankheit. Scheinbar unangekündigt trifft sie eine junge Frau. Die Vorgeschichte zeigt, daß die Formen ihres Wahns nicht zufällig sind oder abstrus, sondern bis in die absonderlichen Details biographisch bestimmt. Auch der Erzähler, der ehemalige Freund dieser Frau, wird von dem Wahn, der der Wahn einer Epoche ist, erfaßt. Indem er ihre Geschichte erzählt, entdeckt er betroffen die Rolle, die er darin spielt.

st 826 Phantasma
Polnische Geschichten aus dieser und jener Welt
Herausgegeben und übersetzt von Klaus Staemmler
Phantastische Bibliothek Band 77
282 Seiten
Zwanzig Erzählungen von neunzehn Autoren stellt dieser Band vor, utopische und phantastische Geschichten, heitere und ernste, amüsante und besinnliche; Spekulationen über die Zukunft stehen neben satirischen Seitenhieben auf die wenig vollkommene Gegenwart. Und es gibt auch gar schauerliche, diabolische und unheimliche Geschichten.

st 828 Hermann Lenz
Die Begegnung
Roman
204 Seiten
»Ein wundersames und wunderbares Buch ... ein Roman, der ganz unwichtig tut und doch voll Weisheit ist; der beiläufig erzählt wirkt und doch Existentiellem auf den Grund geht; der in geschichtlicher Zeit spielt und uns die eigene Zeit und unsere eigene Zerrissenheit besser wahrnehmen läßt.«   *Deutsche Zeitung*

st 829 Pablo Neruda
Liebesbriefe an Albertina Rosa
Zusammengestellt, eingeführt und mit Anmerkungen versehen
von Sergio Fernández Larraín
Aus dem Spanischen von Curt Meyer-Clason
Mit Abbildungen
338 Seiten

Wer die Memoiren Nerudas gelesen hat, kennt seine Erzählhaltung. Das Schreiben sei für ihn wie das Schuhemachen – und so urpersönlich, sympathisch warm und menschlich ist auch der Ton dieser Briefe. Sie befassen sich mit Zuneigung und alltäglichen Sorgen, mit Hoffnungen und Enttäuschungen.

st 831 Helm Stierlin
Delegation und Familie
Beiträge zum Heidelberger familiendynamischen Konzept
258 Seiten

»Die Beiträge des Bandes verarbeiten eine Fülle von Fallbeispielen und therapeutischen Erfahrungsdaten vor dem Hintergrund der psychoanalytischen Grundannahmen zu einem komplexen System von Hilfestellung für die unterschiedlichsten familiären Konstellationen. Lesenswert für jeden, der an Einsicht in ein komplexes Gefüge von Zusammenhängen interessiert ist.«
Wissenschaftlicher Literaturanzeiger

st 833 J. G. Ballard
Die Tausend Träume von Stellavista
und andere Vermilion-Sands-Stories
Aus dem Englischen von Alfred Scholz
Phantastische Bibliothek Band 79
204 Seiten

Vermilion Sands, ein Wüstenkurort zur Erfüllung der ausgefallensten Träume der gelangweilten Reichen, jetzt Künstlerkolonie für Maler, Literaten, bildende Künstler und Musiker, ist in einem langsamen, aber unaufhaltsamen Verfall begriffen. Dichter drücken lediglich auf die Knöpfe ihrer Computer, die automatisch für sie dichten; tönende Skulpturen wachsen aus dem Boden, und empfindsame Pflanzen reagieren auf die Töne der Musik.